CENÁRIO DE CAOS

Bob Garfield

CENÁRIO DE CAOS

COM O COLAPSO DA MÍDIA DE MASSA,
AS EMPRESAS SÓ TÊM UMA ESCOLHA:
OUVIR OU QUEBRAR

Tradução
MARCELO BRANDÃO CIPOLLA
LORENA LEANDRO

Editora Cultrix
SÃO PAULO

Título original: *The Chaos Scenario*.

Copyright © 2009 Bob Garfield.

Copyright da edição brasileira © 2012 Editora Pensamento-Cultrix Ltda.

Texto de acordo com as novas regras ortográficas da língua portuguesa.

1ª edição 2012.

Todos os direitos reservados. Nenhuma parte desta obra pode ser reproduzida ou usada de qualquer forma ou por qualquer meio, eletrônico ou mecânico, inclusive fotocópias, gravações ou sistema de armazenamento em banco de dados, sem permissão por escrito, exceto nos casos de trechos curtos citados em resenhas críticas ou artigos de revistas.

A Editora Cultrix não se responsabiliza por eventuais mudanças ocorridas nos endereços convencionais ou eletrônicos citados neste livro.

Coordenação editorial: Denise de C. Rocha Delela e Roseli de S. Ferraz

Preparação de originais: Roseli de S. Ferraz

Diagramação: Join Bureau

Parte do material contido neste livro, embora revisto e ampliado, foi publicado originalmente na revista *Advertising Age*, no site AdAge.com e na revista *Wired*. Os textos publicados na *Ad Age* são usados aqui mediante permissão da Crain Communications, detentora dos direitos autorais.

Dados Internacionais de Catalogação na Publicação (CIP)
(Câmara Brasileira do Livro, SP, Brasil)

Garfield, Bob
Cenário de caos : com o calapso da mídia de massa, as empresas só têm uma escolha : ouvir ou quebrar / Bob Garfield ; tradução Leandro e Marcelo Brandão Cipolla. – São Paulo: Cultrix, 2012.

Título original: The chaos scenario.
ISBN 978-85-316-1184-1

1. Marketing   2. Marketing – Inovações tecnológicas   3. Marketing – Processamento de dados   4. Propaganda   I. Título.

12-03178   CDD-658.8

Índices para catálogo sistemático:

1. Marketing : Administração de empresas   658.8

Direitos de tradução para a língua portuguesa
adquiridos com exclusividade pela
EDITORA PENSAMENTO-CULTRIX LTDA.
Rua Dr. Mário Vicente, 368 — 04270-000 — São Paulo, SP
Fone: (11) 2066-9000 — Fax: (11) 2066-9008
E-mail: atendimento@editoracultrix.com.br
http://www.editoracultrix.com.br
que se reserva a propriedade literária desta tradução.
Foi feito o depósito legal.

Para Milena

SUMÁRIO

Introdução ▪ *11*

A CIÊNCIA E A ARTE DA LISTENOMICS

Capítulo 1 ▪ *23*

A MORTE DE TODAS AS COISAS

O mundo digital perturbou a tal ponto o modelo empresarial dos jornais, do rádio, da televisão, da música e até de Hollywood que o *yin* e o *yang* dos meios de comunicação de massa e do marketing de massa estão se separando a toda velocidade. Estamos assistindo ao colapso total da infraestrutura de mídia que nos acostumamos a considerar como algo absolutamente natural ao longo dos últimos 400 anos.

Capítulo 2 ▪ *40*

A ERA PÓS-PUBLICITÁRIA

Na plenitude dos tempos, o universo digital vai se revelar como o ambiente ideal para o marketing. Mas isso provavelmente não vai se realizar com o apoio da publicidade: a aversão aos anúncios, a ultrafragmentação e a incômoda Lei da Oferta e da Procura conspiram para erradicar a primazia dela. A curto prazo, isso é mau presságio para os novos episódios da série de TV do momento.

Capítulo 3 ▪ *56*

O FRACASSO MAIS BEM-SUCEDIDO DO MUNDO?

O YouTube é um fenômeno global que alterou em grande escala o comportamento humano. Também é uma máquina de perder dinheiro e tem poucas esperanças de um dia vir a dar lucro. E agora?

Capítulo 4 ▪ *77*

FALAR É FÁCIL

O boca a boca é o meio mais antigo e mais confiável para fazer circular uma mensagem. Isso tem tudo a ver com a conectividade da internet, pois o que é a rede senão uma máquina de promoção do boca a boca? Mas como aproveitar esse imenso potencial? Aqui, as 10 Regras.

Capítulo 5 ▪ 120
A ERA DO WIDGET

Um software em miniatura ou o ímã de geladeira da era digital: o widget é um miniaplicativo altamente portátil que combina a divulgação da marca, típica da publicidade, com a utilidade daquele mata-moscas que você ganhou de brinde na Loja de Ferragens do Frank.

Capítulo 6 ▪ 135
MORTE À COMCAST

O que acontece quando se juntam num mesmo saco os blogs, o Google e a ira de milhões de consumidores insatisfeitos? Um linchamento em rede. É você quem decide como reagir. Você pode ignorar a multidão enfurecida; ou pode estender-lhe a mão e convidá-la a entrar, com tochas acesas e tudo. Este capítulo conta como um único homem, bendito seja, domou uma empresa selvagem.

Capítulo 7 ▪ 169
ADIVINHE

Extrapolação, inferência, intuição, adivinhação, previsão, cálculo. O marketing sempre dependeu substantivamente dos palpites – palpito, por exemplo, que um grande número de meninas assistem ao seriado *Gossip Girl*. O mundo digital, por outro lado, está a tal ponto imerso em dados finamente granulados que a prospecção rigorosa dessa matéria bruta pode transformar o machado cego do direcionamento demográfico num afiado bisturi microcirúrgico.

Capítulo 8 ▪ 186
ÀS VEZES É PRECISO "DE-LEGAR"

As instituições sempre se comportaram de modo... institucional, ou seja, de cima para baixo. Mas isso acabou. Uma empresa dinamarquesa que fabrica blocos de montar de plástico ensinou ao mundo que o grupo antes chamado de "público" (o cliente, o consumidor, o eleitor ou seja lá o que for) agora faz parte da equipe – quer você queira, quer não.

A pesquisa, o projeto, o planejamento estratégico, o marketing, as relações públicas, a distribuição e até a produção nunca mais serão as mesmas.

Capítulo 9 ■ 208

ADEUS, MADISON

A capa deste livro foi multiterceirizada para uma comunidade on-line de *designers* gráficos que usam ferramentas digitais baratas para competir com os escritórios chiques de programação visual. Será que o mesmo pode ser feito com os comerciais de TV? Acompanhamos a trajetória de uma pequena empresa de anúncios gerados pelos consumidores.

Capítulo 10 ■ 237

OS PODERES INSTITUÍDOS 2.0

Listenomics não se aplica só aos negócios. Ao contrário, ela é o negócio de todas as instituições sociais – do Estado à Igreja, passando pelos meios de comunicação e pela política. Vemos aqui uma religião distribuída, um jornalismo distribuído, uma política distribuída e até uma revolução distribuída.

Capítulo 11 ■ 267

NINGUÉM ESTÁ A SALVO DE TODOS

Talvez o Grande Irmão não esteja nos observando, mas o Grande Público certamente está – um bilhão de irmãozinhos, amigos, desconhecidos, colegas de trabalho, ex-namorados, imbecis anônimos e malucos de dar nó. Num mundo interligado, todos estão sujeitos à maldade eletrônica. E, graças, ao Google, ela não morre. Uma meditação sobre as implicações da Sociedade da Vigilância Total.

Posfácio ■ 298

A VERDADEIRA HISTÓRIA DE *CENÁRIO DE CAOS*

_____ *Introdução* _____

A CIÊNCIA E A ARTE
DA LISTENOMICS

HOJE, 3 DE MAIO DE 2009, enquanto faço a última entrevista para este livro num laboratório de química da Filadélfia, The New York Times Co. anuncia que vai fechar seu segundo maior órgão noticioso, o *Boston Globe*.

Depois de 137 anos.

Veremos se isso não é só mais uma jogada empresarial para ganhar mais concessões dos sindicatos, mas, de qualquer forma, o anúncio foi dado. Cedo ou tarde (mais cedo que tarde), as rotativas barulhentas de mais um grande jornal – neste caso, daquele que talvez represente a própria seiva da democracia na Nova Inglaterra – vão parar. Mas de quem é a culpa?

Aí não há mistério. É dos mesmos bárbaros responsáveis pela falência, ainda este ano, do *Chicago Tribune*, do *Minneapolis Star Tribune* e do *Philadelphia Inquirer*; pelo fechamento do *Rocky Mountain News* e das revistas *Portfolio, Playgirl* e *Domino*; pela ruína da indústria musical; pela destruição das rádios e emissoras de TV abertas; e por sufocar quase até a morte o setor da publicidade.

Os culpados: zero e um.

O negócio é que "A Revolução Digital" não é apenas uma manchete de capa de revista. É uma revolução *de verdade,* que produz mudanças revolucionárias, milhares ou milhões de vítimas e todo um novo modo de vida. Não é só uma questão de conversar com a geladeira ou fazer negócios bancários on-line, nem mesmo de passar direto pelo pedágio usando o Sem Parar enquanto as vias da esquerda, repletas de babacas, estão engarrafadas até aquele horrível posto de beira de estrada que vende combustível pelo dobro do preço e cuja lanchonete cheira a desinfetante de banheiro. Essas não passam de comodidades menores possibilitadas pelo mesmo combustível binário que alimenta o verdadeiro incêndio. Talvez você esteja muito ocupado mexendo com seu smartphone para perceber, mas as estruturas dos meios de comunicação de massa e do marketing de massa que de certa forma definiram seus vínculos com o mundo por mais de um século estão pegando fogo.

Como veremos no primeiro capítulo, "A Morte de Todas as Coisas", os tempos estão mudando. A mídia tradicional está num estado de contenção extrema, prelúdio do colapso absoluto. Jornais, revistas e principalmente a televisão como os conhecemos estão condenados, tremendo diante de três forças simultâneas e irresistíveis: 1) a diminuição da audiência, que afasta os anunciantes; 2) métodos obsoletos – e custos insustentáveis – de distribuição; e 3) a concorrência de cada usuário de computador no mundo inteiro. O que você chama de artigos, programas de TV e músicas, e que a mídia chama de "conteúdo", nunca mais será a mesma coisa. Esse fato mudará dramaticamente o ambiente dos meios de comunicação e melodramaticamente o setor da publicidade.

A Madison Avenue, afinal de contas, existe para criar anúncios que subsidiam os imensos custos da velha mídia. Se ela pagou a conta do seriado *A Ilha dos Birutas,* da revista *The New Republic,* da tirinha *The Family Circus,* do programa de rádio de Rush Limbaugh, do programa *TRL* da MTV e do *The Wall Street Journal,* não o fez por diversão, mas porque os profissionais de marketing dependiam desses veículos para alcançar grandes audiências. Na verdade, eles têm pago um ágio cada vez maior por essa oportunidade à medida que a audiência despenca, porque mesmo num mundo onde os meios de comunicação são fragmentados, o maior fragmento – a TV aberta – é o mais valioso. Agora os profissionais de marketing percebem que não estão apenas perdendo massa, mas massa crítica. Quando até isso acabar, eles não terão mais motivo para fazer propaganda; e não terão nenhum lugar, nem mesmo remotamente parecido, para gastarem os mesmos 47 bilhões por ano. Por isso, mesmo que tal coisa pareça culturalmente impossível, os dias da Madison Avenue estão contados. Adeus, Sr. Whipple. Aperte o papel higiênico o quanto você quiser, mas não à custa do anunciante*.

Que fique claro, não estou falando sobre a morte do marketing e da mídia. Falo de um renascimento dramático do marketing e da mídia, mais ou menos do mesmo modo que o fim da Era Glacial produziu um número exponencialmente maior de espécies mais desenvolvidas do que as que até então prosperavam no planeta. Quando a Era da TV finalmente sucumbir à Era Digital, viveremos num mundo diferente. E (no geral) num mundo muito melhor. Mas para aqueles que estão fixados no *status quo*, a mudança involuntária é um conceito complicado de aceitar. Os titãs do Modelo Velho passaram os últimos cinco anos chafurdando em diversas formas de arrogância e negação. Você verá alguns exemplos no Capítulo 2 ("A Era Pós-Publicitária"), mas por enquanto vou apenas citar os comentários que Sir Martin Sorrell, *chairman* do Grupo WPP (a maior *holding* de agências de publicidade do mundo), fez em 2007:

"Aos poucos, as novas mídias deixarão de ser vistas como novas mídias; serão apenas mais uma série de canais de comunicação. E, como todas as mídias que já foram novas e hoje são apenas mídias, elas ocuparão um lugar merecido no repertório das mídias, talvez por meio de aquisições inversas – *mas é quase certo que não destronarão nenhuma das mídias já existentes.*"

O grifo é meu; o absurdo foi por conta de Sir Martin. Ele não percebe que a internet não é somente um meio de comunicação mais moderno – como foi a TV quando substituiu o rádio. Não: ela é um avanço tão revolucionário quanto o fogo, a agricultura, a roda, a imprensa, a pólvora, a eletricidade, o próprio rádio, o voo tripulado, os antibióticos, a energia nuclear e, talvez, as tiras dentais Listerine. A revolução digital já faz uma diferença brutal em todos os aspectos da nossa vida, desde os contatos sociais até a informação, desde o entretenimento até a democracia, e esses

---

* O Sr. Whipple é o personagem de uma série de anúncios do papel higiênico Charmin. O tema principal dos anúncios é a maciez do papel higiênico. "Mr. Whipple", que pedia que as consumidoras "não apertassem o Charmin", figurou nos anúncios dessa marca por mais de 20 anos e é famoso nos Estados Unidos. (N. do T.)

efeitos do Admirável Mundo Novo só estão esperando pelo colapso do Horroroso Mundo Velho para mostrar toda a sua força. Isso não é uma coisa que *ainda vai* acontecer.

É algo que *está* acontecendo. Neste exato momento.

Então eu tive uma ideia: por que não passar quase quatro anos documentando a destruição do modelo da simbiose entre os velhos meios de comunicação de massa e o marketing de massa e ao mesmo tempo procurar vislumbrar de que maneira o mundo da micromídia/micromarketing o substituirá? Que ideia maravilhosa. São dois! Dois! Dois livros em um!

Cenário de Caos fala sobre a reordenação histórica dos meios de comunicação, do marketing e do comércio causada pela revolução da tecnologia digital. Percorrerá os cinco continentes numa busca por exemplos de adaptação a algo que representa, literalmente, uma nova era das realizações humanas. O livro fala da vanguarda de um exército, que pode tanto ser libertador quanto opressor. Fala, em suma, de como sobreviver ao desastre da velha ordem para criar uma nova. Vamos começar nossa viagem num lugar que é a imagem inversa da ruína apocalíptica – a cidadezinha de Billund, na Dinamarca –, numa empresa que fabrica blocos de montar de plástico.

Billund (com população de 8.697 almas) é um conjunto pitoresco de lotes rurais no centro da Península de Jutland, que adentra os frios mares ao norte da Alemanha. Durante a primavera, depois do degelo, o simples ato de descer do turbo-hélice nos lembra instantaneamente do quão rural é o lugar. O aroma terroso de estrume nos penetra as narinas, como se tivéssemos, sem querer, passado os dedos por um anúncio da *Vogue* trazendo uma amostra do perfume *Merde*, de Estée Lauder. Digamos que Billund não é Bangalore nem o Vale do Silício. A primeira impressão não é a de "tecnologia".

O aeroporto fica a menos de dois quilômetros do Hotel Legoland, que também não vai lembrar ninguém do Taj Palace Dubai, por exemplo. Ele se parece mais com um Best Western amplo, com temática de Lego. Na entrada, os visitantes são recebidos por um gigantesco porteiro-robô feito de blocos de Lego, rindo e levantando repetidamente o braço numa saudação, como um boneco "Big Boy"* fascista. No hotel, corredores com

---

* Boneco-propaganda da rede de lanchonetes Bob's Big Boy, atual Big Boy, nos Estados Unidos. (N. do T.)

nomes fantásticos como Estrada dos Contos de Fadas e Avenida da Cidade são ladeadas de outras coloridas montagens. O saguão para onde dava meu quarto era vigiado por um gnomo de 1,20 m, carregando uma tabuleta onde se lia a designação meio hiperbólica de "Rua do Castelo". Se você fosse a Dorothy, viraria para seu cachorrinho e diria: "Totó, acho que não estamos mais no Kansas."

Mas você estaria errado. Billund se parece muito com o Kansas, exceto pelo fato de seus habitantes comerem arenque no café da manhã. Os nativos do lugar são durões e teimosos, bondosos mas reservados – e, talvez, um pouco inexpressivos. A Dinamarca rural não é muito dada às efusões e demonstrações de afeto. É um lugar onde as pessoas saem da cama de manhã, cuidam de seus negócios e voltam no meio da tarde à companhia da família, a quem, imagino, não sentem a menor necessidade de impressionar fingindo-se grandes pensadoras ou exímias conhecedoras do mundo. Na verdade, quem simplesmente caminha por esse hotelzinho de plástico prestando atenção nos vários exemplos de estatuetas de blocos de montar pode chegar à conclusão de que o lugar é ainda mais atrasado do que imaginava. Num mundo dominado pelo World of Warcraft e pelo Second Life, as figuras de Lego – por mais elaboradas que sejam – têm uma qualidade prosaica e retrô. Seja na forma de um porteiro de hotel, seja na de Darth Vader, de trabalhadores contentes ou – como no lobby do hotel – da Mona Lisa, os blocos de montar retangulares se parecem com pixels de plástico em 3D... em baixíssima resolução.

Então é isso: é em Billund que nascem, todo ano, milhões e milhões de blocos de montar antiquados, de baixa tecnologia, moldados em meio aos pastos e plantações. É também aí que comecei minha jornada de cronista da revolução. Pois é aí que está sendo forjado o futuro do comércio.

Vários Tipos de "Omics"

A princípio com a linha de brinquedos robóticos chamados Mindstorms, e agora com a expansão das linhas Lego Creator e Lego Factory, essa empresa foi pioneira em envolver o consumidor – não só solicitando ideias de seus clientes mais fiéis e entusiasmados, mas também recrutando-os ativamente para projetar produtos. Os Mindstorms, surgidos em

1998, representaram por si sós um passo arrojado para uma empresa que começou em 1932 vendendo carrinhos de madeira, passou a produzir blocos de montar de plástico colorido em 1949 e permaneceu praticamente imóvel por 50 anos. Mas a tecnologia original da linha Mindstorms era complicada e as vendas, lentas. Isso durou até 2002, quando o Grupo de Usuários dos Mindstorms desceu do turbo-hélice, aspirou aquela deliciosa atmosfera de gás metano e começou a trabalhar na segunda geração do produto. Durante 14 meses, entre Billund e seus computadores pessoais, esses voluntários reinventaram a marca – que hoje faz um tremendo sucesso. E não só foram de avião a Jutland à própria custa para ter o privilégio de trabalhar como consultores sem nada receber como também, na volta, divulgaram os produtos resultantes para a comunidade mundial dos geeks e dos fanáticos por Lego. Sites montados por fãs na internet, sem nenhum estímulo nem controle da empresa, representam praticamente todo o programa de marketing da linha Mindstorms.

O experimento com a Mindstorms aconteceu em meio a uma crise na Lego. Depois da virada do século, à medida que os brinquedos eletrônicos e os games on-line roubavam a atenção de seus consumidores, as vendas caíram vertiginosamente e os lucros desapareceram. Em 2004, as perdas eram tantas que a empresa cogitou abrir falência. Essa crise, talvez associada à percepção da paixão e da convicção da audiência nascida do projeto Mindstorms, levou a administração a repensar todos os aspectos do negócio, desde a eliminação das linhas obsoletas até o enxugamento da força de trabalho, passando pela institucionalização do conceito de participação do consumidor. Sob a nova estrutura, a divisão de "Comunidade, Educação e Gestão" é uma de apenas quatro hierarquias de autoridade dentro da empresa – ao lado das de Administração, Gestão da Cadeia de Suprimentos e Vendas & Marketing. Sua função: tratar diretamente com os consumidores, cuja sabedoria, entusiasmo e discernimento coletivos – demonstrados em inúmeros fóruns on-line – são maiores que os da própria empresa.

Em outras palavras, essa organização esclarecida está ouvindo. Está ouvindo os consumidores fiéis, os consumidores insatisfeitos, os funcionários, os fornecedores – está escutando todos os ecos do mercado que possam ajudá-la a vender blocos de montar para o mundo inteiro. Esse exercício não envolve necessariamente levar as pessoas de avião até a sede da empresa. Pode ocorrer 24 horas por dia nos sites da própria organização e nos de outras pessoas e entidades. E cria conexões, dados e conhecimentos que a empresa nunca teve, que talvez nunca tenha sequer imaginado. Isso porque todo aquele pessoal cujos seminários você tem assistido nos últimos três anos – aqueles que dizem que "quem manda é o consumidor", está lembrado? – está coberto de razão. O consumidor (o eleitor, o cidadão) é quem manda: manda no que vai assistir, no que vai ler. É ele quem decide se vai prestar atenção em você ou transformar sua vida num inferno. Por isso, talvez a hora seja propícia para escutar o que ele tem a dizer. E não fará mal nenhum tê-lo como amigo.

Esse é o futuro de tudo. Aliás, para quem quer sobreviver nos meios de comunicação, no marketing, na política ou em qualquer outra instituição acostumada a gerir seus assuntos de cima para baixo, esse é o *presente*. A sobrevivência depende da institucionalização do diálogo com todas as pessoas potencialmente envolvidas na sua atividade e, às vezes, com pessoas completamente estranhas. Esse diálogo serve para sondar o mercado, desenvolver produtos, estabelecer um relacionamento com os clientes, desenvolver a imagem da organização e efetuar as transações propriamente ditas. Este último benefício é especialmente importante, pois a venda de produtos e serviços dá dinheiro.

Essa é a essência da "listenomics", termo com que designo a arte e a ciência de cultivar relacionamentos com indivíduos num ambiente interligado e de código cada vez mais aberto. Deveria ser também o título deste livro. Infelizmente, fui precedido pelo *Wikinomics* e pelo *Freakonomics*, dois belos livros que lançaram o sufixo "nomic" no mundo editorial antes que eu tivesse a oportunidade de fazê-lo. Mas, embora meu termo talvez não seja mais tão original, ele continua representando uma excelente disciplina para o mundo extraordinário onde florescerá – um mundo totalmente diferente de tudo o que já vimos.

Steve Rosenbaum, meu amigo e ocasional colega, fundador da Magnify.net (uma pequena empresa de compartilhamento de vídeo) e virtual inventor, há dez anos, do conceito do "cinegrafista amador", afirma: "A era da gélida luz azul saindo à noite pelas janelas de todas as casas do quarteirão está oficialmente encerrada. O fato singelo, maravilhoso, delirante, é que agora gente como você e eu podemos criar e compartilhar conteúdo."

Steve se refere aos blogs. Refere-se aos comerciais feitos por consumidores, como os anúncios de Doritos veiculados na decisão do campeonato nacional de futebol americano. Refere-se às canções produzidas e distribuídas por bandas de garagem, que de repente têm acesso a um público tão grande quanto o da Madonna. Mas refere-se, antes de tudo, aos vídeos.

Pense no YouTube. Em 2005 ele sequer existia. Agora hospeda milhões de videoclipes de todo tipo, muitos criados por gente comum. Fornece 200 milhões de clipes por dia, principalmente ao MySpace, ao Facebook e a outras redes sociais, e suplantou a MTV como destino de mídia predileto da Geração do Déficit de Atenção. O Google comprou-o por US$ 1,65 bilhão e a Viacom está exigindo dele uma indenização de um bilhão – e ambos pelo mesmo motivo: o YouTube abalou radicalmente a situação do comportamento do público, da distribuição do conteúdo e do monopólio de Hollywood, até então inexpugnável, sobre a produção de coisas que as pessoas gostam de ver. Mas tem um detalhe divertido. O YouTube (Capítulo 3: "O Fracasso mais Bem-Sucedido do Mundo?") não vende publicidade suficiente para cobrir nem 20% da sua conta de banda larga, pois 1) os anúncios on-line não valem muito dinheiro e 2) o público não quer nem saber desses anúncios.

Lembre-se: décadas de pesquisas provam que os consumidores nunca gostaram da publicidade. Só a aceitavam porque, além de ser uma das cláusulas do contrato pelo qual recebiam conteúdo barato ou de graça, ela era essencialmente inevitável. Agora, porém, uma geração inteira cresceu obtendo conteúdo gratuito na web sem muitas interrupções publicitárias, e considera essa ausência de publicidade como um direito inalienável. Além disso, dispõe da tecnologia – DVR, bloqueadores de spam etc. – para evitar os anúncios, e faz uso dela. Por isso, e pelo fato de o colapso do *yin* dos meios de comunicação de massa ser um mau sinal para o *yang* do marketing de massa, a publicidade não tem um futuro muito brilhante. Isso tende a prefigurar um longo pesadelo para as agências de publicidade, que atualmente demonstram duas atitudes: a de fechar os olhos, como Sir Martin Sorrell, ou de puro e simples pânico. Mas, se o seu negócio é vender bens – ou governar, ou fazer as leis –, não tema. Nem tudo está perdido. A salvação está a seu alcance. Preste atenção.

A Inversão do Fluxo do Mississippi

Está escutando? Lá longe? É uma multidão se juntando – a multidão que você costumava chamar de "audiência". Ainda é uma audiência, mas não necessariamente estão escutando você. Estão escutando uns aos outros, ouvindo o que eles próprios têm a dizer sobre você. E estão usando seus produtos, suas marcas, seus logotipos, seus slogans, suas marcas registradas, seus projetos gráficos, sua boa vontade, tudo, como se lhes pertencessem – o que, de certo modo, é verdade, pois não é fato que você gastou anos e anos e trilhões de dólares para convencê-los exatamente disso? Parabéns. Funcionou. A Grande Sociedade Consumidora acredita que tem participação na sua empresa. Lembra-se do fiasco da nova Coca-Cola? Foi épico. Depois de gastar milhões de dólares para desenvolver a nova fórmula e outros milhões para fazer pesquisas de mercado que provavam sem sombra de dúvida que os consumidores preferiam a formulação mais doce à clássica Merchandise 7X, de mais de um século, em 1985 a Coca-Cola lançou a Nova Coca e imediatamente descobriu, horrorizada, que ninguém achou graça. É verdade que a empresa fizera provas e mais provas, mas "Qual das duas você prefere?" não era a pergunta correta. Esta seria "Você quer que a gente mude a fórmula da Coca-Cola?" Se a empresa tivesse se dado ao trabalho de pesquisar, ouviria um sonoro "não" como resposta. Os consumidores, além de estarem emocionalmente apegados ao sabor antigo, também se consideravam mais ou menos donos do produto. Tinham bebido tanta Coca-Cola que, num sentido muito concreto, tinham a sensação de que a empresa era patrimônio deles. E, como todos aqueles que têm participação num negócio, eles se manifestaram para ser ouvidos.

Isso já faz 25 anos. Agora imagine o mesmo fenômeno ampliado exponencialmente por meio da internet.

"Acho que o ambiente vai se assemelhar cada vez mais a uma conversa aberta e cada vez menos a um ditado" diz John Battelle, guru da internet e fundador da *Wired* e do *The Industry Standard*. "Os profissionais de marketing terão que adotar cada vez mais os princípios do ambiente onde se encontram."

Por quê? Porque, como já expliquei, o fluxo da sociedade de informação está se invertendo. Cada vez mais habitamos um mundo de código aberto. Aquilo que no começo era uma experiência de um punhado de nerds extravasou, graças à internet, para outros setores, especialmente para os meios de comunicação e para o direito. E não vai parar aí. Publicidade, imagem de marca, distribuição, pesquisa de mercado, desenvolvimento de produto, manufatura – tudo vai ser virado de ponta-cabeça quando o despotismo do escritório executivo der lugar à vontade e à sabedoria das massas numa nova era comercial e cultural. O pessoal da Lego entendeu isso, e Sir Martin Sorrell, não: a era pós-publicitária é a Era da Listenomics. A característica que a define é que a massa popular ganhou voz. Quem não abrir os ouvidos é um tolo. Não porque a multidão seja uma ameaça (embora o seja de fato), mas porque é sua maior aliada. Chegou o dia do pagamento para aqueles que aproveitam a sabedoria e o poder das multidões, libertando-as do jugo das leis obsoletas de propriedade intelectual e dos ditames da Administração.

E isso também já está acontecendo. O fiasco da nova Coca-Cola explica o fato de a segunda maior página de fãs do Facebook – a primeira é a de Barack Obama – ser a da Coca-Cola. A página não foi criada pela empresa; foi criada por dois fãs e endossada por outros 3,3 milhões, enquanto os chefões da marca, em Atlanta, simplesmente pasmavam a distância. Este livro o apresentará a muitas maneiras pelas quais o simples exercício da escuta pode aprimorar e até substituir disciplinas comerciais que existem desde tempos imemoriais. No Capítulo 4 ("Falar é Fácil") você vai aprender como o mais antigo canal de comunicação do mundo – o boca a boca – foi turbinado pela internet, fazendo com que boa parte do marketing tradicional perdesse a credibilidade. Vai viajar a Tel Aviv, onde um jovem matemático e psicólogo escreve algoritmos para sondar os sentidos e as influências de palavras que ele jamais chegará a ler. O Capítulo 6, "Morte à Comcast", discute como os consumidores mobilizados têm usado seu novo poder para constranger, envergonhar e até prejudicar empresas imensas – entre as quais a patética gigante de TV a cabo que cometeu o erro fatal de me deixar irritado. No mesmo capítulo, vou discutir a proliferação de resenhas de produtos em sites como o Angie's List e o ePinions.com; e os sites de ódio que direcionam suas baterias contra determinadas marcas comerciais. No Capítulo 7 ("Adivinhe"), vou discutir de que modo o monitoramento dos dados de transações on-line – à moda da Netflix e da Amazon.com – pode se tornar o núcleo de um negócio. No Capítulo 9 ("Adeus, Madison"), você vai se informar sobre anúncios feitos pelos consumidores, como os que foram transmitidos na final do campeonato nacional de futebol americano. E temos, é claro, o Capítulo 8 ("Às Vezes é Preciso De-Legar"), sobre uma firma dinamarquesa cujos blocos coloridos de montar, como as sereias de Homero, atraem os fãs e excitam suas mais fantásticas paixões. Vou apresentar exemplos igualmente revolucionários dos campos do jornalismo, das enciclopédias, da religião, da política eleitoral e até da política revolucionária, demonstrando modos antes inimagináveis pelos quais atualmente é possível fazer negócios. Todo este livro trata de como a Listenomics pode e deve ser incorporada a todas as organizações – desde a Unilever até o governo americano – que dependem do público para se manter.

É claro que nem tudo será um mar de rosas. Quem ouve com cuidado às vezes escuta o que não quer. Para cada entusiasta que inventa um novo projeto para uma balsa de Lego há milhões de pessoas decepcionadas que querem fazer a diferença:

O site vwsuckass.com, para citar apenas um exemplo característico.

Ou, para ficar na mesma empresa infeliz: um dos primeiros anúncios feitos pelo consumidor foi um comercial cômico para o compacto Polo. Nele, um terrorista palestino tentava explodir uma lanchonete, mas a bomba não causa dano algum porque o Polo "É pequeno mas é forte". O falso comercial foi visto 12 milhões de vezes, mas a VW não enviou ao autor uma nota de agradecimento. Pelo contrário, ameaçou entrar na justiça. Nada aconteceu. Por maior que seja a ameaça dos advogados, é impossível tirar o computador de todo o mundo. Repito: não são as empresas que mandam em sua mensagem, sua imagem e sua reputação. Quem manda são os Consumidores – e eles são muitos.

Repare no C maiúsculo: no fim das contas, todos são Consumidores – o que nos leva a um aspecto um pouco assustador da Listenomics: o fato perturbador de que ela só pode existir num Admirável Mundo Novo. Como Aldous Huxley previu, o universo digital é essencialmente uma sociedade da vigilância total. Isso pode produzir, e produzirá, vários efeitos aterrorizantes e indesejáveis, desde o infofascismo chinês até a criação de cibercomunidades de justiceiros e a destruição de reputações on-line (Capítulo 11: "Ninguém está a salvo de todos"). Esse fenômeno é uma demonstração clássica de que a era digital é uma faca de dois gumes. Alguns dos que caem na teia da rede são inocentes. Alguns talvez sejam culpados de indiscrições particulares, mas se veem de repente expostos à execração pública. Alguns são vilões de verdade, como os predadores sexuais capturados pelo grupo Perverted Justice. E alguns são políticos, que acabam aprendendo, do jeito mais difícil, que o exercício de uma função pública pode deixá-los, de repente, expostos à ira do público.

Para aprender de vez essa lição, basta-nos examinar o calvário de George Allen (Capítulo 10: "Os Poderes Instituídos 2.0"). Há pouco tempo, ele era um dos principais pré-candidatos republicanos à presidência dos Estados Unidos. Agora é um ex-senador da Virgínia. Chegou a essa posição pouco invejável enquanto punha em prática sua suposta versão da Listenomics: a "Turnê para Ouvir" (*Listening Tour*) pela Virgínia, bloco central da sua campanha pela reeleição em 2006, contra o azarão democrata James Webb. Numa das estações de suas viagens, na comunidade rural de Breaks, o candidato Allen parou de ouvir e começou a falar. Falou, especificamente, sobre um jovem que gravava cada uma de suas palavras com uma câmera digital de vídeo – um jovem que Allen sabia muito bem estar a serviço da campanha de Jim Webb. Esse jovem tinha seguido Allen em todas as paradas de sua viagem, torcendo pela remota possibilidade de que Allen fizesse ou dissesse alguma coisa controversa que desse ao outro candidato alguma chance de ganhar a eleição.

É claro que ninguém, sendo filmado nessas condições, seria burro o suficiente para dar munição ao seu adversário – ninguém, menos George Allen. Em vez de ignorar o chato com a câmera, Allen se referiu diretamente a ele. "Esse rapaz aqui, bem aqui, de blusa amarela: o 'Macaca', ou seja lá qual for seu nome...." Depois, o chamou de Macaca pela segunda e pela terceira vez.

Ninguém sabe com certeza por que Allen decidiu chamá-lo por esse nome. O que sabemos é que o jovem era um americano de origem indiana, de pele muito escura; e que no norte da África, terra da mãe de Allen, *macaca* é um apelido pejorativo que se aplica aos negros. Ah, e sabemos uma outra coisa: Allen jogou fora os 16 pontos que o separavam de seu adversário e perdeu a eleição.

E isso porque a Listenomics tem a seguinte característica: os outros também estão escutando.

—— *Capítulo 1* —————————————————————————

A MORTE DE TODAS AS COISAS

UM FIM DE TARDE DE VERÃO EM MONTENEGRO. Os veleiros na marina oscilam preguiçosos enquanto o sol descai, mergulhando no Adriático; a água salgada bate ritmicamente nas pedras antigas. As montanhas ao redor são meras sombras diante do céu crepuscular. No cais, um violoncelo solitário toca uma melancólica canção de amor. Vim aqui para ver o mar, mas acabei tropeçando numa metáfora.

E em vários paradoxos estonteantes. Esta é a cidade de Budva, um porto medieval num país novinho em folha, repleta de turistas sérvios, italianos e russos vindos para curtir a alta estação de agosto. Aqui, diferentes mundos e eras parecem sobrepor-se: ruazinhas estreitas, de pedra, congestionadas de carros BMW; um paraíso fiscal descaradamente corrupto renascendo das cinzas da Iugoslávia comunista; a pobreza fatigada e o brilho vulgar dos novos-ricos. Do outro lado da baía, junto à *Citadela* – a fortaleza que há séculos monta guarda sobre este paraíso balcânico –, afixada a uma muralha velha de 800 anos, há uma tela de cristal líquido de 55 metros quadrados. Ela exibe propagandas, uma depois da outra, 24 horas por dia. Mas, como diz o outro, não é só isso – tem mais. Do lado de lá da muralha, sobre um penhasco de xisto que se eleva 15 metros sobre o mar, aninha-se uma praça pública chamada *Izmedu Crkava* – "entre as igrejas". Nesse lugar, daqui a algumas horas, vai começar a *Noc Reklamozdera*.

A Noite da Publicidade. Os turistas comprarão ingresso para assistir a 90 minutos de comerciais de TV. O acontecimento foi criado pelo francês Jean Marie Boursicot, que vem realizando eventos desse tipo em toda a Europa há anos: uma coletânea de anúncios em filme seguida por uma festa dançante comandada por um DJ. Mais um estranho contraste. É de imaginar que parte do público tenha um DVR em casa, no qual apertam o botão de *fast forward* para pular os mesmos comerciais que agora estão pagando, em dinheiro, para ver.

Mas deixemos para lá esse pequeno paradoxo. Ouça. Aqui, no porto, me assombra a melodia do violoncelo, que uma mocinha pálida, bonita, toca diante dos transeuntes indiferentes. Que melodia é essa, tão triste? Ah! É "Katyusha", a "Lili Marlene" dos russos. É sobre uma jovem que chora seu amor perdido enquanto, ao seu redor, a natureza floresce. É também a música que os soldados da artilharia russa cantavam enquanto abasteciam seus tanques de obuses e espalhavam a destruição pelos céus. Nunca ouvi notas tão apropriadas. Aqui em Budva, em meio ao perpétuo choque das civilizações, a população acaba de enterrar a Revolução Comunista; mas vai comemorar a "noite dos reclames" sem se lembrar que está, agora, no meio de uma revolução capitalista. Um caso de amor terminou e os obuses voam pelo ar para destruir até as mais sólidas fortificações do universo analógico. Esta é a festa de despedida da antiga ordem comercial do mundo. Esqueça o bate-estaca eletrônico do DJ; ouça o violoncelo. Ele está bem aqui. Ouça-o e encare a música de frente.

Êxodo em Massa

Por que, de repente, ouvir é tão importante? Por isto: porque quase ninguém mais ouve o que você tem a dizer.

Houve uma época, durante quase todos os 6 séculos desde que Gutemberg deu ao mundo os tipos móveis, em que as elites políticas, clericais e comerciais conseguiam falar às massas, certas de que o público lhes daria atenção. Nos últimos 400 anos, os meios de comunicação de massa foram criados ou pelo menos subsidiados pelo marketing de massa, que, para transmitir suas próprias mensagens, pegava carona no que hoje chamamos de "conteúdo".

Como a eterna codependência das flores e das abelhas, esse relacionamento simbiótico era extremamente conveniente para todos os envolvidos. Ou, caso prefira uma analogia mais espiritual, imagine o *yin* da mídia confortavelmente encaixado no *yang* da publicidade, uma unidade transcendental que oferecia a todos um conteúdo barato ou mesmo gratuito. Bem, isso acabou – ou quase. Na era digital, essa simbiose testada e comprovada pelo tempo está se desmanchando. O processo é lento, a ponto de a maioria dos consumidores não o terem realmente percebido. Mas está ocorrendo rápido o suficiente para que a mídia e o marketing se vejam, de repente, em tremendas dificuldades – dificuldades que, acredito, mergulharão o mundo na era pós-apocalíptica da pós-publicidade. Neste capítulo e no seguinte, vou tentar provar esse fato a você. Por enquanto, porém, vamos pensar somente no que está acontecendo ao nosso redor.

Você já pensou, por exemplo, na invasão do exército dos fones de ouvido?

É claro que você já os viu no metrô ou na academia: aquele pessoal que cuida dos seus assuntos com chumacinhos pretos ou brancos enfiados nos ouvidos. Não se trata de um problema de higiene e saúde, mas de um sinal evidente da revolução em curso. Essa gente pode parecer pacífica, mas, enquanto caminham sobre a esteira ou olham para o infinito evitando fazer contato visual com seus vizinhos aglomerados no metrô, eles estão tomando a Bastilha. Curtindo em particular suas gravações digitais do U2, de Lil Wayne ou de *Ella Canta Cole*, eles estão, ao mesmo tempo, desmontando a Antiga Ordem Mundial. Graças ao iPod, o setor de produção de discos e as rádios comerciais estão às portas da morte.

Vamos pensar um pouquinho no rádio. Além de as rádios de satélite terem engolido parte da audiência das radioemissoras, o iTunes e companhia reduziram ao ridículo as listas irritantes e limitadas de músicas aleatórias geradas pelas estações baseadas em terra. Os exércitos dos fones de ouvido estão tomando a Bastilha porque estão pondo para escanteio três setores inteiros da economia: o rádio, as gravadoras e a publicidade – tendo sido esta, até agora, a principal responsável por atender à vontade do público de ouvir música. Veja só: no iPod, você não precisa ouvir propaganda nenhuma. Até as rádios públicas estão sob ameaça, pois não detêm mais o monopólio da realização e distribuição de noticiários

aprofundados e programas informativos em áudio. É verdade que a NPR*
já veicula boa parte do seu conteúdo por meio de podcast, mas qualquer
um pode fazer o mesmo. O que a NPR tem de diferente em relação ao cidadão comum? Centenas de milhões de dólares de custos cada vez menos
necessários – porque ninguém precisa de transmissores e antenas gigantescas para receber um podcast ou um stream de áudio. E há um fato ainda
mais espinhoso. Com a universalização da banda larga, ninguém vai precisar de um aparelho de rádio para ouvir a programação produzida pela
NPR. Mas são as emissoras locais que, pedindo doações ao público, geram
95% da receita da rede. Hmmm.

Os jornais se encontram numa espiral descendente ainda mais ín-
greme. Eles também perdem audiência rapidamente e nunca vão encontrar novos leitores para substituir os antigos, pois os jovens, que não ouvem
rádio, muito menos compram jornal. A queda do número de exemplares
faz cair também a receita advinda da publicidade, a qual, obviamente, é diretamente proporcional ao tamanho do público. Enquanto isso, os anúncios classificados – que até agora eram o setor mais lucrativo dos meios de
comunicação em geral – foram reduzidos à insignificância pelo Craigslist,
pelo Monster.com, pelo AutoTrader.com e pelo eBay. O jornal *Minneapolis
Star Tribune*, adquirido pela McClatchy em 1998 por US$ 1,2 bilhão, foi
vendido a investidores privados em dezembro de 2006 por 530 milhões.
Em janeiro de 2009, abriu falência nos termos do Artigo 11 da Lei de Fa-
lências norte-americana (recuperação de empresas). No ano 2000, a Tribune Co., sediada em Chicago, era avaliada em US$ 12 bilhões. Na época,
comprou a Times-Mirror Co. por mais de US$ 8 bilhões. Mas então, em
abril de 2007, o incorporador Sam Zell chegou vestido de cavaleiro branco
e começou a cortar gastos no atacado, despedindo funcionários, fechando
filiais e vendendo o *Newsday*. Santo remédio: em 20 meses, a Tribune Co.
abriu falência.

A A. H. Belo, proprietária do *Dallas Morning News*, despediu 25%
da sua força de trabalho nos últimos 12 meses. O *Rocky Mountain News*

---

* National Public Radio, empresa de comunicação norte-americana, instituída pelo governo,
que opera com fundos públicos e privados, produzindo e distribuindo programas de rádio
para grande número de emissoras norte-americanas. (N. do T.)

fechou em março de 2009, enquanto o *San Francisco Chronicle* e o *Seattle Times* estão jogando a toalha. Em 2008, Rupert Murdoch pagou US$ 5,5 bilhões por um jornal de US$ 3,5 bilhões, o *Wall Street Journal*, e ninguém soube dizer se ele era um gênio da sinergia e do investimento ou um simples otário. A recessão obscurece a resposta, mas em fevereiro de 2009 a News Corp declarou uma desvalorização de US$ 8,4 bilhões em seus ativos – cerca de 40% da qual é atribuída, pelos analistas de Wall Street, ao negócio envolvendo o *Journal*. Murdoch declarou que seu império "talvez nunca volte ao nível recorde". "Talvez nunca volte"? As palavras certas são "nunca voltará". E temos a triste história do *The New York Times* – o próprio. No começo de 2009, esse jornal estava praticamente condenado: tinha uma dívida de US$ 400 milhões a vencer em maio daquele ano e não tinha dinheiro para honrá-la. Então, a empresa anunciou a princípio o plano de vender, depois alugar do vendedor, 19 dos 25 pisos de sua novíssima sede. Mais tarde, suspendeu o pagamento dos dividendos da bolsa e emprestou US$ 250 milhões a uma taxa de juros exorbitante do oligarca mexicano Carlos Slim, que um editorial do próprio *Times* havia acusado de ser um "barão dos ladrões". Mas, se não fosse Slim a emprestar o dinheiro, quem o faria? O site Agiota.com?

O curioso é que, em meio a todo esse sofrimento, o público em busca de conteúdo noticioso está aumentando drasticamente. Muitos leitores velhos e jovens estão acessando os sites dos jornais, mas não pagam por esse privilégio porque nunca tiveram de fazê-lo. Nem sequer estão dispostos a suportar anúncios comerciais para subsidiar suas notícias, porque também não gostam disso. O pacto firmado tacitamente entre a mídia e os consumidores – ter de aguentar mensagens comerciais como contrapartida ao acesso a um conteúdo gratuito ou muito barato – nunca se aplicou à Geração Y e dificilmente poderia ser imposto *a posteriori*. Pouco importa que, no que se refere à propriedade intelectual, a ética dessa geração – "Todo o Conteúdo de Graça" – seja burra e criminosa. As pessoas realmente acreditam nessa bobagem e dificilmente vão mudar de ideia.

E as revistas? Também estão derramando rios de sangue. Em 2008, as vendas em bancas de jornal – ou seja, o motor do lucro do setor – caíram 12%. Segundo o informativo *MIN*, no começo de 2009 o número de anúncios caiu impressionantes 22% – e isso depois de um péssimo 2008.

A Conde Nast extinguiu a *Domino*, a Meredith cancelou a *Country Home*, a Ziff-Davis fechou a *PC Magazine*, a Hearst acabou com a *Cosmo Girl* e a *O at Home*, o *The New York Times* eliminou a *Play*, a Hachette aboliu a *Home*. A *Playgirl* e a *Radar* já eram. A *U.S. News*, que já foi semanal e depois bissemanal, hoje é mensal. As revistas da Time Inc. reduziram seu pessoal – principalmente por meio de demissões – em 1.400 funcionários desde 2004. E a revista *TV Guide*, que já foi uma mina de ouro com circulação de 17 milhões de exemplares, foi vendida em outubro para a Open-Gate Capital por um único dólar – US$ 2 a menos que o preço de um exemplar no supermercado. Na conferência da Associação de Editores de Revistas, em maio de 2008, a *chairman*-CEO da Time Inc., Ann More, disse aos colegas: "Se vocês ainda estão confiando em seus planos quinquenais, estão completamente malucos."

Por Água Abaixo

Naturalmente, deixo por último o caso mais chocante: as extraordinárias tribulações da televisão. Depois da fissão nuclear – e talvez do automóvel, embora não se possa ter certeza –, a televisão foi a força mais poderosa do século XX, nossa forma principal de entretenimento e nossa janela para o mundo. Mas nada dura para sempre. Sem querer ser simplista nem melodramático, posso resumir da seguinte maneira a situação do Velho Modelo Comercial de Transmissão: ele está sendo sugado inapelavelmente pelo redemoinho da ruína.

Segundo a Nielsen, no terceiro milênio a televisão norte-americana perdeu, em média, 2% de seu público a cada ano – embora a população dos Estados Unidos tenha aumentado em 30 milhões de pessoas no mesmo período. Segundo a Swivel, no ano 2000 os americanos dedicaram, em média, 793 horas de seu tempo à TV aberta e 104 horas à internet, numa razão de quase 8 para 1. Em 2008, tendo-se triplicado a penetração da banda larga nos Estados Unidos, a razão entre televisão e internet caiu para 675/200, ou 3,4 para 1.

De acordo com a Media Dynamics, o custo de veiculação de um anúncio de 30 segundos a 1.000 residências no horário nobre subiu de US$ 8,28 em 1986 para US$ 22,65 em 2008 – sendo que, na prática, está mais próximo de US$ 32, visto que entre 150 e 200 dessas residências usam o gravador de vídeo digital (DVR) para pular os anúncios. Em 2009, segundo a Magna Global, 30% dos lares americanos já tinham um gravador de vídeo digital da marca TiVo ou de alguma outra. A possibilidade de assistir aos programas favoritos em outro horário decreta a insignificância da grade de horários das emissoras, mas isso não é tudo: entre 50% e 70% dos usuários de DVR simplesmente não assistem aos comerciais. Estima-se que em 2012 a penetração do DVR já seja de pelo menos 40%. As perspectivas de longo prazo da TV por assinatura são as mesmas. Embora ela tenha engolido boa parte da audiência da TV aberta, é tão pouco resistente ao DVR quanto as emissoras. Além disso, seu sistema de distribuição é vítima de uma espécie de doença autoimune, onde o corpo ataca a si mesmo. Os próprios cabos coaxiais que as empresas de TV a cabo vêm instalando há 50 anos servem agora de canais para a entrada da banda larga, que um número cada vez maior de residências vem usando para eliminar completamente a necessidade da TV por assinatura. John Stratton, diretor de marketing da Verizon, disse em 2009 à conferência digital da *Ad Age*: "À medida que os clientes encontram novos meios para adquirir conteúdo, novos hábitos se formam; e será muito difícil romper esses hábitos." E alertou: "Aos poucos, todo o setor vai ter de sair de mansinho pela porta dos fundos."

Ao mesmo tempo, existe a espada de Dâmocles chamada "custo". A moda dos *reality shows* permitiu que as redes preenchessem suas grades cada vez mais insignificantes com uma programação barata, lançando o anzol às cegas em busca do peixe grande do sucesso. Mas quanto tempo isso vai durar? Houve época em que os bangue-bangues, as séries de espionagem, os programas de super-heróis e os dramas de hospital eram campeões de audiência. Hoje não são campeões de coisa nenhuma. É verdade que, por algum motivo que ninguém sabe explicar, os americanos adoram *Dançando com as Estrelas*. Mas também houve época em que adoravam o vaudeville.

Em suma: sai a máquina de fazer doido, entra o YouTube.

Está duvidando? Você não é o único. Na Bear Stearns Media Conference de 2007, o CEO da CBS, Les Moonves, protestou: "Ouvimos isso há anos: 'As redes de televisão estão mortas, as redes de televisão estão mortas."... As quatro redes vão obter um valor maior do CPM no mercado de venda antecipada de anúncios. O setor está extremamente saudável."

Talvez você ache o mesmo. Talvez acredite que as grandes estruturas das quais dependem grandes sociedades e grandes economias não percam tão facilmente a primazia. Talvez creia que o comercial de TV, o anúncio de página dupla em revista, o spot de rádio e o classificado de jornal são eternos e imutáveis, como os planetas do sistema solar. Você é quem sabe.

Mas quero lhe apresentar o Sr. Plutão, ex-planeta. Parece que também o imutável pode ser modificado. Porém, para dar um exemplo dramático da ideia de reordenação fundamental, não precisamos recuar 5 bilhões de anos até a origem do sistema solar. Basta lembrar de anteontem. Lembra de como se falava da "Geração MTV"? O termo designava aquele pessoal nascido nas décadas intermediárias da segunda metade do século XX, que só conseguia ser estimulado se um caleidoscópio fosse enfiado em seus globos oculares. Eles se formaram na edição rápida e no ruído visual dos videoclipes, obrigando toda a mídia a dançar no mesmo ritmo para não perder a atenção de toda uma geração. E caso o simbolismo tenha lhe escapado, lembre-se da primeiríssima música que tocou na MTV:

"Video Killed the Radio Star"*, dos Buggles.

Que princípio irônico, não? Mas não tão irônico quanto o fim: a última coisa pela qual a Geração MTV vem se desinteressando é a própria MTV, cuja audiência caiu vertiginosamente. As Peças Visuais para Quem tem Déficit de Atenção mudaram de endereço e estão alojadas, agora, no YouTube. O vídeo on-line está matando as estrelas do vídeo. Na MTV Networks, as demissões começaram em fevereiro de 2007, e nisso não há nenhuma surpresa – para mim, pelo menos, não. Foi no longínquo ano de 2005, na *Ad Age*, que publiquei pela primeira vez um artigo chamado "Cenário de Caos", prevendo que os pilares da velha mídia logo ruiriam. O fato de o pilar da MTV ser recoberto de pôsteres do Public Enemy, de George Michael e do *NSYNC e ser considerado a última palavra em matéria de televisão moderna o torna especialmente digno de nota – mas não o torna único. Depois da publicação daquele ensaio:

---

* "O vídeo matou a estrela do rádio". (N. do T.)

- Em dezembro de 2005, a Viacom separou-se da CBS, a chamada "Tiffany Network"*. Isso para que o negócio de produção e distribuição de programas de TV não prejudicasse o crescimento nem fizesse diminuir o valor das ações da Viacom.

- Em outubro de 2006, a NBC anunciou um corte de US$ 750 milhões em gastos, demitindo 700 funcionários e anunciando uma moratória na produção de programas dependentes de roteiro para a primeira hora do horário nobre. No primeiro semestre de 2009, substituiu toda a sua programação de dramas e comédias do horário das 22 horas pelo *Jay Leno Show*, gravado ao vivo e de improviso. Mais ou menos na mesma época, a Fox anunciou o plano de cortar quatro horas da programação infantil do sábado, devolvendo duas horas às emissoras afiliadas e vendendo infomerciais nas outras duas. *Infomerciais* numa rede de televisão.

- Em novembro de 2006, o grupo Clear Channel – considerado pela esquerda como um bicho-papão monopolizador dos meios de comunicação e destruidor da democracia – foi vendido para fundos de *private equity* e anunciou que pretendia se desfazer de suas pequenas estações de rádio e televisão. A venda foi realizada a US$ 35 por ação, sendo que, no ano 2000, o preço de cada ação era de US$ 100. Os novos proprietários conseguiram vender suas 56 estações de televisão, mas a venda das estações de rádio foi impedida pela falta de crédito e, ante a perspectiva de calote das dívidas, no começo de 2009 a S&P classificou os títulos da empresa cinco pontos *abaixo* de "lixo". A tragédia já fora anunciada em 2003, quando as estações começaram a multiplicar seus slots publicitários para obter dinheiro vivo e depois baixaram os preços para preencher a grade. Marci L. Ryvicker, vice-presidente de pesquisa de títulos da Wachovia Capital Markets, afirma: "Quando alguém começa a desvalorizar o próprio produto, é porque seu modelo de negócios está falido."

- De acordo com a Bernstein Research, a receita de publicidade das estações de televisão deve cair de 20% a 30% em 2009 nos Estados Unidos. O valor de mercado das estações também despencou.

---

* Apelido que remeteria à suposta alta qualidade da programação da rede CBS. (N. do T.)

Segundo Ryvicker, os grupos de TV aberta cujas ações eram vendidas em 2003 a um valor 16 a 20 vezes maior que seu fluxo de caixa hoje só obtêm um valor 8 vezes maior. A queda das vendas de ativos foi ainda mais calamitosa: a razão de 18 a 24 vezes o fluxo de caixa está reduzida, hoje, a 6.

- Em 2008, os gastos totais com mídia nos Estados Unidos caíram – apesar dos Jogos Olímpicos e da mais extravagante campanha eleitoral da história do país. Foi a primeira vez que os gastos caíram num ano par desde 1970. O ano de 2009, com sua terrível recessão, promete ser muito pior.

- Para as redes de televisão, a erosão lenta e constante da temporada de 2008/2009 se transformou num desabamento catastrófico. Segundo a Nielsen Media Research: CBS, queda de 2,9% no horário nobre; ABC, queda de 9,7% no horário nobre; NBC, queda de 14,3% no horário nobre; Fox, queda de 17,5% no horário nobre. Na semana anterior ao Natal de 2008, *O Mentalista*, da CBS, foi o seriado dramático mais bem colocado. Mas é muito provável que você não o tenha assistido. Apesar de estar à frente de todos os outros seriados, sua audiência foi de somente 10,7 milhões de pessoas, ou seja, 3,2% da população norte-americana. Cinquenta anos atrás, apesar de estrelado pelo jovem Clint Eastwood, o seriado de faroeste *Rawhide* (*Couro Cru*) só obteve o 17º lugar entre os seriados dramáticos da televisão norte-americana. Mas sua audiência foi de 11,4 milhões de telespectadores, que então representavam 6,5% da população. O seriado mais assistido naquela época foi *Gunsmoke*, com 17,4 milhões de telespectadores. Em termos de porcentagem da população, o xerife Dillon, Kitty e Festus ganharam de *O Mentalista* por 3 a 1.

Essa lista já é uma verdadeira metralhadora, mas o fuzilamento não acaba aí. Se os DVRs de fato estiverem presentes em 40% dos lares americanos em 2012, é exatamente nesse limite que 40% dos anunciantes afirmam que vão reduzir drasticamente seus investimentos em televisão. Sei que essa aritmética é difícil de absorver, então repito: a penetração do DVR, que permite que os norte-americanos não assistam aos anúncios, logo chegará naquele ponto em que 40% dos anunciantes afirmam que vão reduzir drasticamente seus investimentos em televisão. Se eles simplesmente fizerem o que estão dizendo, e mais nada, o negócio da TV aberta já era, pois os anunciantes debandarão – e já estão debandando, lenta mas progressivamente. Depois de anos de crescimento contínuo apesar da queda de audiência, o mercado de venda antecipada de horários de anúncios caiu 5% em 2006. A Coca-Cola, que nunca foi grande entusiasta do mercado antecipado, saiu dele completamente. O mesmo fez a Johnson & Johnson, que então destinou US$ 250 milhões para o mercado on-line. E isso tudo foi antes da depressão de 2008-2009, dois anos de chumbo que por fim conseguiram o que a Lei dos Rendimentos Decrescentes não havia conseguido: assustar os anunciantes. Eles se retiraram aos montes. Em fevereiro, 65% deles haviam cortado custos nos Estados Unidos. Os setores automotivo e bancário, que tradicionalmente injetam US$ 20 bilhões nos meios de comunicação, quase sumiram de cena.

E sem querer espezinhar: eu avisei.

O Braço Comprido das Leis da Economia

É claro que os meios de comunicação de massa não existem num vácuo. Eles têm uma relação de simbiose perfeita com o marketing de massa. Os anunciantes financiam o conteúdo; o conteúdo garante audiência; a audiência recebe as mensagens de marketing e sustenta os anunciantes, e assim por diante, num ciclo econômico que se mostrou eficiente durante séculos. Mas, como demonstrei, à medida que a "massa" que alimenta a simbiose se desintegra, cada um dos dois organismos perde o sustento que o outro lhe dá.

"É um mundo muito diferente", diz Adam Thierer, conselheiro da Progress & Freedom Foundation e autor de *Media Myths: Making Sense of the Debate Over Media Ownership*. "O problema é que ainda existe a expectativa de capturar uma audiência de massa que desapareceu há muito tempo. Estamos assistindo à morte lenta de modelos de negócios que deram certo naquela era de escassez."

O valor da televisão, como o de qualquer outra coisa, depende da economia da escassez. Durante décadas, somente três ou quatro distribuidoras – as grandes redes – foram responsáveis pela produção de um entretenimento de qualidade. A TV a cabo multiplicou as opções por dez e, digitalizada, multiplicou-as por cem. Agora a internet promete multiplicá-las ao infinito. A rigor, a estrutura de renda da TV aberta enquanto distribuidora de bens deveria ter ruído há muito tempo. Mas o ramo da televisão não é, na verdade, o da distribuição de programas. O ramo dela é a venda de audiência, setor onde a economia da escassez ainda conserva teimosamente seu domínio. Pelo fato de nenhum outro veículo oferecer nem a escala nem a penetração da TV, os anunciantes continuaram pagando cada vez mais por seus pacotes de 1.000 espectadores – e é por isso que, até estourar a recessão, Les Moonves ainda estava inflando o valor do CPM; é por isso que o mercado de venda antecipada de anúncios ainda não tinha despencado e que a publicidade em vídeo na internet, segundo o IAB, representava em 2007 a tímida receita de US$ 324 milhões. Na televisão, essa receita era de US$ 80 bilhões. Mas a economia vencerá e a lei dos rendimentos decrescentes por fim prevalecerá. Um belo dia, os que se habituaram a gastar cada vez mais em troca de cada vez menos dirão "basta" e porão seu dinheiro na rede (mas não necessariamente, como veremos no próximo capítulo, na *publicidade* on-line).

"Ainda adoro a televisão e creio que ela é muito eficaz para os anunciantes", diz Bob Liodice, presidente da Associação Nacional dos Anunciantes dos Estados Unidos. "Mas estamos sufocando-a. Estamos sufocando-a aos poucos com o aumento de custos, a quantidade de entulho, a má qualidade das criações postas no ar."

Em palavras mais simples, pense no veredicto de Jim Stengel, ex-diretor-executivo internacional de marketing da Procter & Gamble, recentemente aposentado, que tinha um orçamento de marketing de US$ 6 bilhões e não sabia onde gastá-lo: "O velho modelo faliu." Ponto final. Só para recapitular: a fragmentação dizimou a audiência e os telespectadores restantes evitam os comerciais; por isso, os anunciantes estão abandonando o barco; por isso, a receita destinada à produção de conteúdo novo está caindo; por isso, a qualidade da programação está sofrendo – vide espetáculos deprimentes como *The Biggest Loser* (*Perder para Ganhar*); por isso, o número de telespectadores deve diminuir ainda mais, levando a uma debandada ainda maior dos anunciantes; e assim por diante. Um outro sinal do fim: cada vez mais, as grandes redes ignoram suas emissoras afiliadas e distribuem a sua programação on-line, diretamente.

Isso começou em 2006, quando a CBS, tentando loucamente cultivar novos canais de distribuição on-line, postou no Google Video as premières de seriados como *Smith* e *The New Adventures of Old Christine*. A NBC usou o Yahoo para estrear *Heroes* e a AOL, para divulgar pequenas prévias das séries *Twenty Good Years* (*A Melhor Idade*) e *Studio 60 on the Sunset Strip*. E a novíssima CW Network comemorou sua inauguração postando episódios grátis de *Runaway* e *Everybody Hates Chris* (*Todo Mundo Odeia o Chris*) no MSN. De lá para cá, a situação progrediu graças à Hulu, *joint venture* da NBC Universal, do Fox Entertainment Group e da Viacom (Comedy Central, MTV), que veicula sua programação atual na rede e de graça – e, vale lembrar, com uns poucos anúncios que o usuário não pode pular. A princípio, as redes disseram que essas medidas visavam promover a exibição de seus programas na TV aberta. Mas ninguém acreditou nessa história. Esses episódios foram experiências de distribuição pós-televisiva – experiências que o setor logo se arrependeu de ter feito. Em março de 2009, Jeff Bewkes, CEO da Time Warner, se queixou ao *The New York Times* de que a televisão "se adiantou e fez acordos para colocar seu conteúdo na banda larga sem pensar muito sobre o modelo financeiro de longo prazo". Não que esse modelo exista. De qualquer modo, a essa altura as declarações anteriores dos executivos das redes acerca da "captação de audiência" já haviam sido desmascaradas como "inválidas" – que eufemismo! – em dezembro de 2008, quando os chefes da CBS e da NBC reconheceram publicamente que já estavam pensando em como seria a vida depois da TV aberta.

"Será que queremos ser como sempre fomos?", perguntou-se Jeff Zucker, CEO da NBC Universal. Era uma pergunta retórica, que augurava problemas para os que estão amarrados ao *status quo*. A grade fraquíssima e o Incrível Encolhimento da Audiência da NBC já haviam obrigado Zucker a promover imensos cortes de gastos (divulgados, de modo não muito convincente, como elementos da "NBC 2.0"), gerando uma programação barata e ainda menos popular (nenhum seriado dramático e nenhuma comédia de situação na primeira faixa do horário nobre; e somente o *Jay Leno Show* na última faixa) que afugentou ainda mais os espectadores e assim por diante, ao infinito. Por isso as reflexões públicas de Zucker a respeito de uma ideia até então impensável: a de, uma vez expirados os contratos das emissoras afiliadas e dos esportes, sua empresa simplesmente deixar de ser uma rede de televisão. NBC: canal a cabo.

As primeiras vítimas, e as mais óbvias, seriam as afiliadas locais, que obtêm grande parte da sua receita vendendo espaço para comerciais dentro dos programas da rede. É claro que, com a internet, elas são desnecessárias. Mas veja só: você não é desnecessário. Lembre-se que até uns cinco minutos atrás quase todo o conteúdo de entretenimento em vídeo era produzido e distribuído por Hollywood. Ponto. Esse tempo acabou. Houve época em que os anunciantes podiam contar com as massas de audiências que assistiam àquilo que Hollywood dizia que deveríamos assistir na TV. Esse tempo praticamente acabou. Houve época em que a penetração da banda larga era ínfima e seu custo, proibitivo, impedindo que os usuários assistissem a vídeos on-line. Esse tempo – bom, esse tempo já era.

Como demonstra a conveniente lista que montei acima, tanto a imprensa escrita quanto a TV aberta – sobrecarregadas com meios de distribuição canhestros, arcaicos e esmagadoramente dispendiosos – estão sofrendo a desintegração da massa crítica de audiência de que precisam para operar com lucro. Mais ainda, estão perdendo essa audiência para os meios de comunicação digitais, infinitamente fragmentados, que têm custo de distribuição quase zero e chegam ao usuário de modo praticamente gratuito. É difícil competir contra um produto dado de graça. Como documentaram Woodward e Bernstein, o conselho de "Garganta Profunda" para desvendar o caso Watergate foi: "Sigam o dinheiro." Para entender a tragédia atual, é preciso seguir o "não dinheiro". E, quando você fizer isso, terá levado *Cenário de Caos* um passo além: rumo a uma paisagem digital onde o conteúdo é praticamente infinito, onde o marketing atinge uma eficácia inimaginável até agora, mas onde a publicidade por meio de anúncios já não será dominante.

"Sempre me irritei com Marshall McLuhan," diz Bruce M. Owen, membro do conselho da Universidade Stanford e autor do essencial *Television Economics*, "mas o meio de fato condiciona a mensagem. Isso já está acontecendo."

A Negação e Outras Atitudes Corajosas

E qual é a sensação de estar diante da morte econômica? Veem-se algumas dicas num discurso feito em fevereiro de 2007 por Timothy Balding,

CEO da Associação Mundial de Jornais, sediada em Paris: "As coisas que vemos contradizem completamente a ideia convencional de que os jornais estão a ponto de acabar. [...] A moda de prever a morte dos jornais deve ser desmascarada para mostrar sua verdadeira face – a de uma simples moda, baseada em premissas vulgares desmentidas pelos fatos." Os fatos de Balding são oferecidos por cortesia da proliferação de magros jornaizinhos de distribuição gratuita, como o *Metro*, que estão para os jornais de verdade como a bala Juquinha está para a alta culinária. Enquanto isso, o diário sueco *Post-och Inrikes Tidningar* abolia sua edição impressa para ficar somente com a edição on-line. Talvez isso não pareça muito importante, mas esse jornal tinha sido impresso em papel por 362 anos. Por algum motivo, Balding não mencionou esse fato.

Tais previsões promissoras, entretanto, não são incomuns. Há muito tempo, mesmo assistindo ao abalo das estruturas de seus negócios, os capitães dessa indústria professam otimismo – às vezes, um otimismo militante. Jack Klieger, ex-presidente e CEO da filial norte-americana da Hachette Filipacchi Media e *chairman* da associação Magazine Publishers of America (Editores de Revistas dos Estados Unidos) declarou no primeiro semestre de 2007: "Já não estamos sendo ameaçados pelas mídias digitais." Talvez ele não tenha reparado na queda vertiginosa do número de leitores, mesmo com a falsificação descarada e universal da quantidade de exemplares impressos. Ou talvez estivesse ocupadíssimo extinguindo as revistas *ElleGirl* e *Premiere*, mas quem se importa? Ele não se dobrou: "Não estou disposto a encerrar minha carreira assistindo à marginalização e ao desaparecimento do nosso setor." (Estava, sim. No ano seguinte, 2008, a venda de revistas nas bancas – o lado lucrativo do negócio – caiu 12% e os chefes franceses de Klieger jogaram-no num cargo não executivo e começaram a cortar custos a torto e a direito, inclusive renunciando à participação da empresa na MPA.)

Do mesmo modo, David Rehr, presidente e CEO da National Association of Broadcasters (Associação Nacional das Emissoras Abertas de Rádio e Televisão) fez o seguinte discurso ao National Press Club (Clube Nacional da Imprensa) em outubro de 2006: "Há dez meses, quando assumi este cargo na NAB, eu sabia que seria estimulante trabalhar no setor de rádio e TV abertos. Mas, depois de conhecer em primeira mão a dinâmica deste setor, afirmo que ele é 20 vezes mais estimulante do que eu poderia ter imaginado." É claro que ele está animado. Os índices de audiência estão despencando. As redes estão contornando as afiliadas por meio da internet. O valor efetivo das emissoras está em declínio. O que poderia ser mais estimulante que pilotar um avião em queda livre?

Quanto a Les Moonves, da CBS, que se orgulha de cobrar mais de seus clientes e oferecer-lhes menos, é bom lembrar que, quanto maior a altura, mais dolorosa é a queda – do mesmo modo que, nos estágios da morte postulados por Elizabeth Kübler-Ross, antes da negociação e da aceitação vem a negação. (Em outra conferência de mídia somente um ano e meio depois, Moonves estava mais mansinho e ventilou a ideia de a CBS converter-se em canal a cabo.) Mas, na confabulação patrocinada pelo Bear Stearns, a irrealidade reinou suprema. Protestando que o hábito de pular os anúncios com o DVR não é tão prejudicial, Bewkes, da Time Warner, apresentou aquela que talvez seja a justificativa mais absurda e a desculpa mais esfarrapada de todos os tempos: "Quando avança o vídeo, o telespectador vê uma versão visual rápida que tem 3 segundos em vez de 30, mas recebe a mesma mensagem de qualquer jeito."

O comercial de 30 segundos está morto! Viva o comercial de 3 segundos!

Como um talento que custa tão caro pode apresentar um argumento tão imbecil e descaradamente defensivo? As palavras-chave talvez sejam "que custa tão caro", se é que você me entende. "É o problema do comodismo", diz Bob Greenberg, da agência interativa RG/A, pertencente ao grupo IPG. Qual CEO está disposto a matar a galinha dos ovos de ouro e arriscar o preço de suas ações, seu emprego e seus bônus? Eles preferem esperar, segundo Greenberg, e torcer para que nada de catastrófico aconteça durante sua gestão. "É como o Bush", diz ele, "que passou o rojão da guerra para o presidente seguinte." Para que não me acusem de ocultar dados, devo reconhecer que a negação do apocalipse das mídias tradicionais não é privilégio dos que têm interesses materiais no Modelo Velho.

Vejam por exemplo o caso de Chad Hurley, do YouTube. Quando lhe perguntaram se ele estava martelando o último prego no caixão da TV aberta, ele reagiu como se o entrevistador fosse um alienígena recém-chegado do planeta Débil Mental. "E de onde você tirou essa ideia?", indagou. Shelly Palmer, do Advanced Media Ventures Group, diz que sim, que o cliente é quem manda, e que o cliente... quer ver televisão. "Não importa o que as pessoas pensam; isso não vai mudar de jeito nenhum na nossa época. Enquanto os norte-americanos receberem seu salário toda sexta-feira, a noite de quinta-feira, das 8 às 11, será o momento mais importante para alcançar uma maior audiência. Caberá às redes de televisão oferecer essa audiência, e elas farão isso, porque é isso que sabem fazer." E teve também o caso daquele outro cara.

> **Eu:** *"O senhor acredita no Cenário de Caos?"*
> **Bill Gates:** *"Não... As coisas vão ficar um pouquinho mais tumultuadas no que se refere a quem vence e quem fracassa, mas não é um cataclismo que vai acontecer da noite para o dia."*
> **Eu:** *"É correto afirmar que a publicidade que as pessoas vão aceitar será mais informativa e menos... digamos, menos divertida, criativa e fantasiosa do que a publicidade do passado?"*
> **Gates:** *"Eu não diria isso."*

Por outro lado, dos US$ 500 milhões que a Microsoft destinou à divulgação inicial do sistema operacional Vista, 30% foram para a internet. Se todos os anunciantes dos Estados Unidos fizessem a mesma coisa amanhã, a Madison Avenue e Hollywood não estariam mais mergulhadas no caos. Estariam como Plutão, relegadas de uma vez por todas a uma órbita econômica fria e distante. E muita gente estaria dançando ao som de uma outra música – talvez "Katyusha", que ouvi num porto montenegrino. Ou talvez esta:

> *And we now meet in an abandoned studio.*
> *We hear the playback and it seems so long ago*
> *And you remember the jingles used to go.*
>
> *Video killed the radio star.*
> *Video killed the radio star.*
> *In my mind and in my car,*
> *We can't rewind; we've gone too far.* *
>   – The Buggles, 1979

---

* "E agora nos reunimos num estúdio abandonado / Ouvindo o playback, parece que tudo aconteceu há tanto tempo! / E você se lembra de como era o jingle: / O vídeo matou a estrela do rádio. / O vídeo matou a estrela do rádio. / Na minha mente e no meu carro, / não podemos voltar para trás: já fomos longe demais." (N. do T.)

_____ *Capítulo 2* _____

A ERA PÓS-PUBLICITÁRIA

*D*OVIĐENJA BUDVA, MONTENEGRO. Olá São Paulo, Brasil. Aqui, nos últimos 60 anos, a publicidade tem sido menos um setor da economia que um objeto de culto – um culto do glamour e da celebridade, sem falar em sexo, drogas e rock and roll. O que Hollywood é para os Estados Unidos a publicidade é para o Brasil. Seus profissionais são astros, nomes conhecidos, temas de fotos indiscretas e assunto de fofoca. E o que eles produzem faz parte da identidade nacional, assim como a praia de Ipanema, a selva amazônica e o carnaval. Mesmo que um viajante estrangeiro não soubesse disso antes de chegar, não demoraria muito para descobrir. Uma viagem a São Paulo era como uma visita a um parque de diversões da propaganda. Em 2006, a cidade contava com 13 mil outdoors e luminosos, cada qual mais vistoso que o outro. Quem subisse à cobertura de um prédio diante da Avenida São João e do Vale do Anhangabaú – onde sete ruas e avenidas confluem numa grande praça pública – veria a cidade como um gigantesco fliperama, uma confusão de letras e imagens, luzes piscantes e formas irregulares, logotipos e corpos humanos expostos, tudo isso em escala mais que monumental. Hoje em dia, a mesma vista nos oferece um panorama de ruas e edifícios, automóveis e pedestres e nenhum anúncio. Nenhuma modelo seminua, nenhum neon, nenhum logotipo – como se uma área de três quilômetros quadrados tivesse sido digitalmente retocada segundo um projeto de Naomi Klein.

De uma janela no décimo quinto andar, uma das mentoras dessa transformação contempla satisfeita a nova cena. Matilde da Costa é diretora de Projetos, Meio Ambiente e Paisagem Urbana da EMURB, órgão da prefeitura de São Paulo. A partir de 2006, sua pasta presidiu à remoção de todos os anúncios da cidade. São Paulo tinha ficado a tal ponto submersa em mensagens comerciais que os legisladores locais concluíram que seu caráter pitoresco estava sendo perdido; e num prazo de poucos meses, sob a ameaça de grandes multas, tudo acabou.

"É maravilhoso", diz Matilde, arrepiada. Num dia fresco de fim de verão, em março, ela usa sandálias brancas e blusa sem mangas, por isso é difícil saber se ela está emocionada ou simplesmente com frio. Mas não há dúvida de que parece contente. "Agora vejo de novo a beleza de cartão postal da Avenida São João."

Pode até ser, mas o que dizer da autoimagem do Brasil como uma espécie de Meca da criatividade publicitária? De todas as cidades do mundo, como pôde ser São Paulo a pôr abaixo os ídolos dessa religião? Não foi mera remoção dos objetos de culto; foi uma sangria da própria seiva que dá vida à identidade nacional! Sacrilégio! Assassinato! Mas calma. As pesquisas mostram que 65% da população aprovou a medida. Eis a realidade do caso de amor do público com a publicidade.

"Agora podemos ver a cidade", diz Matilde com tranquila satisfação. "Antes, não podíamos senti-la. Tínhamos de lê-la."

Uma paisagem onde não existe nenhum anúncio. Que ideia curiosa!

Quarterlife. Alguém se Interessa?

Vimos que o primeiro elemento do Cenário de Caos cria uma espiral inexorável em que a fragmentação da audiência e o hábito de pular os anúncios com o DVR leva ao êxodo dos anunciantes, que leva por sua vez ao êxodo de capital, que leva à queda na qualidade do conteúdo, que leva a uma fuga ainda maior da audiência, que leva a uma fuga ainda maior dos anunciantes e assim por diante, ao infinito. Os refugiados – tanto a audiência quanto os profissionais de marketing – debandam para a internet. Aí encontram o segundo elemento do Caos, muito mais perigoso que o primeiro: as limitações intrínsecas da rede mundial de computadores.

Apesar do impacto revolucionário que tem sobre a humanidade, a rede não é capaz de substituir ponto a ponto os meios de comunicação que está ajudando a destruir. Engloba mais "conteúdo" do que qualquer outro meio existente desde o alvorecer da humanidade, mas provavelmente não será um canal para a veiculação de jornais tão grandes quanto aqueles com que estamos acostumados nem de programas de TV tão bem produzidos quanto aqueles que saturaram nossa cultura e moldaram nosso estilo de vida nos últimos 60 anos. Não, pelo menos, por enquanto.

Isso porque essas instituições falidas evoluíram como manifestações diretas da simbiose entre a mídia de massa e o marketing de massa. Num universo que agrega a micromídia e o micromarketing – e na ausência de um financiamento direto por parte dos consumidores – não existe um modelo de negócios capaz de sustentá-las. Converse, por exemplo, com Marshall Herskovitz, um dos produtores mais admirados de Hollywood. No cinema, ele produziu *Traffic, O Último Samurai, Uma Lição de Amor, Diamante de Sangue* e *Lendas da Paixão*. Na televisão, ao lado do parceiro Ed Zwick, criou e produziu *Thirtysomething* (*Os Trintões*), *My So-Called Life* (*Minha Vida de Cão*), *Once and Again* (*Começar de Novo*) e, em época mais recente, *Quarterlife*. Com este último projeto, uma série dramática sobre sete jovens artistas que convivem com a incerteza diante do futuro e da carreira, ele quis criar ao mesmo tempo um programa de televisão bem-sucedido, uma série bem-sucedida na web e uma rede social construída em sinergia com tudo isso. No momento em que escrevo, o que ele realmente conseguiu foi uma rede social em vias de extinção (ocupa a 107.403ª posição nos relatórios de tráfego do Alexa), nenhum programa de televisão e um sem-número de conversas em coquetéis compradas a peso de ouro.

Ah, houve também um drama poderoso sobre a conquista da maioridade, mas esse ocorreu sobretudo nos escritórios da produtora.

"Para minha infelicidade, provei que sua teoria está correta", me disse Herskovitz. "Cenário de Caos? É nele que estou vivendo."

Quarterlife foi concebida originalmente como uma série para a rede ABC, mas o próprio Herskovitz admite que o episódio-piloto não deu certo. Quando ele e a rede discordaram acerca das modificações a serem introduzidas, cada um seguiu seu caminho. Foi então que Herskovitz teve uma inspiração. Já estávamos no século XXI, afinal. Pouco faltava para inventarem o YouTube. Que tal "criar e distribuir conteúdo pela internet e ter todos os direitos sobre ele, sem rede e sem distribuidor"? O número de espectadores seria menor, mas também seriam menores os custos de produção e o número de pessoas envolvidas. Além disso, a ausência da rede de televisão acabava com as interferências, as "observações", as exigências quanto ao elenco, a luta para encaixar o programa num bom horário e, é claro, a possibilidade de cancelamento.

Mas Hollywood ainda é Hollywood e os produtores consagrados simplesmente não bancam projetos experimentais com seu próprio dinheiro. Por isso, depois de flertar com a Disney (flerte que terminou quando Herskovitz e Zwick recusaram as propostas de promoção cruzada à moda da produtora), a dupla acabou fechando negócio com o MySpace. Embora a ideia de uma rede social construída em torno de *Quarterlife* anunciasse um possível conflito, o MySpace concordou em hospedar 24 episódios – e em ajudar a financiar as quatro horas de conteúdo – em troca de metade da receita proveniente dos anúncios.

Foi então que uma coisa maravilhosa aconteceu. A NBC entrou na dança sem sequer examinar o roteiro e sem exigir nem o controle da produção nem a propriedade dos direitos autorais. Só queria uma participação na receita dos anúncios. Eles estavam juntando o melhor dos dois mundos – ou assim parecia. Herskovitz cobrou todo o dinheiro que já havia emprestado na vida e produziu quatro horas de filmagem baratíssima.

"Estreamos no MySpace em novembro de 2007", conta. "Fizemos muito, muito sucesso na internet. Em 6 meses, *Quarterlife* se tornou a série roteirizada para internet mais bem-sucedida de todos os tempos. Acabamos tendo 300 mil telespectadores por episódio."

Na internet, isso é bastante gente. Não é muita gente em termos de propaganda – especialmente daquela propaganda que costuma financiar os conteúdos de Hollywood, por barata que seja a produção destes. Nem os 9 milhões de espectadores acumulados ao longo de 3 meses constituíam uma audiência lucrativa. Mas não tinha problema: a série também seria um programa de televisão que chamaria mais gente para a rede, o que alimentaria o aspecto de rede social do empreendimento, o que divulgaria o programa de televisão e por aí afora.

"*Quarterlife* foi a primeira série de internet que se tornou série de televisão", lembra-se Herskovitz com carinho. "Foi muito empolgante."

Veio então a estreia em rede nacional de televisão, em 22 de fevereiro de 2008. Apesar de três meses de divulgação na web e do público cativo, o programa *Quarterlife* na televisão só atraiu 3,9 milhões de espectadores – o pior desempenho na faixa das 22 horas que a rede obteve, dentro da temporada, em pelo menos 17 anos. Na faixa demográfica mais cobiçada pelos anunciantes, os adultos de 18 a 49 anos, o programa alcançou índice de 1,6. Para descrever o que aconteceu depois, Herskovitz usa um eufemismo: "Essencialmente, foi tudo por água abaixo." Essencialmente, o programa foi cancelado depois de um episódio.

Os outros episódios foram relegados imediatamente, sem nenhuma promoção, ao canal Bravo, da NBC a cabo. E ponto final. *Quarterlife* tinha esgotado sua vida televisiva – e foi aí que a sinergia começou a funcionar. Os webisódios já tinham dado tudo o que tinham que dar. Diante do fracasso completo da série de televisão, o MySpace não estava mais interessado em financiar novas produções.

"Sem um parceiro na televisão, não havia como financiar os episódios", diz Herskovitz. "A renda dos anúncios veiculados no MySpace não era suficiente."

Ah, também tem isso. Herskovitz e Zwick bateram de frente com os princípios econômicos da mídia on-line. Mesmo quando o CPM é alto (digamos os US$ 23 cobrados no pico do horário nobre pelas redes, em média, em 2008), e mesmo que se veiculem três anúncios num webisódio de 8 minutos, um programa com audiência de 300 mil pessoas só vai gerar uns US$ 20 mil. Isso não paga nem a conta da água mineral em Hollywood. Nem por isso Herskovitz perdeu a esperança.

"Acho que isso é viável. É eminentemente viável. Com um milhão de telespectadores por episódio, pode se tornar um negócio viável."

É claro que ele está presumindo que haveria alguém para apostar nisso. Sem o sistema estabelecido da venda prévia dos horários de anúncios, que garante renda para financiar a produção, os produtores seriam obrigados a bater de porta em porta de chapéu na mão, como nos projetos cinematográficos. E às vezes são necessários 10 anos para financiar um projeto cinematográfico. E é por isso que o pioneiro da Hollywood on-line observa com certa amargura: "Ninguém ainda fez isso."

Na era pós-publicitária, é muito possível que ninguém jamais venha a fazê-lo.

Oferta... e mais Oferta

Nos velhos tempos da falta de escolha e do excesso de audiência, a receita proveniente de anúncios gerava uma imensa soma de dinheiro para meia dúzia de distribuidores de conteúdo. No mundo ultrafragmentado da internet, essa massa crítica de receita estará disponível para o Google e, a continuarem as coisas como estão, para mais ninguém. Isso aconteceria mesmo que os anúncios on-line oferecessem aos profissionais de marketing as mesmas vantagens intrínsecas que os veiculados nas mídias tradicionais. Mas por diversas razões, todas óbvias, eles não as oferecem. A primeira razão, mencionada no capítulo anterior, é a irritante Lei da Oferta e da Procura.

"Não poderia ser mais simples", diz Randall Rothenberg, presidente e CEO do Internet Advertising Bureau. "Atualmente, todo adolescente de 14 anos é capaz de criar uma rede mundial de televisão usando somente os aplicativos embutidos em seu laptop. Ou seja, de um ponto de vista econômico bem básico e rigoroso, existe a possibilidade de se criar uma oferta praticamente ilimitada diante de uma procura que, ao longo do tempo, sempre foi relativamente estável."

Por isso os grandes sites, como o MSN, o *Washington Post* ou a CNN, apesar de suas gigantescas despesas correntes, não têm mais acesso ao público que uma criança de oitava série. E há centenas de milhões de crianças desse tipo, milhões delas no Google Adsense, puxando cada vez mais para baixo o preço do espaço de anúncio. Isso ficou por demais evidente na conversa que tive em janeiro de 2009 com Brian Tierney, editor do *Philadelphia Inquirer* e do *Daily News*. Ele observou que um terço das 60 milhões de visitas que suas páginas tinham por mês não gerava nenhuma receita de publicidade. "Não há dúvida de que o modelo da internet gratuita não está funcionando para meios de comunicação como os nossos.

[...] Acho que vamos ter que começar a procurar um jeito de cobrar pelo acesso e não depender somente da publicidade." Infelizmente para essa ideia, Tierney estava atrasado e tinha algumas centenas de milhões de dólares a menos do que precisava. Três semanas depois, sua empresa, a Philadelphia Media Holdings, abriu falência.

Ou veja o caso do Yahoo. Com cerca de 3,5 bilhões de visitas diárias, é o site mais visitado do mundo. Em 2008, teve um lucro de US$ 424 milhões sobre uma receita de US$ 7,2 bilhões. Nada mal, a menos que façamos uma comparação com o ano de 2005, quando a empresa teve um lucro de US$ 1,9 bilhão sobre uma receita de US$ 5,3 bilhões. No primeiro semestre de 2008, depois de brincar por muito tempo de esconde-esconde, a Yahoo finalmente rejeitou a proposta de aquisição da Microsoft, que lhe oferecia US$ 33 por ação. O preço total seria de US$ 50 bilhões. Em março de 2009, cada ação do Yahoo não valia mais que US$ 12 e o valor de mercado da empresa caíra para US$ 17 bilhões. A Microsoft tem uma oferta pendente pela máquina de busca do Yahoo, mas é só. Quando o uso da internet aumenta mas o valor do site mais popular cai para um terço do que era, o que isso significa? Significa que, na opinião de Wall Street, as margens de lucro do Yahoo tendem a diminuir cada vez mais – não somente porque ele perde feio para a máquina de busca do Google, mas também porque seu CPM (o preço que ele cobra por milhares de visitas a uma página) está caindo.

A lei da oferta e da procura talvez seja o maior problema da mídia on-line, mas não é o único. Randy Rothenberg conhece todos esses problemas de cor e salteado. Além de ser um velho amigo e ex-colega de quando trabalhava na *Ad Age*, Randy não só é tão inteligente quanto as melhores pessoas do ramo como também é muitíssimo sincero. Identifica rapidamente, por exemplo, o segundo bicho-papão do setor: o hábito de não ver os anúncios, evidenciado por uma taxa de cliques inferior a 3%. Isso o deixa maluco. Mas, apesar dos seus miolos e do seu realismo econômico, Randy tem como clientes o setor de anúncios on-line e acredita teimosamente na possibilidade de uma solução: "Uma publicidade melhor, mais informativa, mais divertida, mais bonita." Ou seja, uma Revolução Criativa dos tempos modernos. Randy pensa que, assim como a Volkswagen, a Avis, a Alka-Seltzer e a Benson & Hedges venceram a hegemonia da *venda agressiva* nà década de 1960, assim também um grupo de publicitários inspirados será capaz de aprender a cativar os usuários da web.

"Estou contente porque o setor interativo está finalmente – e com muito atraso – começando a perceber que o modo como os sites são construídos, com base na teoria da resposta direta, encheu o ambiente de coisas feias e inúteis. Mas a resposta direta, na verdade, é aquela área da publicidade que não tem a menor preocupação institucional com a estética, prejudicando o efeito de longo prazo sobre a marca."

Será que a beleza e a engenhosidade podem ganhar da indiferença e da pura e simples hostilidade? Randy não é o único a alimentar essa fantasia. Quando perguntei a David Jones, CEO da Euro RSCG, o que sua rede de agências faz para lidar com a atomização da audiência, ele disse o seguinte: "A coisa mais importante para o nosso setor é que, na verdade, aquilo que nós fizemos de melhor nos últimos 50 anos é o mesmo que faremos de melhor nos próximos 50 anos: desenvolver e divulgar um conteúdo divertido e envolvente, de formato curto."

O quê? Conteúdo? E nós que sempre achamos que a propaganda é aquela porcaria que interrompe o conteúdo... Mas é fácil entender por que Jones talvez realmente acredite nessa falsa promessa. Quando os personagens dos anúncios atraem uma multidão para assistir ao desfile da Semana da Publicidade realizado todo mês de setembro na Madison Avenue, em Nova York, ou quando os turistas que visitam o Adriático pagam ingresso para comparecer à Noite da Propaganda no meio das férias, é claro que você acaba sentindo que o setor publicitário é uma espécie de Hollywood em miniatura. Pode até sentir que as pessoas gostam de você. Mas me desculpe, David, isso não é verdade. Ao contrário, a maioria das pessoas não gosta da propaganda. Uma pesquisa realizada em 2006 pela Forrester Research informa que 63% do público entrevistado acredita que existem anúncios demais e 47% dizem que os anúncios os atrapalham quando estão lendo ou assistindo a alguma coisa. E isso não é mero palavreado. Diferentes pesquisas concluíram que de 50% a 70% dos usuários de DVR pulam os anúncios. O histórica *quid pro quo* – a aceitação da propaganda em troca de um conteúdo gratuito ou subsidiado – é mais uma baixa da revolução atual.

Peter Kim, consultor e empresário das mídias sociais, diz: "Quanto mais as pessoas têm acesso à tecnologia, mais elas a usam para pular os anúncios. Quando o consumidor quer conteúdo, é conteúdo que ele quer. Não quer ser interrompido."

Tampouco há motivo para crer que há mais tolerância à interrupção na internet. Pelo contrário. A Forrester relata que só 2% dos consumidores confiam nos anúncios dos banners e que 81% dos usuários de banda larga empregam filtros de spam e bloqueadores de pop-ups. Você alguma vez já clicou num banner? Pelo menos uma vez na vida? Pois é, ninguém jamais fez isso. Não que eu queira parecer pessimista, mas todos os anúncios são um tipo de spam.

É difícil saber, portanto, como o "conteúdo" divertido de David Jones poderia mudar essas atitudes. Admito que o número de pop-ups, silhuetas dançantes e testes de QI bonitinhos poderia ser menor; mas, para quem precisa vencer as regras básicas da economia e do comportamento humano, a simples criatividade pode não ser suficiente. A tarefa pede algo mais incisivo e também mais difícil de definir – como um pé de feijão mágico. Lembre-se que os três fenômenos mais difundidos da internet – o Facebook, o Twitter e aquele sitezinho chamado YouTube, que o Google comprou por US$ 1,65 bilhão – não geraram, entre eles, receita publicitária suficiente para pôr um marujo em apuros durante uma folga de três dias em terra. Não é fácil violar as leis da economia. No começo de 2009, Wenda Harris Millard, na época uma das CEOs da Martha Stewart Living, disse numa conferência que o excesso de oferta está abaixando os preços para todos os produtores de conteúdo, tanto na rede quanto fora dela. "A propaganda é simplesmente incapaz de sustentar toda a mídia existente", afirmou. E em que conferência ela disse isso? Na do IAB de Randy Rothenberg, do qual ela é presidente. Antes disso, ela tinha sido diretora de vendas do Yahoo.

E o Senhor disse... que o "Alcance" não Importa

Ei, não sou só eu que digo que o rei está nu. A empresa que mais investe em publicidade no mundo, a Procter & Gamble, fala sobre o assunto há 15 anos. Quando o CEO e *chairman* do conselho A. G. Lafley diz que "Precisamos reinventar o modo como fazemos o marketing para os consumidores", ele não está querendo dizer "Precisamos encontrar um modo de juntar 30 milhões de pessoas de uma vez só para podermos lhes dizer que não apertem o papel higiênico". Como seu diretor de mídia Jim Stengel disse à Associação Norte-Americana de Agências de Publicidade numa conferência no primeiro semestre de 2007, "O que realmente precisamos é de uma mudança de mentalidade, uma mudança de mentalidade que nos torne presentes e importantes para os consumidores de hoje, uma mudança que saia do simples 'informar e vender' e caminhe rumo à construção de relacionamentos". E não especificou a publicidade nos meios de comunicação como caminho para fazer isso. Na verdade, os exemplos que ele citou – desde o boca a boca até as redes sociais – não tinham, em sua maioria, nada a ver com a publicidade. E por que teriam?

A publicidade de massa prosperou no mundo dos meios de comunicação de massa porque essas duas instituições, por um feliz acaso da economia, sustentavam uma à outra – e não porque faziam parte da Ordem Natural do Mundo decretada por Deus. Você conhece os Dez Mandamentos. Nenhum deles diz "Financiarás séries dramáticas de uma hora", nem se encontra na Lei do Sinai uma palavra qualquer sobre "alcance" ou "escala". Por que, então, pressupor que esses elementos terão de estar presentes no novo modelo? Isso não só não tem sentido do ponto de vista econômico como também desconsidera a própria natureza do mundo digital, a capacidade de falar com pequenas comunidades e indivíduos – note que digo "falar *com*", e não "falar a". De onde o terceiro problema da publicidade on-line: num mundo interconectado, os anúncios são meios pesados e grosseiros para criar relacionamentos com os consumidores. Afinal de contas, as pessoas não gostam de comerciais, mas gostam muito de bens e serviços e estão sempre em busca de informação acerca destes. Estranhamente, a publicidade dos últimos 20 anos, focada em não afugentar o público, tem oferecido cada vez mais espetáculos de produção, cada vez mais gargalhadas, mas cada vez menos informação nua e crua. Em pouco tempo o mundo on-line preencherá esse vazio, pois a informação é sua própria essência.

Mais uma vez, não se trata de um simples palpite. A própria história demonstra que os anúncios de display não serão o meio principal de comunicação. O investimento anual total em publicidade on-line foi de US$ 23,4 bilhões em 2008. Segundo o próprio IAB de Randy, 33% foram gastos em displays e 44% em busca. Por quê? Porque a busca é contextual, mensurável e rica em informação. O lado negativo da busca é que ela captura os consumidores em vias de comprar, mas pouco faz para promover o reconhecimento de marca entre a população em geral. Por outro lado, a construção do reconhecimento de marca junto à população em geral é clamorosamente ineficaz. À medida que os anúncios de display on-line forem se tornando mais direcionados e mensuráveis, tenderão a ser usados mais como placas de trânsito – postados em redes sociais extremamente verticalizadas ou apresentados com base nos perfis dos usuários – que direcionam o público para onde está a informação em si: os sites da marca ou de terceiros ou informações inseridas no meio de um conteúdo altamente utilitário.

"Acho que a coisa mais importante que devo me perguntar", diz o economista especializado em mídia Bruce Owen, "é 'Como fazer da publicidade não só algo que as pessoas toleram, mas algo que elas estejam positivamente dispostas a assimilar?'"

À luz das estatísticas acima, essa afirmação parece absurdamente ingênua – é como esperar que os motoristas gostem de congestionamento. Mas essa pergunta, feita em tom de devaneio, não só tem resposta como também prefigura uma Era de Ouro para o marketing. O fato é que as pessoas apreciam muito – às vezes, até de modo perverso – os bens de consumo, desde os acessórios Tag Heuer até os PCs em tablet, passando pelas roupas da North Face. O que elas não gostam é de que lhes digam o que devem apreciar e quando devem apreciá-lo. A pesquisa da Forrester revela que 48% dos consumidores acreditam que têm o direito de decidir se devem ou não receber mensagens publicitárias. Os e-mails mandados mediante cadastramento foram considerados duas vezes mais confiáveis que os comerciais de televisão e 10 vezes mais confiáveis que os anúncios em banner, e isso exatamente porque o consumidor opta por recebê-los de livre vontade. Talvez os publicitários tenham certa relutância cultural em aceitar esse fato depois de passar 200 anos tentando vencer pelo cansaço ou pela sedução uma audiência cativa. Mas, ânimo. Quando o consumidor estiver no banco do motorista, pode ser que ele dirija contente na sua direção.

"Acho surpreendente que alguém vá ao site da American Express para se informar sobre cartões de crédito", diz Ted Shergalis, fundador e diretor de produtos da [x + 1], uma empresa de otimização de sites. "Mas isso acontece. Milhões de pessoas fazem isso todos os dias." Por outro lado, os mesmos consumidores podem pular um comercial de TV da American Express com Ellen DeGeneres, porque "querem receber a informação, mas segundo seus próprios critérios".

Não, a divulgação de marca não vai desaparecer. Mas será menos disseminada e pode ser que sua própria natureza se modifique. Como gosta de observar Chris Anderson, editor-chefe da *Wired* e idealizador da teoria da Cauda Longa, "As marcas servem como substitutas da informação". Em outras palavras, a marca oferece ao consumidor uma garantia mínima de qualidade, confiabilidade e distribuição. É claro que as marcas também têm outras funções – em termos de valores, *status* e personalidade. Mas a função mais básica da marca será usurpada pela informação prontamente oferecida mediante um clique do mouse ou uma leitura de código de barras numa loja. Um aplicativo especialmente revelador, desenvolvido em Vancouver, no Canadá, é o VideoClix, uma ferramenta de hipervídeo que permite ao usuário rolar para qualquer parte da imagem – um automóvel no fundo, por exemplo – e clicar para obter informações sobre o fabricante, ou vendedor ou seja o que for. É como o velho programa *Pop-Up Video* da VH1, mas desta vez o usuário controla o que vai aparecer. O aplicativo explora, portanto, uma terceira dimensão do mundo on-line, além do áudio e do vídeo: a profundidade de informação. "É uma camada de informação", diz o criador Babak Maghfourian, "que as pessoas vão exigir."

Pense, por exemplo, no Nike Plus, projeto conjunto da Nike e da Apple onde o iPod se torna uma ferramenta que monitora o ritmo e o estilo de corrida do usuário e lhe sugere um par de tênis condizente. O site do Nike Plus une utilidade, comunidade, informação e, como não poderia deixar de ser, vendas on-line. É ao mesmo tempo o programa de marketing, o motor de gestão de relacionamento com o cliente e a loja. A única função do comercial de TV – um filminho bastante benfeito e notavelmente despojado de celebridades, narrativa e piadas – é direcionar o tráfego para o site. Agora multiplique essa fórmula pelos 100 maiores anunciantes dos Estados Unidos e mais toda a cauda – longuíssima – de anunciantes menores. Estou descrevendo aqui a democratização da economia da informação, que ao mesmo tempo destrói fortunas e as cria. Quando, um dia, a ordem for restaurada, os sobreviventes serão milionários. Os outros terão sido irremediavelmente deixados para trás.

Alguns desses "outros" estão finalmente começando a cair na realidade. Afinal de contas, se o *yin* está se encolhendo e morrendo, o *yang* deve prestar atenção. Preste atenção, por exemplo, numa historinha que Jan Leth, diretor-executivo de criação da OgilvyInteractive North America, conta sobre um trabalho que sua agência fez para a Six Flags, empresa proprietária de parques de diversões.

"Eles fizeram uma promoção para seu 45º aniversário. Queriam distribuir 45 mil ingressos para o dia da inauguração, para estimular o fluxo de visitantes. Então, nos instruíram a fazer o que fosse preciso: anúncios, hotsite e por aí afora. Mas nosso diretor de criação interativa simplesmente postou um anúncio na Craigslist. Cinco horas depois, os 45 mil ingressos já estavam distribuídos – sem nenhuma sessão de fotos, sem o coquetel depois da sessão de fotos", conta ele, fingindo aborrecimento. E depois, com menos ironia: "Mas o problema é o seguinte: nós vamos receber pelo quê?"

Essa historieta anuncia algo entre uma notícia ruim e uma catástrofe total para as agências de publicidade, que continuam, como Plutão, a orbitar excentricamente em torno dos orçamentos de publicidade sem perceber que foram rebaixadas de categoria. As circunstâncias conspiram para pôr em risco terminal sua própria existência no cosmos. As agências de publicidade simplesmente não estão organizadas de modo a conseguir lucrar com os atuais meios de comunicação com os consumidores. Por isso, celebram de boca o futuro digital mas aferram-se teimosamente aos spots de 30 segundos com que estão acostumadas. Caso você não tenha lido a introdução do livro, dê uma olhadinha neste artigo de opinião publicado em junho no *Times* de Londres por Sir Martin Sorrell, *chairman* do grupo WPP, a maior holding de agências de publicidade do mundo:

"Aos poucos, as novas mídias deixarão de ser vistas como novas mídias; serão apenas mais uma série de canais de comunicação. E, como todas as mídias que já foram novas e hoje são apenas mídias, elas ocuparão um lugar merecido no repertório das mídias, talvez por meio de aquisições inversas – mas é quase certo que não destronarão nenhuma das mídias já existentes."

Diz ele que não é preciso entrar em pânico. A internet não passa de um novo canal de comunicação, como as telas de vídeo em bombas de gasolina ou os cupons distribuídos nos caixas de supermercado. É só uma questão de administrar a transição... Quem dera. Se Sir Martin fosse honesto com seus leitores, ele admitiria que, em termos de cultura, organização, perícia e estruturas de pagamento, uma agência publicitária global teria tanta dificuldade para passar da mentalidade dos pontos de audiência bruta para um mundo de agregação, informação, otimização e Gestão de Relacionamento com o Cliente quanto a Young & Rubicam teria para parar de anunciar em inglês e começar a fazê-lo em francês. São dois vocabulários, duas gramáticas completamente diferentes. Isso sem falar nos modelos de obtenção de receita. O Admirável Mundo Novo, quando finalmente vier à luz, promete ser melhor para os profissionais de marketing que o mundo velho – mas não graças aos anúncios de display. Como veremos nos próximos oito capítulos, eles não precisarão disso para se comunicar com os consumidores. E é exatamente por isso que a maioria das agências de publicidade, e algumas agências de mídia, acabarão ficando para trás. Ficarão para trás por causa da teimosa noção de que serão capazes de entrar no mundo digital sem mudar absolutamente nada.

Um episódio agourento aconteceu em 2007, quando a Nike – marca multibilionária que veio, viu e venceu graças à magia publicitária da agência Wieden & Kennedy – decidiu que a Wieden simplesmente não seria capaz de atender a todas as suas necessidades de marketing digital. A *Wieden & Kennedy*! Talvez ela seja a maior agência independente do mundo, mas, do ponto de vista da Nike, está comprometida demais com o pensamento velho para adequar-se às necessidades da marca que ela própria construiu praticamente sozinha.

Saiba também que, ao mesmo tempo em que Sir Martin se mostrava satisfeito em público, ele reconfigurava o portfólio da WPP de tal modo que menos da metade do faturamento do grupo – pouco mais de 1/3 – passou a derivar de serviços de publicidade e mídia. Não admira. As agências ganham dinheiro fazendo anúncios e comerciais e comprando seus meios de veiculação. Além disso, para explorar a fenomenal capacidade da internet de direcionar e otimizar as mensagens de anúncios e websites, os publicitários ainda vão ter de investir recursos imensos em infraestrutura de informática – hardware, software e pessoas de carne e osso – a fim de processar a imensa quantidade de dados que vão entrar a cada segundo. No conjunto, os custos chegarão a bilhões de dólares. Boa parte desse dinheiro, senão a maior parte, terá de vir dos orçamentos publicitários existentes. Essa canibalização vai colaborar para acelerar a destruição da simbiose entre os meios de comunicação de massa e o marketing de massa e para desencadear o poder da agregação, da informação, da otimização e da Gestão de Relacionamento com o Cliente, decretando a impotência e a insignificância da maior parte da publicidade de imagem.

Em outras palavras, a Madison Avenue está com problemas por todos os lados.

Nesse Caso, onde Arranjar Novos Episódios de *O Mentalista*?

Então, quem paga pelo conteúdo na era pós-publicitária? Eis o x da questão. Uma das razões pelas quais é difícil imaginar o Cenário de Caos é a sensação de que todos nós temos o direito inato de ter acesso grátis ao melhor (ou, pelo menos, ao mais caro) que Hollywood tem a oferecer. Se a crise do *sub-prime* leva embora minha casa, isso é um problema. Se o Cenário de Caos tira do ar o programa *House*, isso é uma revolução. Infelizmente, não posso oferecer uma resposta tranquilizadora. O melhor que posso dizer é que o fato de o mundo on-line gravitar em torno do YouTube já aponta para uma mutação do nosso DNA no que se refere ao entretenimento. É claro que a internet, por si só, oferece mais conteúdo – instantâneo e de graça – do que a humanidade jamais teve à disposição no decorrer de toda a sua história. Apesar dos 99% de *lixo* impossível de ver, de ouvir, de ler, o 1% restante ainda representa uma arca cheia de tesouros – inclusive algumas preciosidades muito mais incríveis que qualquer coisa que a televisão possa oferecer. Os sites que agregam conteúdo, como o Fark, o Boing-Boing, o ebaumsworld, o CollegeHumor e o Digg, aliados à eficiente filtragem promovida pelas redes sociais, conseguem separar muito bem o ouro do minério bruto. Outros sites aliam as funções de agregadores de conteúdo e redes sociais. O Magnify.net hospeda milhares de comunidades especializadas de compartilhamento de vídeo, e o Ning.com, milhares de redes sociais igualmente especializadas – desde os "Fãs do American Idol" até os "Pais de crianças com asma".

Marc Andreessen, fundador da Netscape, é um dos cofundadores do Ning.com. "As pessoas procuram as coisas pelas quais se interessam", pontifica. "O lado mágico das redes sociais é que as [categorias específicas de] pessoas pelas quais os publicitários se interessam estão se congregando como que por encanto." Outros sites, como o FunnyOrDie.com de Will Ferrell, combinam conteúdos profissionais com outros gerados pelos usuários, montando uma espécie de audiência de massa cumulativa – e criando a possibilidade de obter uma receita equiparável à das comédias de situação da TV. Mesmo assim, como mostra a triste experiência de Marshall Herskovitz, isso é pouquíssimo provável. Mas o que aconteceria se, no futuro próximo, a maior parte do conteúdo fosse comprada pelo usuário, quer por meio de assinatura, como faz a HBO, quer à la carte, como os filmes em pay-per-view e as músicas do iTunes? A propaganda estaria fora da equação. Se um dia os micropagamentos se tornarem práticos e fáceis, os usuários poderiam comprar o conteúdo dos jornais edição por edição ou até artigo por artigo. Nas palavras do economista especializado em mídia Bruce Owen, "os consumidores estão muito mais dispostos a pagar que os anunciantes".

Em 2008, citando os esforços pioneiros do Wal-Mart, da Amazon. com e do iTunes, a Adams Media Research fez uma projeção: os streams e downloads pagos logo vão ganhar da publicidade como modelo de captação de receita para o conteúdo em vídeo. "Em 2011", segundo o relatório, "o gasto dos anunciantes em streams de vídeo para computadores pessoais e aparelhos de televisão vai chegar a US\$ 1,7 bilhão, mas os downloads de filmes e programas de televisão vão implicar um gasto de 4,1 bilhões por parte dos consumidores." Outro relatório de 2008, intitulado "The Digital Consumer: Examining Trends in Digital Media" ["O consumidor digital: exame das tendências das mídias digitais"], elaborado pela firma de investimentos Oppenheimer & Co., chegou à mesma conclusão: "é provável que os custos do conteúdo não sejam mais bancados pelos anunciantes".

Esse modelo de captação de receita também seria adequado para os produtores de conteúdo. Em sua luta de vida e morte contra a pirataria, nenhuma tecnologia de gestão de direitos digitais tem tanto impacto quanto o baixo preço. À medida que os preços dos downloads vão caindo sem parar – US\$ 1,99 em comparação com os US\$ 25 de um DVD, por exemplo – o incentivo ao roubo de propriedade intelectual diminui no mesmo ritmo. Por que furtar a mercadoria de uma loja de US\$ 1,99?

_____ *Capítulo 3* _____

O FRACASSO MAIS BEM-SUCEDIDO DO MUNDO?

ANTES DE PASSAR PARA O SEGUNDO PARÁGRAFO deste capítulo, faça o seguinte: entre no YouTube.com e, no campo de busca, digite "boom goes the dynamite". Vai aparecer o link para um vídeo. Assista-o.

É um pequeno excerto de um programa de notícias da emissora da Ball State University, uma universidade estadual americana. O apresentador é um calouro corajoso chamado Brian Collins, que claramente está tentando fazer algo superior às suas forças. Ele apresenta o pior noticiário esportivo da história da humanidade, culminando na pior frase de efeito já criada por um locutor esportivo: "Boom goes the dynamite", ["A dinamite faz 'bum'!"] O vídeo é assustador, é cruel – e é hilário.

Faça mais algumas buscas. Digite "evolution of dance", que já foi assistido mais de 115 milhões de vezes. Ninguém imaginaria que o final de uma palestra motivacional dada por um nativo de Ohio seria tão fascinante, mas o modo com que Judson Laippley encadeia os passos de 30 músicas, de Elvis ao 'NSYNC, é incrível. Ou, senão, experimente "Noah takes a photo of himself everyday [sic] for six years", ["Noah tira uma foto de si todos os dias por seis anos"], título muito adequado. Esse documentário feito com a técnica de *time-lapse* por um tal de Noah Kalina ao longo de 2.356 dias não tem um enredo muito complexo, mas conseguiu mesmo assim ser assistido mais de 12 milhões de vezes. E isso não é nada em comparação com a última sensação do YouTube: Susan Boyle, cujos vários clipes foram assistidos 80 milhões de vezes numa única semana de abril de 2009, graças não só à sua voz magnífica como também, ou principalmente, à sua tocante capacidade de conseguir cantar mesmo sendo feia. E, já que estamos falando sobre o paradoxo da aversão e da atração, você também deve assistir "Numa Numa", estrelado por um gordinho de Nova Jersey dublando uma música popular romena, insípida mas estranhamente cativante. Mas vamos viver perigosamente. Digite "sweet tired cat" [gatinho fofinho e cansado] e veja um gatinho cair no sono. O clipe, assistido mais de 2 milhões de vezes em duas semanas, traz em 27 segundos uma dose tão concentrada de fofura que você corre o risco de ter um ataque apoplético e morrer. É tão bonitinho que dói.

E é extremamente valioso. Em 2006, o Google pagou US$ 1,65 bilhão em ações para ser o hospedeiro desse gatinho fofinho e cansado.

Só para contextualizar esse investimento, o preço pago pelo YouTube é o mesmo que a Target pagou por 257 lojas de departamentos Mervyn's e quatro centros de distribuição em 13 estados norte-americanos, e um pouquinho mais do que o Grupo WPP pagou pela rede de publicidade Grey Global Group (10.500 empregados que geram uma receita anual de US$ 1,3 bilhão em 83 países). É claro que a Mervyn's e a Grey eram, na época, empresas lucrativas e donas de muitos ativos fixos. Os ativos fixos do YouTube se resumem a uma interface de vídeo, alguns blocos de servidores e um logotipo bonitinho, de estilo retrô. Nesse caso, por que ele vale quase seis vezes mais que o PIB da Micronésia? E o que ele significa além do dinheiro? O que o fenômeno do YouTube nos diz sobre a Era da Listenomics? O que o YouTube vai *se tornar*?

Este capítulo responderá com exatidão a essas perguntas.

Bem, talvez não as responda.

Mas vai explorá-las.

Tudo bem, vai fazer especulações. Mas vale a pena fazer esse exercício, pois é algo que nos leva ao próprio âmago do Cenário de Caos da Listenomics e envolve nada mais, nada menos que uma transformação cultural, sociológica e econômica – que inclui, entre muitas outras coisas, a realocação dos US$ 80 bilhões que os anunciantes investiram na TV norte-americana em 2008. Para que essa revolução dê certo, duas coisas são necessárias: 1) um modelo comercial que converta um site de fãs ultracrescido num veículo publicitário lucrativo e 2) uma mudança tectônica na economia mundial dos meios de comunicação. Porém, como vimos nos dois capítulos anteriores, o quesito 2 está em vias de se realizar. Quanto ao 1, ainda não parece promissor, mas pense bem antes de apostar contra o Google. Há pouco tempo, tudo o que *ele* tinha era um algoritmo de busca e um logotipo bonitinho. Agora, depois de reinventar a publicidade on-line, ele tem uma receita de US$ 22 bilhões ao ano e bons motivos para crer que nenhum dos dois pré-requisitos está fora de questão. Segundo a comScore Video Metrix, em janeiro de 2009 101 milhões de pessoas assistiram a 6,3 bilhões de vídeos no YouTube, gastando, em média, seis horas nessa atividade. E isso somente nos Estados Unidos. Seis horas! Em janeiro de 1999, era zero hora. Obama não é nada. *Isso sim* é mudança!

"Assim como nossos filhos não entendem a diferença entre a TV aberta e a TV a cabo", diz Jeff Jarvis, blogueiro do Buzzmachine.com, "também a distinção entre a TV comum e a TV por internet está prestes a desaparecer."

Jarvis chama esse fenômeno de "explosão da TV", e o YouTube é o que explode mais rápido: partiu do nada há mais ou menos um ano e hoje despeja mais de 200 milhões de streams de vídeo por dia. Foi no YouTube, não no *Saturday Night Live*, que o mundo se apaixonou por dois nerds branquelinhos que fazem um rap sobre seu "Lazy Sunday" [domingo sonolento]. Foi nele que nos vimos curiosos, fascinados e finalmente traídos pela Lonelygirl15. E é nele que mais de 15 horas de vídeo são enviadas por minuto. Seus criadores acham que estão postando clipes de vídeo, mas os posts também são dispositivos explosivos improvisados para pôr abaixo a velha ordem. Clique em "Enviar vídeos"...

... e a dinamite faz "bum"!

TV Macaco

Chad Hurley diz que não se lembra. Conversei com ele em 2006, exatamente duas semanas antes de ser anunciada a aquisição pelo Google. Ele tinha vindo a Nova York pelo voo noturno para defender sua posição perante a Madison Avenue. Voltaria à Califórnia dali a algumas horas; mas naquele momento estava encalhado em mais uma sala de reuniões e seus olhos tinham aquele aspecto vazio da pessoa cujo corpo está quase desconectado do sistema nervoso. Numa palavra, o cara estava esgotado. Pouco importa que fosse cofundador da Novidade do Momento e estivesse a ponto de se tornar um magnata. Deixei uma pergunta no ar para a qual ele não achou resposta: qual foi o primeiro vídeo postado no YouTube por outra pessoa que não ele ou o cofundador Steve Chen?

Ele insistia em que não conseguia se lembrar. Sabe como é, US$ 1,65 bilhão...

"Acho que foi um pessoal de Stanford", disse por fim. "Um pessoal num dormitório de faculdade, fazendo umas coisas esquisitas."

Coisas esquisitas? Que coisas esquisitas, Chad?

"Nem me lembro", disse. "Faz tanto tempo."

Quanto tempo... Um ano e meio desde maio de 2005. Mas não se pode culpar o jovem pelo fato de sua memória estar confusa. Nesse período de 18 meses, o YouTube hospedou milhões e milhões de clipes – e tudo isso porque Hurley e Chen queriam um dispositivo semelhante ao Flickr, mas para compartilhar vídeos. Numa garagem de Menlo Park, na Califórnia, construíram uma interface simples e um esquema para que os vídeos fossem inseridos em outros sites com um só clique. Foi uma inovação oportuna que coincidiu com o fenômeno do MySpace e gerou o que Hurley chama de "isto" – na frase "E aquilo acabou virando isto". Confortavelmente derrubado na sua cadeira empilhável, ele parecia um pouco aéreo, mas talvez estivesse somente meditativo. Ele sabe muito bem o porquê "disto". A explicação pode ser encontrada no slogan da empresa: "Broadcast Yourself", ["Divulgue-se a si mesmo" ou "Você no ar"].

"Lá no fundo, todos querem ser astros", diz Hurley, talvez pela quadrilionésima vez. "E nós proporcionamos a audiência que torna isso possível."

Hoje em dia, muita gente já pode se ver num negócio semelhante à TV, o que é divertido em si. A vantagem é que os outros também querem vê-los. A humanidade do terceiro milênio mostrou-se interessada em peneirar milhões de pedaços de lixo produzidos por pessoas completamente estranhas para ver se encontram uma ou outra joia – algumas divertidas por acaso ("Boom Goes the Dynamite"), outras revelações de artistas até então obscuros ("Treadmill Dance"), outras ainda explorações de uma nova forma de arte, onde desponta o gênio (Ze Frank, Ask a Ninja e o pessoal que produziu a Lonelygirl15).

Junte-se a isso os comerciais de TV postados, como o "Evolution" da Dove ou o filme da Nike com Ronaldinho, onde o craque brasileiro milagrosamente acerta chutes e mais chutes no travessão. Acrescente-se algum conteúdo profissional furtado de Hollywood ou fornecido pelo pessoal de lá. No conjunto, temos um reservatório sem fundo cheio de curtas de vídeo que qualquer pessoa pode ver se quiser. E as pessoas querem vê-los, e veem-nos, milhões de vezes por dia, a partir das mais diversas páginas da internet. Diz-se que, se dermos um milhão de máquinas de escrever para um milhão de macacos, mais cedo ou mais tarde eles vão escrever as obras de William Shakespeare. Quando se juntam um milhão de seres humanos, um milhão de câmeras de vídeo e um milhão de computadores, o que surge é o YouTube. A invenção da TV Macaco, porém, não adianta nada caso não se possa construir um negócio de verdade em torno dela. E foi por isso que, na véspera de fechar negócio com o Google, Hurley foi a Nova York: para explicar aos anunciantes por que eles deviam dar-lhe dinheiro para divulgarem-se *a si mesmos*. Para ele, a má notícia daquele dia foi que os anunciantes já vêm se divulgando há décadas e preferem manter as coisas do jeito que estão. A boa notícia foi que as coisas não vão continuar desse jeito por muito tempo.

Mesmo assim, quando o grande negócio foi anunciado, o cômputo final do valor do YouTube girou em torno de uma série de possibilidades ainda não realizadas.

E se fosse possível reproduzir on-line o alcance e o poder hipnótico da televisão? E se fosse possível criar um veículo que tivesse não só os atrativos da televisão, mas também uma escala suficiente para absorver as verbas de publicidade? E se, além de tudo isso, esse veículo fosse capaz não só de direcionar os olhares para o profissional de marketing, mas também de selecionar o conteúdo mais afim com os produtos e serviços anunciados? Resumindo, e se houvesse um elo perdido entre o velho modelo e o brilhante modelo novo? O que aconteceria? Ora, essa é fácil de responder: a Procter & Gamble daria pulos de alegria. Correria sangue pelas sarjetas da Madison Avenue e de Hollywood. E Ryan Seacrest sairia para sempre da nossa vida.

Ah, estava me esquecendo de uma coisa: alguém ficaria muito, muito rico – e não com as poucas centenas de milhões de dólares que Hurley e Chen ganharam. Estamos falando de dinheiro de verdade. Parte desse dinheiro se dispersaria pela esteira longa dos sites de compartilhamento de vídeo: Fox Interactive, Yahoo, Hulu, MSN, CBS, AOL, Viacom, Turner Network, Disney Online, NBC, Break Media, ABC, DailyMotion, Glam Media, Metacafe, ESPN, Megavideo, Photobucket, CollegeHumor, Blip, Ning, Heavy, Revver, FunnyOrDie, DailyRadar e por aí afora. Mas, em meados de 2009, o YouTube tinha 43% do mercado. Repito: *43% do mercado*. É como disse Cervantes: p.q.p.!

Constituo, Ergo Sum

Estou ocupado, ocupadíssimo, tentando escrever este bendito livro. Mas também sou obsessivo, e a todo momento vou verificar meu e-mail para ver se não apareceu uma lucrativa proposta de palestra, se não fui despedido ou se uma fascinante oportunidade de investimento não surgiu na Nigéria. Só olho o título do e-mail, mais nada; não abro nenhum porque não tenho tempo. A menos que...

A menos que tenha sido mandado por uma das minhas filhas e tenha um link para o YouTube.

Esses e-mails eu abro, pois sei que minha pausa de 3 minutos será recompensada com algo delicioso – como uma menininha que faz as exéquias do falecido peixinho Lucky antes de jogá-lo no vaso sanitário e dar a descarga. Além disso, sei que depois vou ter o gosto de rir junto com elas do que assistimos, de comparar nossas reações, de lembrar da experiência e, em suma, de me divertir a rodo. É por isso, entre muitas outras coisas, que o YouTube alterou o comportamento humano em escala global. Nas palavras de Chad Hurley, "Todo o mundo quer ver o que todas as outras pessoas estão vendo e apreciando". E isso não é novidade. Pelo contrário, é um dos últimos resquícios da cultura de massa. O que as grandes atrações da televisão sempre ofereceram foi algo sobre o que podemos conversar junto ao bebedouro, no salão de beleza ou no MSN. "Vc viu aquele noticiário esportivo? O q significa a frase 'Boom goes the dynamite'?... Peraí. Vc não viu? Caraca. Vou te passar o link."

"É uma coisa antiga, primordial", diz Henry Jenkins, diretor do programa de Estudos Comparativos de Mídia no MIT e autor de *Convergence Culture: Where Old and New Media Collide*. "Ainda existe o desejo de participar de um contexto cultural comum. Somos ávidos por assuntos sobre os quais possamos conversar."

Mas por que as pessoas se dão ao trabalho de postar os clipes no site? Quer se trate da dublagem de um sucesso das paradas em Bucareste, do adeus a Lucky, de uma montagem de falhas em noticiários de TV ou de um trecho pirateado do *Saturday Night Live*, o que as pessoas ganham com isso? Aquilo que Hurley diz: a oportunidade de divulgarem a si mesmas – seja seu corpo, seja seu ser interior, refletido nos vídeos caseiros que mais o agradam, como o do cachorro que dá a descarga no vaso sanitário. Como os produtores de roupas, cigarros, bebidas alcoólicas e adesivos de para-choque sabem há muito tempo, não se pode subestimar o desejo humano de dizer a todo o mundo Quem Eu Sou. Está lembrado de *A Morte do Caixeiro Viajante*? Está lembrado da pobre Linda Loman, tentando explicar aos filhos a verdade essencial sobre Willy, o pai deles, um sujeito tragicamente insignificante? "É preciso prestar atenção", diz. Ela entendeu tudo. O YouTube é a vingança de Willy Loman. Ou sua salvação, apesar de um pouco tardia. Atende a um desejo nunca antes satisfeito na história da humanidade: as aspirações do Homem Comum, até então frustradas, de sair da sua anônima vida de desespero tranquilo, aparecer diante do mundo e *ser alguém*. Um estudo feito pela Accenture com 1.600 norte-americanos constatou que 38% dos que responderam à pesquisa gostariam de criar ou partilhar conteúdo on-line. Assim, de repente, a inexplicável "Numa Numa" começa a fazer sentido. Por que um gordinho de Nova Jersey se filma numa situação ridícula? Por que ele vai aparecer numa (espécie de) TV, do seu jeito. Isso é o mais importante.

"Quem não posta não existe", diz Rishad Tobaccowala, CEO da Denuo, uma nova consultoria de mídia. "As pessoas dizem: 'Posto, logo existo.'"

Constituo, ergo sum. Uma fórmula interessante que bem pode representar um novo racionalismo para a era digital. Mas, por enquanto, não vamos pôr Descartes diante dos bois, pois nada disso terá significado nenhum se por acaso vier a desaparecer tão subitamente quanto surgiu.

Um Zilhão de Olhos. Agora, Vamos Ganhar Dinheiro!

Talvez eu tenha errado ao atribuir aquela forte expressão a Cervantes, mas disto tenho certeza: alguém disse, certa vez, que 100 milhões de pessoas não podem estar todas erradas ao mesmo tempo. Está na cara que o YouTube (bem como os posteriores aplicativos de sucesso, como o Facebook e o Twitter) é imensamente valioso para os usuários. Mas será valioso em matéria de dinheiro? Será um veículo de publicidade? Será um negócio? Quatro anos depois de enfeitiçar o mundo, o próprio YouTube nos dá a resposta: nem de longe. Acontece que o sucesso é feito de 1% de inspiração e 99% de monetização, de dinheiro. Vamos ouvir John Montgomery, diretor de operações da GroupM Interaction, o braço de mídia do conglomerado de comunicações WPP Group: "Eles têm audiência. Agora, para ganhar dinheiro com isso, precisam criar um modelo de receita. Mas é dificílimo fazer isso com uma mídia gerada pelos usuários."

Aliás, ele me disse isso em 2007, pouco depois da aquisição do YouTube pelo Google. Montgomery sabia do que estava falando. Entendeu que não é fácil monetizar a popularidade. Segundo a Bear Stearns, a receita do YouTube com publicidade em 2008 foi de US$ 90 milhões, uma gota d'água no oceano quando se sabe que provavelmente não cobriu os custos das ações judiciais por uso indevido de propriedade intelectual e certamente não cobriu os custos de largura de banda. O Credit Suisse avalia os custos operacionais do YouTube em mais de US$ 700 milhões. Isso porque, três anos depois da grande aquisição, o Google ainda não começou a resolver os dois gigantescos problemas estruturais do mundo on-line, discutidos no último capítulo. São eles: 1) o excesso de oferta de publicidade on-line reduz a quase nada o preço cobrado por qualquer anúncio; e 2) ninguém quer olhar os anúncios, e ponto final.

Por muito tempo o YouTube se recusou até a vender anúncios no começo ou no final dos vídeos – como comerciais de TV – a pretexto de não desfigurar a experiência dos telespectadores. Na opinião de Montgomery, os usuários não encaram os anúncios como um preço justo a pagar pelo conteúdo, mas como manifestações de autoritarismo da mídia: "você tem de assistir a esse anúncio como castigo pelo fato de termos fornecido o conteúdo" – e ele se apressa a afirmar que essa frase também descreve o modelo da TV aberta. Que, diga-se de passagem, o DVR e o YouTube estão destruindo.

Não admira, portanto, que muitos aceitem como um artigo de fé a ideia de que um comercial antes do vídeo é algo fatalmente invasivo. "Talvez exista algum usuário que aprecie um anúncio de 30 segundos anterior ao vídeo", diz Tod Sacerdoti, da POSTroller. "Se você conhecer algum, peça para ele me ligar." Segundo os quatro anos de dados acumulados pela rede de vídeo Vidsense, um comercial prévio de 15 segundos faz com que 8% da audiência abandone o clipe antes mesmo de ele começar. Um comercial prévio de 30 segundos afugenta 22% da audiência. Quanto aos comerciais que vêm depois do clipe, nem os profissionais de marketing mais orgulhosos sabem dizer quem se disporia a assisti-los. "Ninguém assiste aos comerciais depois do clipe", diz Montgomery. E ele não está exagerando. A Vidsense afirma que, segundo seus dados, 76% dos espectadores debandam antes do fim do anúncio. Você mesmo já deve ter sentido essa mesma impaciência e repugnância enquanto assiste a um comercial prévio – ou, com mais probabilidade, enquanto *não* o assiste. A sensação é de que estão abusando de nós. Aliás, no mundo do YouTube, as pessoas sentiram isso mesmo antes de os anúncios entrarem em cena. O simples fato da aquisição pelo Google, em 2006, desencadeou amargura e indignação junto à base. Os usuários lamentavam a inevitável violação de seu ambiente virgem pelos anunciantes, a profanação daquele oásis não comercial num mundo inundado pela divulgação de marcas. Muitos duvidavam de que o "GooTube" fosse capaz de preservar sua alma. "Acho que é o começo do fim do YouTube como o conhecemos", escreveu um usuário chamado SamHill24. Outro, Link420, declarou simplesmente: "ACABOU!!!! o youtube está ferrado."

E como o Google resolveu o problema? Até o fim de 2008, resolveu *não* resolvê-lo – adiou o dia da prestação de contas e, enquanto isso, foi dominando a tal ponto o mercado de vídeo que esmagou no berço toda e qualquer concorrência. Em outras palavras, foi vendendo seu produto a um preço menor que o custo para aumentar sua participação no mercado. Se o Google não estivesse inundando o mercado com vídeos de gatinhos, mas sim com aço japonês, sua manobra seria chamada de dumping. "O Google, como o Facebook, está brincando de ver quem pisca primeiro", diz Troy Young, diretor de marketing da Videoegg.com. "A brincadeira é a seguinte: 'Até encontrar um jeito melhor de ganhar dinheiro, vamos direcionar nossa filosofia para o aumento do número de usuários, vamos destruir a concorrência e, num momento qualquer do futuro, vamos reavaliar o ponto onde chegamos.'"

Cuidado com os Gatinhos Mortos

Quanto à primeira fase do plano, vejamos: são, afinal de contas, 43% do mercado. Essa dominação espantosa, e a espantosa mudança dos hábitos de consumo que ela indica, certamente deu coragem aos anunciantes para correr ao YouTube... mas não com os bolsos cheios de dinheiro. Pelo contrário, por milhares de vezes eles tentaram explorar esse vasto potencial de audiência a custo zero, postando anúncios divertidos na forma de vídeos e deixando que a viralidade simplesmente seguisse seu curso. O YouTube, na verdade, incentivou esse processo, embora não soubesse o que tinha a ganhar com isso – e não ganhou muito. Para começar, como se apressa a observar Montgmery do grupo WPP, "o melhor jeito de usar o YouTube" para os anunciantes – postar anúncios de graça – "não rende dinheiro nenhum ao YouTube". O YouTube ainda tentou, dizendo aos possíveis clientes que a compra de anúncios para complementar as postagens gratuitas estimularia o efeito viral, uma tese duvidosa que a maior parte da Madison Avenue simplesmente ignorou. O outro problema foi que – como veremos no próximo capítulo – o "melhor jeito de usar o YouTube" quase nunca deu certo. A viralidade não é uma estratégia; é um acaso feliz. Os estouros virais na história do vídeo on-line podem ser contados nos dedos das mãos e dos pés do saci-pererê. Com isso, o critério de "sucesso" dos anunciantes mudou de maneira quase absurda. Em março de 2009, o porta-voz de uma agência publicitária caracterizou um spot do McDonald's como "uma sensação do YouTube". Em quatro dias, ele tinha sido assistido 50 mil vezes. Ou seja, mais ou menos o mesmo número que se obtém com um único comercial de 30 segundos no programa *Good Morning Seattle*. Três semanas depois, outro anunciante divulgou uma nota à imprensa se vangloriando de que seu vídeo tinha sido "considerado um sucesso depois de ter sido assistido, somente no YouTube, mais de 40 mil vezes durante os primeiros 5 dias de campanha". (Não é culpa deles se eles não entendem a internet. A culpa é de uma tal de "Microsoft".)

No que se refere à tolerância dos espectadores aos anúncios, o YouTube tinha um ponto a seu favor: o público não reage negativamente a um anúncio se o anúncio nem sequer existe. Nos primeiros quatro anos de vida do site, pouquíssimos clipes do YouTube – menos de 1% – foram considerados veículos adequados para *qualquer* tipo de conteúdo publicitário. Isso porque a maioria dos clipes ou reproduziam sem licença materiais sujeitos a direitos de autor (como uma música do Bono ou um trecho de um programa da MTV) ou porque os anunciantes não sabiam dizer se aqueles vídeos representariam um ambiente positivo (ou mesmo neutro). Dado o vale-tudo que impera na rede, os anunciantes sofrem com o medo constante, paralisante, de inadvertidamente associar seu nome a cenas de violência, pornografia, palavras de ódio ou qualquer outra coisa que se esconda a um clique de distância. "Os anunciantes e as marcas são extraordinariamente avessos ao risco", conta Rosenbaum, da Magnify.net. "A questão, agora, é como transformar algo bruto e arriscado em algo seguro e confortável. Não é um mero detalhe. É uma questão importantíssima." Se você representasse, digamos, a marca Miau Mix e tivesse comprado anúncios adjacentes a vídeos que mostram gatinhos, o quanto não se sentiria surpreso e decepcionado quando ficasse sabendo que patrocinou um vídeo postado por um tal mrwheatley, intitulado "gato explodindo"? Ou um outro "gato explodindo", postado por Qu1rk89? Ou este: "ma907h come um gato morto", que mostra um cara... deixa pra lá. O consultor de mídia Cory Treffiletti, falando sobre os metadados que descrevem os vídeos do YouTube, observa amargamente: "Neste momento, eles consistem unicamente nuns poucos termos que o usuário seleciona. E não existe opção para 'vivissecção de gato.'"

O Homem na Lua

Para Jaffer Ali, CEO da rede Vidsense, cujos sites compreendem 75% de conteúdo licenciado exatamente para propiciar os anunciantes, a simples questão da adequabilidade condena o YouTube ao fracasso comercial:

"o perigo intrínseco que ronda as marcas no YouTube, onde podem de repente estar ao lado do cara que tenta ver se peido pega fogo". Mas essa nem é a maior fraqueza do YouTube, segundo ele. Tampouco são os custos pesadíssimos da banda larga ou o valor irrisório dos anúncios num mercado onde sobra oferta. Não. Para Ali, o buraco é mais embaixo: os anúncios on-line não funcionam. Os vídeos anteriores à exibição dos clipes são rápidos demais para construir a imagem da marca e a taxa de cliques de 0,3% os torna perfeitamente inúteis como veículos de resposta direta. As pessoas que assistem a esses vídeos simplesmente não estão a fim de interagir. "Está provado que não funciona", diz Ali, que chegou ao marketing on-line vindo dos infomerciais de resposta direta. A chave do modelo de negócios *nessa* área era o baixo preço dos anúncios durante a programação dos horários ruins e – ele insiste – a própria má qualidade da programação nesses horários. "É por isso que os infomerciais sempre deram certo quando estão passando aquelas drogas de programas a que ninguém quer assistir. As pessoas pensam: 'Se eu não assistir a uma parte do programa [para discar o 0800 do produto anunciado], não vou perder nada.'" Em outras palavras, o próprio gosto que as pessoas têm em assistir os vídeos do YouTube reduz a quase zero a probabilidade de qualquer espectador clicar no anúncio e partir para outro site. Resumindo tudo, ele pontifica: "Esqueça. Eles nunca vão ganhar dinheiro com o YouTube."

Essa é a opinião que se pode qualificar de pessimista. A opinião otimista é que, para ser um veículo sustentável de publicidade, o YouTube tem muitos problemas a superar. Isso não significa que o Google tenha desistido. Afinal, estamos nos Estados Unidos. Temos espírito guerreiro. Não existem problemas, somente oportunidades. A escuridão sempre é maior logo antes da alvorada. As adversidades nos motivam. Ou, como disse o presidente John F. Kennedy ao anunciar a missão tripulada à Lua, "Por que o time da Universidade Rice joga contra o da Universidade do Texas? Não porque é fácil, mas porque é difícil".*

---

* Ao falar sobre seu projeto de mandar um homem à Lua, num discurso feito na Universidade Rice, Kennedy comparou as dificuldades desse programa às que o time de beisebol da pequena universidade local encontrava ao enfrentar a equipe da maior universidade do estado do Texas. O autor retomará a comparação no fim do capítulo. (N. do T.)

Supondo que as conclusões de Troy Young sobre uma estratégia de duas fases – construir audiência agora, ganhar dinheiro depois – estejam corretas, a questão é: será que a segunda fase já começou para valer? Chris Allen, vice-presidente e diretor de informação em vídeo da Starcom, empresa de aquisição de mídia, acredita que sim. "Acho que eles chegaram num ponto onde disseram: 'Agora ou vai ou racha. Temos que começar a ganhar dinheiro com isto.'"

Com efeito, no primeiro semestre de 2009 o YouTube já oferecia ampla gama de opções aos anunciantes – cada uma delas útil a seu modo, mas também, a seu modo, problemática. Uma delas emprega uma tecnologia desenvolvida pela Videoegg para sobrepor anúncios à parte inferior da tela de vídeo, ocupando 20% dela. Os anúncios sobrepostos (overlays) são parecidos com as desagradáveis promoções que aparecem na parte de baixo da tela dos canais Fox e Bravo – uma das razões pelas quais você não está assistindo à televisão neste momento. Atualmente, os overlays figuram numa pequena porcentagem dos vídeos, mas até esse pouquinho tem um preço. A Vidsense constatou que a presença de overlays nos sites de sua rede reduz em 17% as visitas às páginas dos anunciantes.

Pouco tempo depois de oferecer essa opção, o YouTube também percebeu que, se os espaços adjacentes à tela de vídeo são os mais rentáveis, por que não vendê-los em maior quantidade? Por isso, em lugar dos banners comuns, ele agora vende banners gigantes. Eles ocupam toda a largura da tela no alto da página e têm a opção de descer pelo lado direito. Em essência, são luminosos em formato rich media, um Sunset Boulevard virtual – sobretudo porque são comprados especialmente pelas empresas de entretenimento, a única categoria que até agora abraçou o YouTube de maneira significativa. E por quê? Porque – quem diria? – os youtubeiros aparentemente gostam de imagens em movimento. É isso que vale a ultracapacidade de direcionamento da internet?

É claro que o YouTube também está, timidamente, oferecendo publicidade ultradirecionada. Em março de 2009, a empresa apresentou da seguinte maneira seus anúncios "baseados no interesse":

Esses anúncios associam categorias de interesse – esportes, jardinagem, automóveis e animais de estimação, por exemplo – com seu navegador, com base nos tipos de sites que você visita e nas páginas que visualiza. Podemos, então, usar essas categorias de interesses para lhe mostrar textos mais pertinentes e exibir anúncios.

Acreditamos que existe um valor real em ver anúncios sobre as coisas que lhe interessam. Se você adora viagens de aventura e, consequentemente, visita sites que falam sobre essas viagens, o Google pode lhe mostrar mais anúncios ligados a atividades como viagens a pé pela Patagônia ou safáris na África. Embora a publicidade baseada no interesse seja capaz de inferir seu interesse pelas viagens de aventura a partir dos sites que você visita, você também pode escolher suas categorias prediletas ou nos dizer quais as categorias de anúncios que não quer ver. A publicidade baseada no interesse também ajuda os anunciantes a preparar anúncios especialmente baseados em suas interações prévias com eles, como, por exemplo, as visitas que fez a seus sites. Assim, se você visitar uma loja on-line de equipamentos esportivos, pode em seguida visualizar, em outros sites, anúncios que lhe ofereçam descontos em tênis de corrida durante a próxima liquidação daquela loja.

Se isso se parece muito com as técnicas de segmentação comportamental, é porque *é* segmentação comportamental: um meio de rastrear os movimentos das pessoas na internet para adivinhar qual publicidade elas tendem a achar mais pertinente (tema discutido com mais detalhes no Capítulo 7, "Adivinhe"). Os anúncios mais pertinentes podem alcançar preço 10 vezes maior que os distribuídos de forma aleatória. A tecnologia de segmentação, porém, se tornou problemática desde uma controvérsia que, em 2008, envolveu a empresa Nebuad, que se associou a alguns provedores para rastrear os movimentos dos assinantes pela rede, às vezes sem notificar suficientemente os assinantes e com uma opção de desligamento praticamente invisível. Pouco importa que a Microsoft, por exemplo, rastreie cada tecla digitada por meio da barra de ferramentas do Explorer e que esses dados sejam ligados não a um indivíduo, mas a um IP. Pouco importa que o próprio Google monitore e armazene todas as suas buscas. Esse tipo de coisa põe os defensores da privacidade de cabelos em pé, e dois minutos depois o congresso norte-americano se envolveu na controvérsia. Para piorar, a própria Nebuad não passava de um clone da famigerada Claria, produtora de spyware e perpetradora, por mais de uma década, de inúmeros pop-ups não solicitados.

"As palavras de que alguns especialistas do Google não gostavam eram 'segmentação' e 'direcionamento'", afirma Shishir Mehrotra, cujo cargo tem um nome comprido mas bastante claro: diretor de gestão de projetos de monetização do YouTube. Por quê? Porque o nome inglês dessas palavras, *targeting* (alvejamento, mira), tem aspecto sinistro e evoca a imagem de um rifle com mira telescópica apontado para o peito do consumidor. "Mas", prossegue ele, "'baseado nos interesses' é exatamente a mesma coisa."

Por mais que seja comicamente eufemístico, o programa de publicidade "baseada no interesse" do YouTube é bem semelhante à descrição que a empresa faz, trazendo benefícios claros não só para o anunciante (menos desperdício) e o veículo (mais receita) como também para o consumidor – ou seja, se ele vai ser bombardeado com anúncios de qualquer jeito, é melhor que esses anúncios tenham pelo menos uma remota possibilidade de falar sobre algo que lhe importa. Por outro lado, os padrões de visualização do YouTube tendem a ser ecléticos – até aleatórios – em comparação com os dos veículos verticais tão influenciados pelas afinidades pessoais. Isso tende a mandar para o espaço os algoritmos de segmentação. O usuário acabou de assistir a "gatinho cansado", "Numa Numa", "The Evolution of Dance", "Boom Goes the Dynamite" e 15 vídeos de Carrie Underwood. Qual anúncio o YouTube deve exibir?

Mehrotra reconhece que "é muito difícil atribuir interesses" a alguns usuários que usam a plataforma com pouca frequência. Mesmo assim, afirma que existem meios para adivinhar os interesses individuais (relacionados a um IP específico). "Um dos meus exemplos favoritos é o das pessoas que gostam de futebol. Elas assistem a algum conteúdo de futebol, mas frequentemente assistem também a outras coisas. Já as pessoas que não gostam de futebol nunca assistem ao conteúdo de futebol."

Tudo bem, isso já é alguma coisa – embora não seja nada em comparação com as vantagens de monitorar o histórico de *buscas* que cada usuário faz no Google, dados extremamente ricos que possibilitariam um direcionamento preciso. Infelizmente, por motivos políticos, o YouTube não ousa sequer cogitar essas ideias em voz alta. Por isso, enquanto plataforma de publicidade, ele se encontra por enquanto de mãos atadas pelo próprio ecletismo que o tornou tão popular.

"O YouTube é um bazar barato", diz David Wadler, CEO da Twistage, que cria plataformas adaptáveis de vídeo on-line. "É como ir à loja de 1,99. 'Ei, um desentupidor de 1 real!'" E o fato de direcionar os anúncios para consumidores de artigos baratos não vai elevar o preço da publicidade.

Então, para recapitular, o destino do YouTube depende do seguinte:

1) anúncios virais que não produzem receita
2) overlays chatos que uma famosa rede de publicidade on-line afirma categoricamente que não funcionam
3) comerciais anteriores ao vídeo, que afugentam 22% do público e irritam o restante
4) banners enormes que fazem propaganda de filmes para gente que assiste a videoclipes no computador
5) o imenso risco de anexar anúncios a um conteúdo mal definido e produzido pelos usuários, o que torna (em 2009) 91% dos vídeos inelegíveis para a publicidade
6) uma tecnologia de rastreamento e direcionamento que já despertou a ira da Comissão de Energia e Tecnologia da Câmara dos Deputados dos Estados Unidos e, portanto, não pode ser usada.

E existe uma sétima questãozinha: como já disse, a problemática tendência do Zé do Notebook a postar um conteúdo de vídeo roubado, no todo ou em parte, de seus legítimos proprietários.

Vez por outra se lê a respeito de alguém que, peneirando uma mesa cheia de quinquilharias numa loja de objetos usados, achou o colar da tia Sadie – roubado três meses antes junto com outras joias de família. É assim que Sumner Redstone, CEO da Viacom, se sente ao ver trechos do *The Daily Show* postados no YouTube. Ninguém pertencente ao YouTube enquanto empresa copiou e postou o material da Viacom – isso foi feito por dezenas ou centenas de anõezinhos na vasta esfera do YouTube. Mas o YouTube hospedou o material e deixou o restante dos membros da esfera visualizá-lo de graça. É por isso que, assim que secou a tinta do contrato do YouTube com o Google (quando então os bolsos do site de compartilhamento de vídeo se tornaram de repente muito cheios de dinheiro), a Viacom moveu uma ação contra eles pedindo indenização de US$ 1 bilhão, afirmando que sua propriedade intelectual fora veiculada pelo You-Tube 150 bilhões de vezes. A ação ainda tramita na justiça americana, e não faltam motivos para isso. Nenhum material sujeito a direitos autorais – seja um trecho de programa de comédia, seja um gato dando a descarga ao som de "Innagaddadavida" – pode ser explorado comercialmente sem a licença explícita dos detentores dos direitos, exceto nos casos excepcionais estritos definidos como "usos lícitos". Na verdade, a lei americana chamada Lei dos Direitos de Propriedade Intelectual no Novo Milênio proíbe ao próprio YouTube hospedar esses clipes depois que os detentores dos direitos o informam da transgressão. Logo depois que a Viacom e a Premier League do futebol britânico instauraram suas ações, o YouTube instalou uma tecnologia de identificação de conteúdo que compara os vídeos recém-postados com um banco de dados de 100 mil horas de material protegido por direitos autorais, visando farejar os vídeos problemáticos. Mas isso não aliviou os pruridos da Madison Avenue. Por mais que os anunciantes estejam ansiosos para apostar suas fichas no mundo on-line, eles sempre se lembram do Napster. Também ele tinha sido um P2P revolucionário – e morreu no berço por ter infringido direitos autorais. Ninguém gostaria de investir e, em seguida, ver esse novo setor da mídia paralisado por ações judiciais, leis ou regulamentos. E esse medo tem fundamento.

O YouTube não é nenhum inferninho

Mas vamos dar a essa gente um voto de confiança. Afinal, é do Google que estamos falando – uma empresa que transformou um mecanismo de busca na máquina de fazer dinheiro on-line mais lucrativa do mundo. Esse pessoal sabe o que faz. Por exemplo, tudo o que foi dito acima parte do pressuposto de que o YouTube continua agregando somente vídeos produzidos em casa e vídeos semiprofissionais. Mas no primeiro semestre de 2009, ao mesmo tempo em que abria seu leque de opções de anúncios, o Google deixou claro que a segunda fase do processo nada tinha a ver com clipes de gatinhos e falhas de comentaristas esportivos. Pelo contrário, anunciou acordos de licenciamento com estúdios de Hollywood e com a CBS para veicular conteúdos de longa duração – programas de televisão e longas cinematográficos – patrocinados por comerciais antes, durante e depois dos vídeos. Como o Hulu.com e o Vidsense de Jaffer Ali, o conteúdo licenciado do YouTube será um ninho seguro até para os mais tímidos e desconfiados entre os profissionais de marketing.

"Na prática, eles estão entrando no ramo de oferecer conteúdo produzido para distribuição em cadeia", diz Chris Allen, da Starcom. O objetivo seria subsidiar tudo o que há de singular e fascinante no YouTube como a receita de mais um canal de distribuição do conteúdo hollywoodiano. É uma estratégia de monetização que pode funcionar. Na opinião de alguns, tem de funcionar. Já ouvimos o que pensa John Montgomery, diretor de operações da MindShare Interaction, o imenso braço de aquisição de mídia digital da gigantesca holding de Martin Sorrell, o WPP Group. Agora vamos ouvir o que tem a dizer o chefe de John, o CEO Rob Norman.

"O que acredito, fundamentalmente, é que a *push media*, a imposição de publicidade, não morreu", diz Norman. "Não haverá YouTube se ele não se tornar um canal publicitário robusto, e 'robusto' significa aquele que obriga os usuários – quer queiram, quer não – a engolir uma experiência publicitária" – mesmo que não gostem, que se ressintam, que se sintam violentados e o encarem como uma traição do lema empresarial do Google, "Não Ser Mau". "Sabe de uma coisa?", continua Norman. "É dureza. Ninguém gosta disso, mas é assim que as coisas são. A troca de valores tem de andar para trás."

Para trás, ou seja, para uma época em que todos nós engolíamos nossas pílulas de anúncios comerciais e não reclamávamos. Vemos aí um homem nitidamente frustrado pelo próprio massacre digital que ele dedicou sua carreira a compreender. "É como uma bomba de nêutrons ao contrário, não é?" De fato – é uma arma de destruição em massa que deixa as pessoas vivas mas derruba todas as estruturas. Para Norman, porém, a solução não está na simples e humilde rendição aos padrões evolutivos da mídia digital. Trata-se de uma questão de vida ou morte. O YouTube não tem escolha: tem que invadir, impor pela força bruta um modelo de veiculação de publicidade: comerciais no começo, no meio e no fim, o arsenal inteiro.

"O número de usuários possibilita que a empresa abra o capital", diz Norman. "Mas, para manter o capital aberto, ela precisa de receita."

Isso é verdade, e a nova agressividade do YouTube pode, com efeito, obrigar os usuários a repensar a equação dos valores e a reconsiderar sua disposição de suportar os comerciais on-line. Além disso, se Mehrotra não errou nas contas, os anúncios optativos, como os "vídeos promovidos" do YouTube e os anúncios segmentados de acordo com o comportamento on-line dos usuários, não só vão custar mais caro como também vão expulsar do ambiente os anúncios menos pertinentes e menos evolventes. "E isso", completa, "vai, no fim, aumentar ainda mais o valor do CPM."

Pode ser. Mas, mesmo que isso aconteça, o YouTube como negócio não tem futuro garantido no que se refere à lucratividade a longo prazo. Para começar, como vimos no Capítulo 1, quem rouba audiência de Hollywood e das redes de televisão está colaborando para aproximar *esses* setores da desgraça. Quando o modelo da televisão cair por terra, não haverá mais novos conteúdos para o YouTube veicular. Chris Allen diz que o YouTube está preparando uma receita para uma "onda de choque" no futuro. Em outras palavras: um clássico jogo de soma zero. O outro risco é que as taxas de licenciamento e a largura de banda cada vez maior necessária para distribuir vídeos longos com qualidade logo absorvam a nova receita decorrente de publicidade.

São obstáculos desse tipo que nos levam a pensar se, em 2006, o Google – por mais que seja um gênio empresarial – não teve os olhos maiores do que a barriga. Se seus critérios de avaliação foram influenciados pela bolha da bolsa de valores, eles podem ter sido afetados por aquilo que Alan Greenspan, ex-*chairman* da Reserva Federal Americana, chamou de "exuberância irracional". Rob Norman da MindShare, por exemplo, se espanta com a psicologia de mercado por trás das estratégias do YouTube, do Facebook, do Twitter e de outros aplicativos bem-sucedidos cujas finanças vão mal. Não só eles puseram a audiência diante da receita, segundo Norman, como chegaram até a se recusar a ganhar qualquer renda, com medo de que Wall Street começasse a exigir múltiplos maiores.

"Com numerador zero, é difícil multiplicar", observa Norman, fazendo uma careta. Essa é uma de suas várias frases de efeito hiperbólicas que chegam ao bizarro nó da questão. "Deus os livre de mandar uma fatura. Seria uma catástrofe estratégica!"

Os números de fato evocam uma espécie de *déjà vu* dos anos 1990. Será que a turma do Google pagou quase 6 vezes o PIB da Micronésia por estar sofrendo de microamnésia, um pequeno caso de perda de memória?

Será que se esqueceram, por exemplo, da valorização alucinada da fibra ótica logo antes da ruína das empresas de telecomunicações? É sinistro: US$ 1,65 bilhão é a exata quantia pela qual a Global Crossing adquiriu a Racal Telecom. Ah, os titãs daquela época! GeoCities. Prodigy. Netscape. Será que o YouTube não passará de mais um aplicativo bem-sucedido mas provisório, uma faísca que surge e logo desaparece no espaço cibernético, um neandertal agonizante no corredor da morte darwiniano, um elo perdido destinado a se perder de vez?

É claro que isso pode acontecer.

Afinal de contas, se temos de nos acostumar com a ideia de que até os jornais vão desaparecer, embora sejam necessários e apreciados, e de que até a TV aberta vai desaparecer, embora ela nos pareça algo a que temos o direito natural de acesso – se temos de nos acostumar com essa ideia, por que imaginar que o YouTube está a salvo só porque passamos a gostar e a depender dele tão rápido? Como os antigos meios de comunicação demonstram de modo tão trágico, a audiência – no mundo digital – não é garantia de mercado. Pelo menos não é garantia de mercado publicitário. Mas, de algum modo, a ideia de o YouTube ir à falência por falta de receita parece tão... impensável!

Vamos ouvir Rishad Tobaccowala, o sr. "quem-não-posta-não-existe": "O ponto forte do YouTube é o seu tamanho. Num mundo fragmentado, existe a necessidade de uma comunidade, a necessidade de massa."

A necessidade. *A necessidade.* Em primeiro lugar, poderia haver ironia maior? O velho modelo está em chamas, pulverizando-se no nada, e o que se ergue das cinzas – na vasta galáxia da internet, distribuída, explodida, microveicular, da cauda longa – é mais um meio de comunicação de massa? Um destino de interesse geral? O YouTube é a nova máquina de fazer doido? Talvez não seja a ideia que Jeff Jarvis faz de um futuro feliz, mas é a ideia de Chad Hurley. Segundo ele me disse, não só sem fazer alarde como também quase desanimado, à medida que nossa conversa ia acabando: "Achamos que as pessoas querem um destino de entretenimento."

Verdade. Quando o resto da infraestrutura de entretenimento estiver em ruínas, todos nós vamos precisar desse destino. Lembre-se do que Henry Jenkins disse sobre o contexto cultural comum. É uma coisa primordial, diz ele, e o YouTube – como qualquer outra instituição do Admirável

Mundo Novo – está bem posicionado para atender a essa demanda. Mas pergunte à Tribune Company se a inegável necessidade de existirem o *Los Angeles Times*, a *Chicago Tribune* e a WGN os ajudou a pagar suas dívidas. Para obter a resposta, você provavelmente vai ter de conversar com o curador da massa falida.

Eu já disse que não devemos apostar contra o Google. Mas, se isso significa contar com a venda de publicidade para obter lucratividade – não estamos falando de coisas fáceis, mas de coisas difíceis –, está ficando cada vez mais fácil a Universidade Rice ganhar da Universidade do Texas do que o Google se sair bem dessa.

O YouTube pode atender, sim, às nossas necessidades. E possivelmente atenderá. Mas não poderá atender às necessidades do Google até conseguir alavancar sua fatia de 43% do mercado e começar a pedir que você pague para entrar.

Capítulo 4

FALAR É FÁCIL

Tua língua fala sem parar,
E meu ouvido acredita no que ela diz.
Assim, as novas rapidamente voam ao mercado
Onde as vendedoras de peixes vendem por nada seus novos bens.

– William Shakespeare

TUDO BEM, NÃO É VERDADE. Shakespeare não escreveu nada disso. Fui eu que inventei esse poeminha. Mas tenho certeza de que Shakespeare teria falado sobre o assunto se tivesse tempo, pois – vamos admitir – o boca a boca faz parte da natureza humana, que era a maior especialidade do grande poeta. Todos conhecem o poder do boca a boca – o poder de espalhar um boato, de promover a Novidade do Momento, de encher ou esvaziar o Teatro Globe.

Ou de encher e esvaziar o Multiplex. Mesmo sem a orientação direta do Bardo, os estúdios e distribuidores de Hollywood entendem do assunto. Gastam US\$ 3 bilhões por ano só nos Estados Unidos, divulgando seus lançamentos. Mas não gastam quase nada depois do primeiro fim de semana de exibição dos filmes – porque sabem que, a essa altura, não há mais nada que possam fazer. Se o público considerar o filme bom, a bilheteria será boa. Se considerá-lo ruim, a bilheteria será péssima. E, tanto num caso como no outro, o que prevalece é o veredicto dos espectadores do primeiro fim de semana. Trailers inteligentes e destaques de resenhas astuciosamente editadas ("É incrível que este lixo tenha conseguido ser lançado" vira "Incrível!") podem até atrair as pessoas para ver algo desconhecido, mas os anúncios não têm o poder de influenciar – nem muito menos o de superar – o buzz negativo. Isso porque os cinéfilos são como abelhas, e correm de volta à colmeia para exclamar: "Cara, que porcaria!" Converse com os produtores de *O Mundo das Águas*, *O Portal do Paraíso*, *Ishtar* e *Contato de Risco*. Por outro lado, os produtores de *Casamento Grego*, *A Bruxa de Blair* e *Pequena Miss Sunshine* podem agradecer ao mesmo fenômeno. As línguas incansáveis lhes fizeram bem.

Também fora de Hollywood há muitos outros exemplos famosos dos potentes resultados do boca a boca: a boneca Repolhinho, o manual de autoajuda *Uma Vida com Propósitos*, o uso da loção Skin So Soft da Avon como repelente – todos eles notáveis sucessos comerciais obtidos com pouca ou nenhuma propaganda. Ou, então, pense num exemplo ainda melhor: o episódio do pneu, de que você provavelmente já ouviu falar. Em meados da década de 1970, uma mulher apareceu na loja de departamentos Nordstrom, em Anchorage, no Alasca, para devolver um pneu. O vendedor se viu às voltas com dois problemas: (1) ela não tinha nota fiscal e (2) a Nordstrom não vende pneus. Mas, como se sabe, o vendedor a reembolsou mesmo assim. Por quê? Ora, a transação teve, para a loja, um custo de mais ou menos US$ 30. Esse investimento teve um retorno de um multilhão de dólares em boa vontade dos consumidores, pois se tornou um símbolo da legendária consideração da Nordstrom – lenda inteiramente cultivada por meio do boca a boca.

"A Nordstrom não fala publicamente sobre o atendimento ao consumidor", diz Robert Spector, autor de *The Nordstrom Way*. "Não o menciona em suas propagandas e muito raramente dá entrevistas a esse respeito. Tudo se resume em fazer com que a informação se torne parte da cultura geral. Mesmo assim, todos sabem disso, não só nos EUA como também no resto do mundo." (O que eles não sabem, segundo Spector, é que a história do pneu não foi um ato de caridade tão extemporâneo quanto parece. A mulher de fato tinha adquirido o pneu naquele mesmo edifício, numa loja chamada Northern Commercial, então recém-adquirida pela Nordstrom. O vendedor foi generoso ao oferecer o reembolso, mas sua decisão não foi aleatória. Mesmo assim, reflete uma cultura de vendas que dá pouca importância aos "sistemas" arbitrários e muita à satisfação do cliente, obtendo forte ressonância positiva na psique do consumidor.)

Lembre-se que todos os casos citados aconteceram muito antes da era digital, antes do e-mail, dos sites, dos blogs e das redes sociais. As notícias se espalhavam de modo quase "analógico": palavras proferidas uma a uma, da boca de uma pessoa para o ouvido de outra. Esse processo pode acontecer com grandes redes de lojas, com produtos de entretenimento e com indivíduos isolados.

O Primeiro Formador de Opinião

Pense no caso de J. D. N., um cara incrivelmente carismático que os especialistas em boca a boca chamariam de "formador de opinião". Era meio diferente e meio excêntrico, mas, quando falava, as pessoas o escutavam. Dois dos que o escutaram – vamos chamá-los de Pedrão e Paulinho – estavam fascinados por ele, falavam dele obsessivamente com todos que encontravam e, de vez em quando, faziam a respeito dele algumas afirmações extravagantes. Conhece as lendas urbanas sobre os pirulitos que explodem na boca e o roubo de crianças para tráfico de órgãos? Não são nada em comparação com o que se dizia a respeito de J. D. N., mas aquelas histórias incríveis de algum modo tomaram conta da imaginação das pessoas, e aqueles que as ouviam logo as transmitiam a outros. Nem a morte de J. D. N., notoriamente dolorosa, chegou a abalar sua popularidade. Pelo contrário, só fez aumentar sua reputação e validar sua visão de mundo. Com o tempo, até os detalhes mais bizarros e sobrenaturais de sua lenda não só se espalharam pelo mundo afora como também passaram a ser aceitos como dados incontestáveis. Na Armênia, por exemplo, onde J. D. N. nunca pusera os pés, ele era objeto de culto. O mesmo logo ocorreu em todo o sul da Europa, depois na Etiópia, depois no norte da Europa.

Esse Jesus de Nazaré! O boca a boca em torno dele foi mesmo extraordinário. Com verba de publicidade zero, sua marca logo tomou conta do globo. Hoje, tem uma fatia de 33% do mercado e 2,1 bilhões de clientes.

Por isso, ao ver um clipe do Ronaldinho acertando bolas e mais bolas no travessão, não fique pensando que a palavra "viral" se refere a um fenômeno novo. BudTV? Ora, faça-me o favor. A Rainha das Cervejas chegou 2.000 anos depois do Rei dos reis.

Pois bem, está entendido. O boca a boca é um método inestimável de divulgação das boas notícias (ou, como logo veremos, das más notícias). Mas isso é óbvio, não é? O problema dos profissionais de marketing, dos artistas, dos políticos e de todo o mundo que tem algo a vender é o de como estimular, na prática e intencionalmente, o boca a boca. A história nos mostra que isso é mais ou menos como querer controlar o clima. Essas coisas não são artificiais; em razão de uma convergência imponderável de diversas variáveis, elas simplesmente acontecem. Mas agora as coisas mudaram. A internet é um motor do boca a boca. É claro que são os códigos binários que a fazem funcionar, mas o combustível da era digital é o instinto de partilhar informação em todo tipo de lugar: redes sociais como o Facebook e o MySpace, blogs, a Craigslist e a Angie's List, o Twitter, o Digg ou o YouTube. Até o Google. Afinal de contas, o que é o algoritmo do Google senão um esquema para atribuir valores às escolhas de outras pessoas? Quando você digita um termo de busca, os resultados não são determinados somente pela pertinência textual, mas também pelo número de pessoas que acessam as páginas pertinentes. Se escrever "moist towelette" [lenço umedecido], por exemplo, não será direcionado em primeiro lugar ao blog chamado "Moist Towelette" nem aos muitos varejistas e distribuidores de lenços umedecidos, nem mesmo ao museu moisttowelettemuseum.com. Não: o primeiro resultado será a página inicial da revista Modern Moist Towelette Collecting, que traz, entre outros tesouros, o *jingle* dos colecionadores de lenços umedecidos:

> *You're Soft*
> *You're Wet*
> *You Smell So Good...*
>
> *Refrão:*
> *I Love You Moist Towelettes*
> *I Love You Moist Towelettes*
> *I Love You Moist Towelettes*[*]

---

[*] "Você é macio / É molhadinho / Cheira tão bem... / Lenço umedecido, eu te amo." (N. do T.)

É lindo, eu sei. Mas enxugue as lágrimas de seus olhos e pense em por que esse conteúdo aparece em primeiro lugar. É simples. Os membros de uma animada subcultura passam bastante tempo ali, sem contar todo um universo de caçadores de curiosidades que, como eu, param tudo só para saber qual seria o *jingle* dos lenços umedecidos. É esse o tipo de site que bomba no Digg. Mediante sua decisão particular de visitar o Modern Moist Towelette Collecting, milhares de indivíduos endossam esse site perante o resto do mundo. O fato de isso se realizar com a ajuda de um teclado e um mouse não o torna menos boca a boca. Se Jesus tivesse um site e o resto do mundo tivesse o Google, Pedro e Paulo teriam muito menos trabalho a fazer.

O Canto do Cisne da Song

Tudo bem, admito que é um pouco insólito – se não blasfemo – justapor o nome de Jesus Cristo ao da Modern Moist Towelette Collecting. Mas continuo defendendo a mesma ideia. Ambos são exemplos de como os seres humanos são atraídos por outros seres humanos com quem se identificam e em que confiam. E essa característica tocante tem uma importância inestimável. O colapso do modelo tradicional de mídia de massa/marketing de massa está sendo acompanhado pelo surgimento de mecanismos fluidos de comunicação digital entre os consumidores, que confiam mais uns nos outros que em qualquer banner, celebridade ou comercial de 30 segundos. Segundo um estudo pioneiro feito em 2004 pela Yankelovitch, 65% dos consumidores acreditam piamente em testemunhos de boca a boca – contra 27% que se dizem influenciados pela propaganda.

Andy Sernovitz é um dos que não veem com bons olhos os profissionais de marketing que divulgam mensagens que interessam a eles próprios. Não é de admirar, pois Andy é CEO da Word of Mouth Marketing Association [Associação de Marketing pelo Boca a Boca] e autor de *Word of Mouth Marketing: How Smart Companies Get People Talking*. "Veja o caso da Starbucks", diz ele. "É uma empresa que nunca fez propaganda, mas construiu uma marca global pelo simples fato de as pessoas dizerem que foi bom tomar café ali." Mais uma vez, isso aconteceu antes de as redes sociais facilitarem a interação humana numa escala sem precedentes. Na era do Facebook e do Blogspot, Sernovitz já não imagina que as pessoas ainda possam ser influenciadas pela propaganda, a não ser na medida em que esta comunica a disponibilidade de um novo produto ou serviço. "Antigamente", diz Sernovitz, o fabricante lançava um produto razoável – nem bom nem ruim, apenas razoável. Gastava US$ 20 milhões para desenvolvê-lo e, desde que ele não explodisse, conseguia vendê-lo por anos a fio. E é assim que todos os produtos medianos chegaram às prateleiras. A nova realidade é a seguinte: gastam-se US$ 20 milhões para desenvolver um novo produto e, no dia em que ele é lançado, é resenhado dezenas de milhares de vezes em blogs, fóruns e sites. E o sucesso do produto é determinado por esse primeiro dia." Por exemplo:

iPhone: bom.

Segway PT: ruim.

Esses veredictos foram dados imediatamente. Positivo para o primeiro, negativo para o segundo. O tirano – a multidão – não aceitou ser interrompido, não admitiu ser sobrepujado nem, mais importante, concordou em ser seduzido por mensagens de marketing de autoria dos próprios fabricantes. Pense na viação aérea Song, que cobrava barato. Em meio a um tremendo estardalhaço e mediante imenso investimento de sua dona, a endividadíssima Delta Airlines, a Song foi lançada em 2003 não só como uma empresa, mas como uma cultura plenamente formada. Contando com a dispendiosa consultoria de Andy Spade, designer e guru do *branding*; da Landor Associates, especializada em identidade corporativa; e da agência de desenvolvimento de rede The Media Kitchen, a Song elaborou uma imagem completa que englobava programação visual, som, textura, cheiro (!) e, acima de tudo, atitude. Para eles, "Song" não era mais um substantivo, mas sim um adjetivo – "isso é tão Song!" Eis o que Spade disse aos produtores de um documentário da página de jornalismo *Frontline*, da PBS, intitulado "Especialistas em Persuasão":

Acho que o que distingue a Song é seu componente emocional. Examinando as outras viações aéreas, especialmente nos Estados Unidos de hoje, não vejo ninguém fazendo algo que realmente tenha uma ressonância emocional que realmente me faça sentir algo que vá além do lógico ou do prático. É claro que você pode olhar para uma viação aérea e dizer: "Tudo bem, nos aviões de vocês o espaço para as pernas é maior." E, num certo nível, isso me parece ótimo, mas não é algo que me toca. No mês seguinte aparece alguém cujos aviões tem 5 cm a mais para as pernas. Por isso, no geral as viações aéreas estão competindo por um benefício que, na minha opinião, é pequeno.

Era um conceito interessante, o exemplo máximo da tentativa de manipular a experiência do cliente usando unicamente a atmosfera. A Song durou exatamente 3 anos e 15 dias. Isso teve algo a ver com a diferença entre uma cultura verdadeira e uma cultura inventada; algo a ver com as dificuldades financeiras da matriz; e tudo a ver com o que as pessoas diziam umas às outras a respeito da Song. Eis um trecho de um comentário feito na rede por um cliente/blogueiro chamado Adam Lasnik:

Meu avião saiu do portão de embarque com uma hora de atraso, não me lembro por que razão. Na verdade, todos nós passamos essa hora dentro do avião. E, como se tratava de um voo noturno, pensei que não haveria problema: vou pôr meu sono em dia nesse meio-tempo.

Mas não, isso seria lógico demais. Os idiotas da tripulação eram de outra opinião e tocaram um lixo de música alternativa pelos falantes principais do avião durante todo o período. Em específico, estavam tocando as músicas de um novo álbum do grupo The Wallflowers, com quem parece que tinham um acordo de distribuição ou coisa parecida. Como vou saber? Nas propagandas, eles se gabavam de que a Song não era apenas uma viação aérea, mas também um selo de gravação. Maravilha. Bem o que eu queria. Num setor onde as empresas não conseguem administrar nem sequer seus horários de voo e outros aspectos essenciais do ramo, tudo o que eu queria era ver filmes e mais filmes publicitários de seus executivos tendo encontros sociais e fazendo negócios de gravação com músicos de terceira.

Mas tudo bem. Vou pedir à aeromoça um ou dois travesseiros para pôr sobre a cabeça e tentar abafar a música para poder dormir. Ah, sinto muito: não há travesseiros a bordo, nem nos voos noturnos (me disseram que os gastos de armazenagem e limpeza dos travesseiros são muito elevados).

A experiência desse passageiro teve muito pouco a ver com os uniformes das aeromoças, o logotipo e a atmosfera do avião, por mais que tivessem sido planejados com astúcia e método. Ele só queria chegar do ponto A ao ponto B confortavelmente e pagando pouco. Não dava a mínima para uma imagem corporativa bem pensada. Segundo Sernovitz, "A Song representava a perfeição do marketing. Os uniformes, o tema e a execução eram tão bons quanto a ciência do marketing poderia torná-los. Mas no fim era tudo uma mentira; a empresa ainda era a Delta. Quando as aeromoças caminhavam pelos corredores entregando CDs aos passageiros, todos pensavam: 'O que vou fazer com isso? Prefiro um sanduíche.' A companhia jogou dinheiro fora tentando criar uma marca que parecesse amiga dos usuários".

Está achando que vai conseguir determinar a atitude das pessoas a seu respeito? Isso é tão... Song!

E Agora, Senhores e Senhoras, os 10 Mais desta Noite

É assim que milhões – ou bilhões – de dólares gastos em mensagens publicitárias podem cair no mais absoluto vazio. E é exatamente isso que está acontecendo no meio da revolução digital. Mas você já sabia disso. Ninguém discorda do poder do boca a boca. Pelo contrário, muitos grupos já vararam a noite conversando sobre a possibilidade de agarrar esse tigre pelo rabo. O problema é como fazê-lo, e quanto a isso não há acordo. Há quem creia que o boca a boca, por sua própria natureza, é um fenômeno orgânico espontâneo que depende inteiramente da vontade individual e, portanto, não pode sofrer a influência de terceiros. Outros acreditam que as multidões virtuais podem ser arrebanhadas, desde que o publicitário seja capaz de identificar e impressionar certos "pontos nodais" cruciais, pessoas que têm uma influência quase sobrenatural sobre aqueles que fazem parte de suas redes sociais. Essa é a premissa por trás de *The Tipping Point*, de Malcolm Gladwell. Ainda outros acreditam que não há necessidade de influenciar esses semideuses "formadores de opinião"; que a rigorosa semeadura de informações ou conteúdos úteis entre os públicos mais prováveis inevitavelmente dará frutos abundantes. Neste capítulo, vamos considerar todas as opiniões acima. E mais algumas.

Certa vez, li na internet que um dos modos mais garantidos para arranjar leitores on-line é fazer uma lista dos 10 Mais (Se você pesquisar

"Top 10" no Google, vai obter uns 233 milhões de respostas. Se pesquisar "trenchant analysis" ["análise mordaz"], não vai obter quase nada.) Por isso, no espírito de tentar fazer com que este capítulo seja objeto de ávidos comentários por parte de leitores ofegantes de emoção, apresento meus 10 princípios do boca a boca:

1) Ouça as conversas.
2) Melhor ainda, hospede as conversas.
3) Ofereça à comunidade uma participação no seu empreendimento.
4) Pratique jiu-jítsu.
5) Espirre em público.
6) Tenha uma história para contar.
7) O que nós ganhamos com isso? Não você. Nós.
8) Tenha modos.
9) Lembre-se de Siegfried e Roy, especialmente de Roy.
10) Peça a serenidade em suas orações.

Como autor e detentor do copyright, renuncio a meus direitos de propriedade intelectual sobre essa lista e autorizo você a copiá-la em xerox ou escaneá-la e colá-la bem à vista ao lado de sua escrivaninha, plastificá--la para pôr na carteira ou grudá-la na geladeira com um ímã. (Nota ao FBI: por favor, finja que não viu.) Agora que você já sabe quais são as 10 Mais, vamos examiná-las uma por vez – algumas resumidamente, pois serão exploradas em mais profundidade nos capítulos subsequentes.

Ouça as Conversas

Mesmo que você não tenha a menor intenção de ser mais apóstolo que Paulo e mesmo que nada mais faça para explorar os vastos recursos da internet, é absolutamente essencial que monitore o que está sendo dito nos sites, nos blogs, nas redes sociais, no Twitter e em todos os outros recantos do universo on-line. Mesmo sem tentar controlar o boca a boca para difundir sua marca, o simples ato de monitorá-lo pela rede afora lhe permitirá obter os dados de mercado mais ricos e abundantes que você pode imaginar.

"É o maior grupo de discussão do mundo", diz Jerry Needel, vice-presidente sênior da Nielsen BuzzMetrics, empresa de mineração de dados que fornece a seus clientes uma medida do... buzz.

Caracterizando as coisas dessa maneira, Needel está, na verdade, subestimando seu próprio produto. Os dados minerados nas conversações on-line são muito mais superiores que os melhores grupos de discussão já reunidos. Para começar, não é preciso servir salgadinhos. O mais importante é que a oportunidade de angariar ideias verdadeiramente úteis a respeito de sua marca, candidato ou programa político é imensamente mais valiosa que doze imbecis atrás de um vidro espelhado nas entranhas de um shopping center. Além de tudo isso, o volume da informação é alto o suficiente para que a mesma seja entendida como um conjunto de dados com base nos quais você pode agir – ao contrário da papagaiada dos grupos de discussão, que, além de não representar a opinião da população total, às vezes não representa sequer o que aquelas pessoas realmente pensam. Dada a dinâmica natural dos grupos pequenos, o que elas dizem é facilmente influenciado pelo moderador ou pelo maioral entre elas. É óbvio que os posts e comentários em blogs estão muito menos sujeitos a esse tipo de contaminação. Assim, a acumulação de buzz lhe permite descobrir coisas a respeito de você e de seu público que provavelmente jamais se revelariam no ambiente fechado da sede da empresa.

Em janeiro de 2004, a ConAgra lançou sua linha Life Choice de refeições com baixa taxa de carboidratos, coisa que seria de se esperar. A mania da dieta Atkins estava no auge – segundo se dizia, um em cada 11 americanos estava trocando o amido por carne – e as empresas processadoras de alimentos estavam sentindo o baque. A manchete do *Omaha World-Herald*: "A ConAgra sobe no barco dos baixos carboidratos com nova linha de alimentos congelados."

O problema desses "barcos" em que todo o mundo sobe é que todos eles dependem de um pico de entusiasmo, que por definição está destinado a murchar. As vendas iniciais da Life Choice foram boas, mas a BuzzMetrics começou a perceber uma mudança. O ceticismo diante da dieta Atkins começou a crescer e, no geral, as discussões sobre o milagre dos baixos carboidratos começaram a diminuir nas salas de bate-papo on-line e nos blogs. Seis meses depois, a venda de produtos com baixa taxa de carboidratos, entre eles a linha Life Choice, despencou. Mas a ConAgra não estava tão vulnerável quanto as outras empresas. Enquanto a Atkins Nutritionals Inc. abria falência, a ConAgra tinha entendido a tendência das conversas como uma previsão e descontinuara silenciosamente sua linha de baixos carboidratos antes que o mercado caísse de vez.

No marketing, o termo técnico que designa esse ruído on-line é "buzz". O pessoal do serviço secreto chama a mesma coisa de *chatter* [falação], e o risco de ignorá-la não pode ser subestimado. Basta lembrar que no começo de setembro de 2001 houve muito *chatter* no ar sobre a iminência de um ataque terrorista. Ninguém deu ouvidos.

O difícil, naturalmente, é separar os dados críticos do ruído sem sentido. A interpretação do *chatter* é objeto de uma ciência, e você não ficará surpreso ao saber onde ele mais se desenvolve: em Israel, onde qualquer negligência, a qualquer dia, pode resultar no fim da república. Ali, o Mossad e as Forças de Defesa Israelenses empregam as melhores mentes matemáticas do país para criar algoritmos capazes de recolher, categorizar e, mais importante ainda, analisar bilhões de palavras a fim de prever, por exemplo, as intenções do Hezbollah. Muita coisa depende de essa gente saber o que está fazendo.

Mas eles não ficam no exército para sempre; e, quando saem, muitos vão para a Herzliya Pituach, reduto da alta tecnologia nos arredores de Tel Aviv, comparável a Palo Alto, na Califórnia. É aí, ao lado da sede da Microsoft e no quarteirão vizinho ao da Cisco e da Motorola, que a BuzzMetrics tira suas medidas do buzz, formulando algoritmos que vasculham, classificam e interpretam o conteúdo da internet. Naturalmente, trata-se de uma tarefa complicada, que leva em consideração fatores como palavras-chave, as relações entre as palavras-chave, a proximidade entre palavras, os padrões de palavras e, acima de tudo, o sentimento. Medir o sentimento é um desafio particularmente espinhoso. Embora os blogueiros, os twiteiros e os participantes de fóruns não sofram a influência direta de um moderador contratado ou de um tagarela qualquer num grupo de discussão, não é fácil para um programa de computador, baseando-se somente na escolha de palavras, analisar o que eles estão pensando e sentindo.

Um dos motivos é que os próprios seres humanos têm dificuldade para caracterizar o sentimento de um texto. Os experimentos mostram que, diante do mesmo texto, dois indivíduos a quem se pede que categorizem palavras e expressões como positivas e negativas só vão concordar em 57% das vezes. Ainda mais frustrante é o fato de as pessoas nem sempre compreenderem seus próprios sentimentos. Nossa conduta efetiva muitas vezes desmente não só nossas palavras, mas até as crenças que temos sobre aquilo em que acreditamos. E, por fim, muitas palavras são positivas num contexto e negativas em outro. "Engraçado" é uma declaração positiva para caracterizar uma comédia, mas nem tanto quando se refere ao gosto do leite.

É aí que entra Yakir Krichman, "Mestre dos Sentimentos".

O Mestre é um rapaz de 37 anos, magro e de aspecto jovial, que quando o encontrei usava uma camiseta de skate e barba de um dia. Psicólogo clínico e matemático, também está se doutorando em psicologia semântica. Não é exatamente o tipo durão, mas tampouco pode ser caracterizado como piegas. (Quando lhe mostro o vídeo do gatinho no YouTube, seus lábios mal esboçam um sorriso. Não há fotos de sua esposa e filhos no escritório. É verdade que Krichman tem fotos da família no celular, mas digamos que, pelas aparências, é ele quem tem domínio sobre seus sentimentos, e não os sentimentos que têm domínio sobre ele.) Pelo contrário, como todo bom psicólogo, ele é extremamente analítico. Diz, por exemplo, aos clientes que o procuram em busca de conselhos conjugais: "O oposto do amor não é o ódio. É a indiferença, a apatia."

Intuição interessante para quem quer conquistar e manter a atenção do público.

A BuzzMetrics tem muitos clientes, mas um dos exemplos mais destacados da tecnologia de avaliação do sentimento – e uma prefiguração da chamada "rede semântica", onde computadores conversarão entre si usando uma linguagem quase humana – foi uma das primeiras experiências feitas com a HBO. (Isso em 2002, quando a empresa israelense estava começando e se chamava Trendum. Depois ela foi adquirida pela BuzzMetrics, que foi adquirida pela Nielsen e por fim se fundiu com a NetRatings para assumir sua forma atual.) Pediram que eles monitorassem o tráfego na rede para analisar a primeira temporada da série *The Wire* [*A Escuta*]. Na época, o Mestre dos Sentimentos tinha 31 anos e seu chefe, Ori Levy, não tinha mais que 25. Em Nova York, diante dos clientes, explicaram quais personagens do programa eram mais populares e quais eram menos populares. Informaram os executivos de que havia certo descontentamento não só com o jargão urbano dos diálogos, mas especificamente com o jargão de Baltimore, cidade onde a série era ambientada. A principal mensagem, felizmente, era que o programa faria um tremendo sucesso.

"Eu tinha 25 anos", diz Levy. "Estava na frente de 10, 15 pessoas da HBO lhes falando sobre um programa a que eu nunca tinha assistido."

Esse é o detalhe. Nada daquilo foi formulado a partir de uma análise da própria série. Tudo vinha dos comentários on-line sobre *A Escuta*. E a razão pela qual eles me contaram a história é que sua avaliação estava 100% correta.

Não estou fazendo propaganda da BuzzMetrics. Há muitas ferramentas gratuitas on-line que você pode usar para descobrir o que estão falando sobre sua empresa. Essas ferramentas não vão classificar e analisar os dados, mas vão lhe dar uma batelada de informações acerca de quem está dizendo o quê sobre você, e onde. Eu mesmo uso a busca de blogs do Google, a Technorati e o BlogPulse da própria BuzzMetrics cerca de 70 vezes por dia para ter certeza de que as pessoas continuam me considerando um gênio iluminado. Empresas como a Comcast – a qual, como veremos daqui a pouco, gera muito *chatter*, sobretudo negativo – têm equipes inteiras vasculhando a rede para obter o que podemos chamar, educadamente, de "inteligência de mercado". Para ter uma noção de como esse pessoal é ocupado, faça uma busca no Google por "fucking Comcast" [a Comcast é uma m***]. Antes, não se esqueça de fazer pipoca. Você vai ter muito o que ler.

Melhor Ainda, Hospede as Conversas

Nos Capítulos 6 e 8, vou falar bastante sobre a Dell Corp., que no passado não dava ouvidos à tagarelice das multidões mas que agora a acolhe com o zelo dos convertidos. Os olhos da empresa se abriram quando a administração atendeu mal à reclamação de um cliente insatisfeito. Esse cliente era um blogueiro conhecido que, numa postagem amarga, relegou a um dos mais fundos círculos do inferno a empresa que então mais vendia computadores no mundo. O fenômeno passou a ser conhecido como

"Dell Hell" [o inferno da Dell], pois todas as buscas pelo nome da empresa no Google davam como resultado "Dell Lies, Dell Sucks" [a Dell mente, a Dell é uma droga]. A Dell aprendeu muito bem a lição e hoje hospeda um dos sites empresariais mais robustos – o IdeaStorm – onde lida com reclamações e sugestões referentes a seus produtos e proporciona um ambiente onde os clientes e os *geeks* podem se reunir. No primeiro ano em que a empresa se pôs como ouvinte, ela teve mais de 100 milhões de "contatos interativos" com o público. É verdade que com uma campanha de comerciais televisivos de pequena escala qualquer empresa pode se expor facilmente diante de 100 milhões de consumidores. Mas há uma enorme diferença entre "exposição" e relacionamento. Como todo pervertido sabe muito bem, quem simplesmente se expõe pode acabar enojando e afugentando a audiência.

Ofereça à Comunidade uma Participação no seu Empreendimento

Como eu disse na Introdução – e como você verá daqui a pouco no Capítulo 8 ("Às Vezes é Preciso 'De-Legar'") – uma coisa é ter interesse numa organização, e outra, completamente diferente, é se sentir parte dessa organização. Não é só a sensação de fazer parte, por mais forte que essa sensação seja; também é uma questão de orgulho. Os seres humanos naturalmente se sentem mais ligados, mais envolvidos, mais motivados e mais responsáveis quando têm algo a ganhar e a perder. Os proprietários varam a noite trabalhando; os funcionários fogem assim que toca a sirene. Os devedores hipotecários mantêm em dia a pintura de suas casas; os locatários sujam os carpetes. E ninguém gostaria que a educação pública não tivesse amplo financiamento do Estado, mas tenho certeza de que todas as senhoras que participaram da última quermesse escolar têm pelo menos um filho naquela escola. Essa psicologia é básica e tem suas raízes na potente combinação do interesse próprio com a autoestima. Ela pode fazer com que seu público-alvo deixe de ser de clientes (ou eleitores, ou base partidária, ou audiência) e passe a ser constituído por uma comunidade de companheiros de viagem que levam a sua bandeira para toda parte.

O estudo de caso quintessencial é, de fato, o da Lego, onde fãs adultos da linha MindStorms de brinquedos robóticos foram convidados a comparecer à sede da empresa (na Dinamarca, à própria custa) para ajudar a projetar uma segunda geração de produtos. Depois de trabalhar por meses como projetistas, eles voltaram para casa e se tornaram evangelistas – apóstolos – da empresa e dos brinquedos de segunda geração. Hoje, embora sua ligação oficial com a empresa tenha terminado quando terminou o trabalho voluntário de projeto, os sites e blogs dessa gente constituem praticamente todo o programa de marketing da MindStorms.

E, como assinala Andy Sernovitz, foi essa a estratégia da Microsoft para introduzir o sistema operacional Vista. "Milhões de usuários testaram o software em sua versão Beta", diz ele. "Às vezes, construir uma comunidade se resume ao seguinte: deixe um grupo de pessoas experimentar o produto e faça com que elas se sintam importantes e especiais." A Microsoft vendeu 20 milhões de unidades do novo sistema operacional no primeiro mês – apesar de o Vista ser uma droga (e de ter acabado por se tornar vítima da própria comunidade que tanto havia se esforçado para cultivar; mas daqui a pouco falaremos disso).

Pratique Jiu-jítsu

A National Express é a principal viação rodoviária de longa distância no Reino Unido. É barata em comparação com o transporte por trem e por avião, mas seus serviços têm má reputação e a empresa, por isso, encontra problemas para manter os clientes. A diretoria queria melhorar a cultura de serviços da empresa, mas também queria desarmar as queixas legítimas antes que elas se tornassem públicas. Contratou então uma empresa chamada Fizzback. Agora, em todas as janelas dos ônibus da National Express, há um adesivo que convida os passageiros insatisfeitos – ou satisfeitos – a mandar uma mensagem de texto gratuita para um determinado número. Os textos são "lidos" por um computador dotado de inteligência artificial, que responde imediatamente e pergunta se o passageiro gostaria de receber uma ligação do serviço de atendimento ao consumidor. Enquanto isso, o texto é encaminhado ao ser humano de carne e osso responsável por aquela rota. E, quer o problema seja um banheiro entupido, um motorista mal-humorado ou um banco que não reclina, as pessoas responsáveis entram em cena.

Quando o ônibus chega na garagem, um funcionário da empresa está a postos para resolver o problema. Dessa maneira, os passageiros irritados não têm a oportunidade de transformar-se em clientes irados; em geral, apreciam tanto a consideração que lhes é dedicada pela empresa que se tornam ardorosos defensores da National Express. Além disso, a simplicidade do processo também incentiva os clientes satisfeitos a participar. "Mais de 50% dos comentários que recebemos são positivos", diz John Coldecutt, diretor de marketing da Fizzback. "Isso nos motiva e cria uma espécie de círculo virtuoso com a cultura de serviços." Em outras palavras, tanto a mão de ferro quanto as luvas de pelica incentivam os funcionários que tratam direto com o consumidor a ser mais educados e diligentes, resultando em comentários ainda melhores e assim por diante.

Os resultados, medidos por pesquisas subsequentes, foram espantosos. Coldecutt diz que a "Net Promoter Score (NPS)" ou "Pontuação Líquida de Promoção" da National Express, uma medida-padrão de satisfação do consumidor, sobe 52%, em média, entre os clientes que usam o sistema de mensagem de texto gratuita – quer estejam ligando para elogiar o sistema, quer para se queixar.

Isso é jiu-jítsu: transformar a energia do agressor em sua maior arma. O pesadelo da Dell se torna o sonho da Nordstrom: clientes que relatam sua experiência positiva a seus familiares, amigos, colegas e até aos estranhos. Pete Blackshaw, da Nielsen BuzzMetrics, gosta de dizer: "O serviço de atendimento ao consumidor é o novo departamento de mídia."

Espirre em Público

Como é gostoso pensar que podemos lançar um produto novo, publicar um livro, propor uma candidatura ou postar um vídeo no YouTube e simplesmente relaxar, deixando que a virulência trabalhe em nosso lugar. Há muitas coisas que nós desejamos: entre elas, o fim de todas as guerras, a imortalidade, um motor movido a água e a aposentadoria da cantora Ashlee Simpson. Infelizmente, embora o boca a boca seja contagioso por definição, não é tão contagioso assim. Não é o vírus Ebola. Assemelha-se mais ao resfriado comum, que se difunde irregularmente de pessoa para pessoa por meio de gotículas de...

Essa comparação está ficando um pouco nojenta; talvez a "infecção" não seja a melhor metáfora. Mas não faltam outras. Se preferir, pense em encher a bomba de água antes de ligá-la, botar fogo no papel para acender um braseiro, fazer um motor pegar no tranco ou – a comparação mais comum – espalhar sementes. Não aleatoriamente ou por bem ou por mal, porque nesse caso não se trataria de semear, mas de fazer amostragem. A diferença é a seguinte.

Já aconteceu de você estar no supermercado e parar diante de uma senhora de avental com uma bandeja cheia de cubinhos de queijo espetados com palitos de dente? "Vasterbotten!", diz ela. "Queijo sueco! É denso, esburacado e tem sabor forte, penetrante!" Você experimenta um e – sem dúvida – seu sabor é de fato tão forte e encantadoramente penetrante que você compra um pedaço de Vasterbotten em vez do habitual Havarti. A distribuição de amostras teve sucesso. Mas, quando chega em casa, não acontece de você largar as sacolas de supermercado no chão, ligar para uma amiga e gritar: "Você precisa experimentar o Vasterbotten!" O mais provável é que você tenha esquecido que o comprou. A transmissão exponencial exige mais que a simples descoberta ou mesmo satisfação: exige entusiasmo, e cabe ao profissional de marketing distribuir amostras entre pessoas que tendem a se entusiasmar. Afinal de contas, o marketing de massa está às portas da morte porque é irrecuperavelmente ineficiente. O custo de levar a correta mensagem comercial ao consumidor correto está a ponto de se tornar proibitivo. Quem abraça a Listenomics não deve esquecer que deve identificar o público-alvo.

Rick Warren conhecia seu público-alvo. É pastor da Saddleback Church, uma megacongregação de 22 mil membros em Lake Forest, Califórnia. Em 2002, terminou de escrever um livro. Era bem redigido, tinha apresentação sofisticada – resumindo a vida espiritual em cinco princípios simples – e era inspirador. Grande coisa. Os pastores não param de costurar velhos sermões e escrever livros. Há dezenas de milhares de títulos religiosos esquecidos nos depósitos de livros ou, o que é mais provável, devolvidos às editoras e queimados. Não há dúvida de que alguns deles também são bem escritos, sofisticadamente apresentados e inspiradores. Mas o reverendo Warren sabia o que estava fazendo; tinha um público já formado, não só em sua própria congregação, mas também de milhares de colegas, pastores evangélicos, que já havia 10 anos usavam o site de Warren – pastor.com – para obter material para seus próprios ministérios.

Da sua lista de e-mail, com 80 mil nomes, ele selecionou a princípio 1.200 colegas curiosos para saber de que modo sua marca registrada, a "Igreja com Propósitos", se aplicaria à autoajuda espiritual: *The Purpose Driven Life* [*Uma Vida com Propósitos*]. Então, é claro que ele lhes pediu que fizessem propaganda do livro no púlpito... não é mesmo? Não. É o que diz Greg Stielstra, dono do site PyroMarketing, que na época era diretor de marketing da Zondervan, editora de Warren (e do livro que agora você tem nas mãos).

"Pelo contrário," lembra-se Greg, "Rick pensou o seguinte: de que esse pessoal precisa?"

A resposta ele já conhecia: material de base. "Então, criou uma campanha chamada '40 Dias com Propósitos.'" Nela, os 1.200 pastores receberam seis semanas de sermões para adaptar ou simplesmente recitar *ipsis litteris*, e livros de exercícios para serem usados em grupos de discussão dentro das congregações, tratando de um capítulo do livro por dia durante 40 dias. Ah, e invocou uma cláusula do contrato editorial que lhe permitia comprar exemplares do livro (que custava US$ 20 nas livrarias) a US$ 7 cada um, poucos centavos acima do preço de custo. Forneceu esses livros gratuitamente a todos os participantes dos grupos de discussão – todos os 400 mil participantes.

São muitos cubinhos de queijo, meu amigo.

Greg nos conta que, quando a Zondervan entendeu que teria de imprimir quase meio milhão de livros a um lucro quase zero, "eles empalideceram". De lá para cá, porém, ficaram mais corados do que nunca. Os participantes dos grupos de discussão leram o livro que lhes foi dado e gostaram do que foi lido. Também compraram e recomendaram *Uma Vida com Propósitos* a seus amigos e parentes, que por sua vez compraram e recomendaram o livro a seus próprios parentes e amigos. Isso aconteceu, ao todo, 30 milhões de vezes. É o mesmo número de exemplares vendidos de *O Vale das Bonecas*, *E o Vento Levou* e do *Diário de*

Anne Frank. E são três vezes mais exemplares vendidos que os de *Quem Mexeu no meu Queijo?*

Outro exemplo magnífico – com público-alvo muito diferente – é o do vídeo viral da banda pop OK Go. Os integrantes da banda aparecem sobre esteiras ergométricas num número de dança coreografada ao som de uma música chamada "Here It Goes Again", do álbum *Oh No*. Neste exato instante, todos os habitantes do planeta Terra já assistiram a esse vídeo pelo menos quatro vezes, exceto em certas regiões remotas das montanhas da Papua-Nova Guiné, onde os nativos só o viram duas vezes. Não admira que tenha bombado; é uma ideia simples e inteligente, executada com tino. E foi o *segundo* megaviral da banda. As credenciais da OK Go em matéria de vídeo tinham sido estabelecidas um ano antes, em 2005, quando eles decidiram gravar uma paródia elaborada das danças das *boy bands* que havia divertido o público de um festival rural de rock na Inglaterra. A dança consolidou a estética neo-New Wave da banda e parecia ainda mais idiota, e ainda mais legal, no vídeo realizado no quintal da casa do líder Damian Kulash ao som da música "A Million Ways".

Como contou meu velho colega Kevin Maney no *USA Today*, isso aconteceu antes do YouTube, mas o iFilms e outros agregadores de vídeos já existiam, assim como inúmeras páginas do fenômeno de rede social MySpace, novo na época. Enquanto isso, nos shows ao vivo, funcionários da banda procuravam os esquisitões mais esquisitos e os maiores nerds do público e lhes entregavam DVDs contendo esse vídeo. Esses geeks, que naturalmente passavam a maior parte da sua vida na rede, correram para casa e postaram o vídeo da dança nos mais diversos ambientes on-line. Isso é semear, e a semente criou raízes. A dancinha no quintal cresceu como mato na rede e a venda de CDs quase triplicou.

Então, naturalmente, todos os envolvidos acharam que seria uma ótima ideia repetir o truque com "Here It Goes Again", não é mesmo? Até parece. Pense em Joseph Heller, Nicola Tesla, Van Cliburn e Michael Cimino (*O Portal do Paraíso* depois de *O Franco Atirador*), que passaram a vida tentando recapturar o gênio de suas obras seminais de juventude. Mesmo depois de conseguir aumentar a aposta da coreografia anterior, executando desta vez os movimentos de dança em superfícies móveis; e mesmo depois de ter ganhado fama, os membros da banda estavam diante de um desafio terrível. Todos sabiam que a dança era ainda mais cativante que a anterior, mas vamos falar a verdade: com que frequência o raio cai duas vezes no mesmo lugar? Como impulsionar "Here It Goes Again"?

Assim: a OK Go apresentou a nova dança em todos os programas de TV em que encontrou espaço, começando com os do canal VH1 – não como um fim em si, mas para despertar o interesse da comunidade on--line. Afinal, não existe nenhuma regra decretando que o sucesso on-line tenha de ser totalmente fechado em si. Apesar de os antigos meios de comunicação estarem fadados à extinção, isso não quer dizer que não significam nada. Pelo contrário, ainda não há um equivalente on-line da "fama televisiva" – e, com o devido respeito a Judson Laippley, o cara da "Evolution of Dance", por algum tempo ainda não haverá. A dança das esteiras ergométricas era, de fato, tão inovadora e tão divertida quanto todos os envolvidos esperavam, e os telespectadores começaram a postá-la num novo site de hospedagem de vídeo chamado YouTube. Três semanas depois, ela já tinha sido assistida 4 milhões de vezes – motivando mais aparecimentos na TV, gerando mais interesse on-line e assim por diante. O CD da banda, que até então estava no fundo das listas de vendagem assoladas pela Grande Depressão da indústria fonográfica, decolou de novo e já vendeu mais de 257 mil exemplares.

Alguns vídeos virais nascem nas mídias tradicionais e depois são disseminados on-line, como sementinhas de dente-de-leão ao vento. Foi o que aconteceu com um comercial da Cadbury Chocolates, vencedor do Grande Prêmio do Festival de Publicidade de Cannes de 2008. O solo de bateria da canção "In the Air Tonight", de Phil Collins, capturou a imaginação de milhões de telespectadores quando passou na TV britânica e depois cativou outros tantos na rede mundial, nem tanto em razão do apelo perene da música de Collins, mas sobretudo devido ao fato de o baterista ser um gorila de olhos remelentos. Não é necessariamente de morrer de rir, mas é sem dúvida engraçado a ponto de ser recomendado aos outros. Valeu 15 milhões de acessos.

E estamos falando de acessos propriamente ditos, de acessos com atenção. Como gosta de salientar minha amiga Jess Greenwood, da revista *Contagious*, de Londres, esses 15 milhões valem muito mais que uma audiência de TV do mesmo tamanho. "Em primeiro lugar," diz ela, "porque são espectadores voluntários – coisa que nunca se pode afirmar acerca de um comercial de TV. Em segundo lugar, pelo fato de a indicação ter vindo de um amigo de confiança. Os espectadores chegaram ao vídeo com uma perspectiva positiva, de abertura e receptividade. E, em terceiro lugar porque, quando passa um comercial na TV, a audiência em geral está no banheiro ou aproveitando para fazer um chá."

Mas não pense que ela apoia totalmente esse tipo de estratégia. Embora o mundo da publicidade queira pensar que a transição do velho modelo para o modelo novo se resume a fazer comerciais de TV e postá-los on-line como vídeos virais, Jess Greenwood não dá muitas esperanças. Além de ser mais inglesa do que as palavras podem dizer ("fazer um chá"?), ela também é uma mulher realista. Ao mesmo tempo em que louva o poder avassalador desse caminhão desgovernado cheio de chocolates Cadbury, ela esvazia o pneu do caminhão. Isso porque, com ou sem semeadura direcionada, o número de anúncios que atraiu milhões de espectadores on-line é pequeno, muito pequeno. Houve o gorila, a dança das esteiras, Ronaldinho chutando bolas no travessão para a Nike, um vídeo do *designer* Mark Ecco, outro da Levis, outro do desodorante Axe, outro das camisinhas Trojan, outro da Smirnoff, outro da VW e um vídeo impressionante (com efeitos especiais) de uma garota catando uma bola de beisebol no ar para a Gatorade. E mais nada além disso. Pelas contas de Jess Greenwood, "em termos de fenômenos virais com marcas comerciais, acho que só ocorrem uns quatro grandes por ano".

É claro que, para os que não fazem parte dos Quatro Grandes, toda audiência obtida é lucro, pois os patrocinadores não gastaram nada em mídia. Mesmo assim, a incapacidade de fazer contato com o público é desperdício de tempo e de recursos – desperdício que caracteriza o marketing de massa e, quase por definição, não deveria caracterizar o marketing digital. A Cadbury foi feliz, mas tentar criar o próximo vídeo do gorila é uma aposta com poucas chances de vitória. A segmentação rigorosa melhora a situação, mas não muito. E é por isso que Malcolm Gladwell ficou rico.

É ele o autor do *best-seller The Tipping Point*, uma teoria sobre as redes sociais que pretende descrever de que modo um punhado de indivíduos amplamente conectados seria capaz de provocar alterações de grande escala na percepção e no comportamento das massas. Ler o livro de Gladwell, com sua historieta acerca de como um bandinho de hippies conseguiu dar vida nova à antiquada marca de sapatos Hushpuppies, é imaginar uma exígua camarilha de semideuses dotados de influência quase sobrenatural sobre imensos círculos sociais concêntricos.

E quem não gostaria de encontrar esses Santos Pedro e Paulo dos nossos tempos? Rick Warren direcionou seus esforços para os pastores que quisessem preencher uma agenda de pregação de seis semanas; a OK Go mirou nos esquisitões. Por mais estreitos que fossem esses segmentos, foi necessário um grande esforço de distribuição de amostras, boa parte do qual se perdeu inteiramente. Mas os preciosos "formadores de opinião" (ou "influenciadores") de Gladwell aparentemente dispensam a pesada tarefa de identificar e alcançar um largo espectro de segmentos e catalisam milagrosamente o ecossistema das redes sociais. Quem os descobrir não estará semeando sementes comuns; estará plantando o famoso pé de feijão do Joãozinho, pelo qual subirá aos céus e descobrirá a galinha dos ovos de ouro.

Só que essa história, se a memória não me falha, é um conto de fadas. A bibliografia sobre os prodígios de influência – boa parte da qual trata de opinião pública, estilos e modas passageiras – é anterior em cerca de 50 anos ao livro *The Tipping Point*. Eu mesmo conheci esse conceito em 1985, fazendo uma reportagem sobre uns otários que caíram num elaborado conto do vigário de marketing onde venderiam "o cartão de crédito do futuro" – um cartão que (a) ninguém precisaria pagar e (b) logo daria a cada usuário um rendimento de até US$ 9 milhões por mês. Um pobre diabo chamado Earl, explicando por que estava investindo centenas de dólares num evidente golpe da pirâmide, me disse que ele mesmo não precisaria vender nada. Construiria uma organização formada por vendedores enérgicos – chamava-os de "hotdogs" ["cachorros-quentes"] – e, sentado tranquilo no ápice da pirâmide, simplesmente veria a base crescer cada vez mais. "Estou nisso para ganhar dinheiro", me disse. "Esse é meu segundo objetivo. O primeiro é servir a Deus." Earl tinha fé – fé no Todo-Poderoso e fé na ideia de que basta uns poucos "cachorros-quentes" bem colocados para alimentar um crescimento exponencial. E – descontado o elemento de fraude criminosa – o plano até tinha algum sentido.

"O que temos aí é uma espécie de teorema popular", diz Duncan Watts, professor de sociologia na Universidade Columbia. "É o tipo de coisa que todo o mundo acha que é verdade, mas que ninguém jamais provou: que existe uma minoria formada por pessoas especiais que faz a maior parte do trabalho... O que Gladwell afirma não é que essa gente tem mais influência; é que tem *muito* mais influência."

Em 2007, Watts e o professor de matemática Peter Dodds, da Universidade de Vermont, resolveram pôr à prova o teorema popular. Construíram um modelo matemático (aliás, muitos modelos) comparando o alcance dos indivíduos especialmente conectados com o das pessoas comuns. O objetivo era saber se as pessoas no centro de um círculo interno especialmente grande e atento necessariamente irradiam mais influência para os círculos concêntricos externos. As pessoas que participaram da pesquisa ganhavam pontos não somente para cada pessoa que influenciavam, mas também para aquelas que estas influenciavam por sua vez, e assim por diante ("como na Amway", diz Watts).

"Fizemos uma comparação muito simples. Se essas pessoas fossem visadas pela estratégia de semeadura, até que ponto elas se sairiam melhor que as pessoas comuns?"

Os resultados, publicados no número de dezembro de 2007 do *Journal of Consumer Research*, foram extremamente frustrantes para quem ganha dinheiro descobrindo ou vendendo feijões mágicos. Watts e Dodds descobriram que quem investe recursos em localizar os mais influentes formadores de opinião numa dada esfera "consegue resultados um pouquinho melhores, mas esse retorno marginal é cada vez menor. Uma pessoa duas vezes mais influente no primeiro círculo é menos que duas vezes mais influente no último". Às vezes, no último círculo, não é melhor que os influenciadores médios; às vezes é pior.

"Se o direcionamento fosse sempre correto, em média você se daria melhor." Mas nem sempre isso aconteceria, e o benefício de uma melhora marginal deve ser contraposto ao custo do processo de segmentação e direcionamento. "Se essas pessoas custam o dobro", diz Watts, "e só lhe dão um benefício de 10%, isso não vale a pena."

A interpretação *a posteriori* que Gladwell faz do fenômeno da Hushpuppies é fascinante, segundo Watts, mas também é baseada numa clássica falácia lógica: "Reparamos em algumas coisas, mas não em outras. Não reparamos nas coisas que *não* acontecem. Reiteradamente esquecemos os não acontecimentos. Não reparamos nas inúmeras vezes em que os hippies usam coisas que não se tornam populares." Existe também uma profunda diferença entre a relação de correlação e a relação causal. É verdade que alguns hippies usaram os calçados Hushpuppies e a marca decolou. Mas muitas outras coisas aconteceram ao mesmo tempo e nenhuma dessas variáveis foi explorada por Gladwell. Por que atribuir mais peso aos hippies que aos inúmeros outros fatores em jogo? Se um ou mais destes realmente contribuíram de modo decisivo para o fenômeno, a obsessão pelos "influenciadores" humanos é a maior de todas as pistas falsas. É como os antigos – e o pobre Earl – atribuindo todos os prodígios aos deuses.

"Nenhuma história admite causas múltiplas", diz Watts, que se licenciou da Universidade Columbia para trabalhar como diretor do Grupo de Dinâmica Social do Yahoo. "As histórias são simples, são deterministas e têm causas simples. Como isso nos soa bem, achamos que o mundo também funciona assim." E, por não passarem de histórias – como no item 6 abaixo –, narrativas como a de *The Tipping Point* se espalham rapidamente, não graças a uns poucos indivíduos especialmente dotados, mas graças a milhões de pessoas comuns que leem livros.

Por isso, é tolice acreditar que influenciadores situados dentro ou fora do seu público-alvo natural podem servir de atalho para a ecologia da transmissão boca a boca. Por outro lado, também é tolice esquecer que tais influenciadores fazem parte dessa ecologia. Veja, por exemplo, o que diz Dan Zarrella, consultor de marketing viral de Boston que parece partidário da filosofia de "lançar uma rede ampla": "Acho que há muitas vantagens em pôr o conteúdo num lugar onde as pessoas possam encontrá-lo." Sem brincadeira. Pesquisei "viral seeding" [semeadura viral] no Google e o encontrei perto do topo dos resultados (gratuitos), o primeiro consultor americano listado. Mas ele trabalha sozinho e somente no fim do dia, depois de sair do emprego. Como seu nome chegou num lugar onde consegui encontrá-lo?

O Google considera seu site "popular" porque muitos links remetem a ele. Muitos links remetem a ele porque foi nele que Zarrella postou um artigo sobre a ciência e a história dos rumores. Seu título era "How rumors spread" [Como os rumores se espalham]. O artigo gerou tráfego porque foi destaque na primeira página do Digg, um site que hierarquiza a popularidade do conteúdo indicado pelos membros registrados. Não se aprecia que os usuários indiquem conteúdos de sua própria autoria, especialmente quando têm motivação comercial (fazer propaganda dos seus serviços de consultoria, por exemplo), mas Zarrella não apresentou seu próprio artigo no Digg. Já frequentava o site havia dois anos e tinha travado contato com muitos dos seus usuários mais "poderosos".

"Me esforcei por travar relação com os usuários do Digg cujas contas são mais poderosas", diz ele. Quando postou seu artigo no blog, usou o Twitter para notificar esses influenciadores principais. Dito e feito. Um dos peixes mordeu a isca, o artigo foi indicado no Digg e – como qualquer rumor importante – recebeu muita atenção. Daí os muitos links que remetem a ele e o alto posicionamento no Google.

Isso é otimização dos mecanismos de busca, e agora você está lendo sobre Zarrella aqui. Tudo isso significa que, embora o boca a boca possa produzir fenômenos espontâneos, nem todo fenômeno é um acidente. Por outro lado – mais um lado – vamos falar, agora, de acidentes.

Em 2006, o escritório da Ogilvy & Mather em Toronto criou um vídeo notável para os produtos de beleza Dove. Chamava-se "Evolution" e contava, no formato *time-lapse*, a história de uma mulher comum metamorfoseada – por meio de maquiagem, iluminação e Photoshop – numa supermodelo sedutora. A Ogilvy postou o vídeo no YouTube e mandou uma notificação por e-mail à lista de assinantes da Campanha pela Real Beleza da Dove, incitando-os a acessar o site e experimentar assistir ao vídeo. Mas então, segundo Janet Kestin, diretora de criação da agência, "Ocorreu uma coincidência cósmica: 'Evolution' foi lançado durante a semana de moda de Madri, onde se decidiu proibir a apresentação de modelos abaixo do peso, reabrindo o debate sobre a anorexia na profissão. Foi perfeito: um surto de interesse pelos temas mulher, beleza e autoestima no exato momento em que 'Evolution' captou a imaginação do público."

Essa incrível coincidência ofereceu ao departamento de relações públicas da Dove um gancho ideal para atrair editores e produtores, que não perderam nem um segundo para passar o vídeo em seus programas de TV e sites da internet. Depois de ser visto umas 20 milhões de vezes, "Evolution" ganhou o Grand Prix de publicidade em vídeo no festival de Cannes.

Tenha uma História para Contar

A Dove teve uma sorte tremenda pelo fato de o vídeo ter sido lançado ao mesmo tempo em que a questão da imagem do corpo feminino estava na mente de todos. Mas não foi esse o fim da história, que aliás nem sequer cheguei a contar. A Unilever e a Dove já estavam promovendo havia três anos a Campanha pela Real Beleza, com um site, anúncios (na rede e fora dela), o Fundo Dove para a Autoestima e uma campanha educacional permanente dirigida principalmente às meninas, para inculcar nelas a autoconfiança e o sentido de seu próprio valor. Nessa campanha, não se ensinava que a beleza é uma coisa superficial e que o que realmente conta é o interior; as crianças não são burras e sabem que nossa aparência é importante sob diversos aspectos. Mas eram informadas de muitos exemplos de beleza física que não compactuavam com os padrões anômalos de Hollywood e da indústria da moda. O exercício foi fascinante desde o princípio.

De certo ponto de vista, todos os envolvidos eram altamente suspeitos de hipocrisia: a Unilever também fabrica o Slim-Fast, que estimula a dieta do emagrece-engorda. E comercializa o Axe e o Lynx, desodorantes spray vendidos para os jovens como meios irresistíveis de levar para a cama mulheres gostosíssimas que mais se parecem com a boneca Barbie. Já a Ogilvy, num lance delicioso e horrivelmente irônico, é a agência que faz a publicidade da própria Barbie.

Uau, essa doeu. Mas havia outro ponto de vista muito instigante: o subtexto de redenção. Mesmo sendo eu um dos principais expoentes do setor crítico, tinha poucas dúvidas sobre a sinceridade de todos os envolvidos. Pelo contrário, acredito que os criadores da campanha, pelo menos na agência, adoraram a oportunidade não só de (pelo menos uma vez na carreira) divulgar uma mensagem positiva e genuinamente humana como também de expiar seus pecados passados. Se é que isso faz alguma diferença. Para entender a evolução de "Evolution", não importa se o *chatter* concomitante era entusiástico ou cético. O ponto importante é que era concomitante. Além da coincidência cósmica e de um vídeo de cair o queixo, a Dove já captara a atenção do público e já desenvolvera uma narrativa instigante. E o que há de melhor que uma boa narrativa para influenciar o boca a boca?

Tomemos a fofoca como exemplo. Não é necessário semeá-la, pois ela se espalha naturalmente e cria raízes como uma erva daninha. E por que não? As fofocas falam de pessoas, de ação, de drama. Seus personagens choram e riem. Acabo de conversar pelo telefone com minha filha, que ligou para falar bem de um restaurante pan-asiático em Nova York onde supostamente fez a melhor refeição de sua vida. O que eu lhe disse – embora esteja aqui escrevendo sobre o boca a boca – foi simplesmente "que ótimo, querida". Foi muito diferente da conversa que tivemos no dia anterior, quando ela me comunicou uma história semiescandalosa sobre dois conhecidos nossos que acordaram bem pertinho um do outro, pessoas que não tinham justificativa nenhuma para dormir juntas. Esse telefonema – garanto – atraiu toda a minha atenção. Minha filha tinha uma história para contar – uma história divertida e chocante – e creia-me, eu já a passei adiante.

O que Nós Ganhamos com Isso? Não Você. Nós.

Você já se viu preso numa conversa com um chato militante? O simples interlocutor sem graça diria "parece que vai chover", mas o chato mortífero relata todos os detalhes do recital de trombone do sobrinho. Detém-se especialmente naquele trecho da história em que ele e a esposa tiveram que dar várias voltas pelo bairro em busca de um local para estacionar; depois, tiveram que andar cinco quarteirões e a Cecília estava de salto alto – ele a avisara para não ir de salto alto por causa da joanete, mas ela estava decidida a se vestir bem, pois a coisa que mais a incomoda são as mulheres que saem de casa mal vestidas. "Afinal de contas, até há pouco tempo as mulheres usavam luvas para ir à igreja. Benzinho, sua mãe não usava luvas na Primeira Igreja Presbiteriana? Gosto de provocá-la, pois a Mamãe Taylor é metodista e nunca pôs os pés numa igreja presbiteriana se não fosse para ir ao velório de alguém. Benzinho, a mãe de Jimbo McDonald. Esse enterro foi na Primeira Igreja Presbiteriana, não foi? Afinal de contas... não, deixe para lá. Não foi o da sra. McDonald.

Lembra, benzinho, foi o da mãe do Mike Bamford, pois ela fazia parte do coro e o coro inteiro foi cantar no velório. Minha nossa, foi uma chatice só. Mas, para encurtar a história..."

E você ali, só assentindo com a cabeça, um sorriso congelado no rosto e a mente pedindo socorro. Esse tipo de história não é viral, é mortífero.

Como uma pessoa é capaz de imaginar que, pelo fato de as historinhas de sua família – ou a mensagem da sua marca – serem interessantes para ela mesma, também serão interessantes para todo o resto do mundo? Não obstante, o YouTube está entupido de vídeos supostamente "virais" fadados à insignificância, pois nada do que contêm é interessante para o público receptor.

É claro que os profissionais de marketing, os criadores de conteúdo, os intelectuais e os políticos desejosos de explorar o boca a boca o fazem porque têm algum interesse em serem assunto de conversa. Também é óbvio, por outro lado, que ninguém em absoluto tem interesse pelo desejo de notoriedade alheio, e muito menos se deixa motivar por isso. Enquanto grupo, nós estamos interessados em nós mesmos, naquilo que valorizamos, no que consideramos legal ou interessante, no que nos parece surpreendente ou agradável, curioso ou emocionante, perturbador, pertinente ou útil. Você está divulgando seu produto, seu programa político, sua opinião? E o que isso nos importa? Seus problemas não nos dizem respeito em absoluto. Todos nós queremos ser o Número Um.

Dê uma olhada nesta figura de um personagem dos *Simpsons*:

Agora compare-a com a minha foto na orelha deste livro. Parecida, não? Gostaria de poder dizer que me tornei tão conhecido na cultura popular que acabei por ser imortalizado/ridicularizado no melhor programa de TV da história, mas a verdade é que só usei o programa "Simpsonize Me" no site do Burger King e do filme *Os Simpsons*. Tudo o que fiz foi fazer um upload da foto e deixar o software fazer comigo o que Matt Groening faria. Desnecessário dizer que, depois, mandei o desenho para todas as pessoas que já conheci na vida. Afinal de contas, não há expressão mais rudimentar de interesse próprio do que os atos que dizem: "Ei, olhem pra mim!"

A CareerBuilders.com aproveitou o mesmo instinto com o maravilhoso e inteligente "Monk-E-Mail". Era uma atração on-line ligada a uma campanha de anúncios de televisão em que funcionários insatisfeitos apareciam num escritório cheio de colegas chimpanzés. O Monk-E-Mail permite que a pessoa grave um breve e-mail que, aberto pelo destinatário, é recitado oralmente por um chimpanzé vestido de modo aproximadamente igual a quem o enviou. Cerca de 130 milhões de pessoas que receberam essas mensagens correram na mesma hora para gravar as suas próprias. E o site "Elf Yourself", da OfficeMax, pedia aos usuários que fizessem uploads de fotos suas para transformá-las em imagens dançantes de duendes do Papai Noel a ser mandadas como cartão de natal on-line. Essa pequena e linda oportunida foi aproveitada nada menos que 193 milhões de vezes, pois a palavra-chave em "Elf Yourself" não é "Elf", mas a outra (*yourself*, "você").

Mas é exatamente esse poder simples do interesse próprio que, segundo Jess Greenwood, não é captado por tantos pretensos vídeos virais. O fato de eles quererem ser notados não quer dizer que nós queiramos ser incomodados. Por outro lado, ela diz: "Se você fizer algo legal para as pessoas, elas próprias irão até onde você está."

É essa a beleza dos widgets, miniaplicativos que, embutidos em sites pessoais e páginas de redes sociais, desempenham alguma função para o usuário. A previsão do tempo, uma listinha de afazeres, um relógio analógico, um conversor de moedas, um rastreador de mensagens recebidas no Twitter, um rastreador do tráfego e da receita obtida com o AdSense do Google. (Discutirei muito mais sobre esse assunto no próximo capítulo.)

"O próprio termo 'viral' já está meio fora de moda", diz Jess, "pois foi usado inicialmente para descrever a transmissão de conteúdo de pessoa a pessoa por meio do e-mail. Isso foi antes dos blogs, das redes sociais, da Web 2.0. Hoje em dia, um fenômeno viral pode ser qualquer coisa."

Ou pelo menos qualquer coisa útil, pertinente e, de vez em quando, divertida. No mundo da Web 2.0, onde zilhões de rostos habitam o espaço de seus amigos e quase-amigos, uma nova ecologia surgiu. Se estamos falando sobre como se polinizam as flores do entusiasmo (e peço desculpas por mais essa metáfora), esclareço desde já que nem sempre são necessários pássaros e abelhinhas voando para cá e para lá. Ao contrário, as flores vão às abelhas. Quem visita meu site ou minha página no Facebook vê minha CokeTag e meu rastreador de encomendas da UPS e leva o widget consigo. O Digg lhes diz o que está sendo mais popular e lá vão eles atrás disso. Mas não se preocupe com o fluxo de tráfego. Sites como o Digg representam o máximo em termos de entendimento de o que o público-alvo quer, e algumas dessas coisas são absurdamente básicas. Notícias sobre celebridades, por exemplo. Se eu fosse a Abercrombie, parte do meu site de vendas a varejo seria dedicado ao nível de álcool no sangue de Britney Spears, ao traseiro de Kim Kardashian e a outras importantes notícias do dia; e eu teria em cada página do MySpace um Widget com um indicador de manchetes. Se eu clicasse para ver a reportagem inteira, iria ao site, onde também poderia comprar uma camiseta muito legal.

E por falar em "muito legal", na sua prática aleatória de coleta de informações os seres humanos são atraídos pelos superlativos, por mais duvidosos que sejam. E, em matéria de superlativos, nada melhor que uma lista dos 10 Mais. Lembra-se de Dan Zarrella, que conseguiu bombar um artigo sobre a dinâmica do rumor no Digg e assim conseguiu uma colocação alta no Google? Ora, gente como Zarrela, que otimiza a colocação dos sites nos mecanismos de busca, sabe que certas coisas se dão melhor que outras no Digg, e as listas estão no topo dessa lista. Se ele desse consultoria a uma loja de tapetes, por exemplo, recomendaria que a loja elaborasse uma lista dos 10 Mais capaz de interessar ao viciados em tecnologia que perfazem a maior parte da população do Digg. Algo como "As 10 Maneiras pelas quais um Tapete Pode Destruir seu Computador. Número 10: Eletricidade estática..."

"Em geral, as listas funcionam muito bem", diz Zarrella. "Mas além delas há 'O Maior Não Sei Quê', ou 'O Não Sei Quê Mais Louco', ou 'O Não

Sei Quê Preferido dos Geeks"', pois o ser humano tende a se deixar atrair pelo primeiro, pelo maior, pelo mais bonito. Zarrella se apressa em acrescentar que, uma vez obtida a atenção do público, sempre é preciso resistir à tentação de vender, vender, vender. A sede de dinheiro não pega bem junto ao pessoal do Digg nem da maioria das outras comunidades on-line. Mas isso não significa que eles não queiram ouvir um especialista em tapetes falar sobre os mesmos, ainda que nessa interação haja um interesse comercial implícito.

"Se o conteúdo for bom o suficiente", diz Zarrella, "as pessoas estarão dispostas a desculpar esse viés comercial."

Pois bem. Ignore, então, o fato de que esta lista dos 10 Mais que você está lendo não passa de um truque barato para me ajudar a vender o livro. Goste dela pelo que ela é.

Tenha Modos

Daqui a um ou dois capítulos você vai ver que há pouco tempo dediquei um ano inteiro à tentativa de infernizar a vida de uma empresa gigantesca do ramo da TV a cabo. (Dica: o nome rima com "Comcast".) Poucas semanas depois de eu ter começado minha guerra santa, um cara me escreveu perguntando se eu estava recebendo dinheiro de outra companhia de telecomunicações: "Bob – você poderia, de boa-fé, nos apresentar provas de que não está recebendo compensação ou incentivo de outro fornecedor de serviços de banda larga e TV por assinatura? – Oliver Boulind, Nova York, NY".

São palavras violentas, e eu daria um soco na cara do sujeito por lançar dúvidas sobre minha integridade – não fosse pelo fato de a pergunta não ser totalmente descabida. O mundo está cheio de cafetões e prostitutas, e algumas destas trilharam os caminhos da internet a serviço da Comcast. Eis um pequeno excerto do post de uma blogueira chamada "Lutchi", que na época estava se vendendo pela ninharia de US$ 5 a postagem:

Você ainda está à procura do melhor fornecedor de serviços de internet? Pode parar de procurar, pois a COMCAST está à sua disposição para lhe fornecer tudo o que você precisa. A Comcast, agora, é a maior fornecedora de acesso de *alta velocidade à internet e oferece ainda a Voz Digital Comcast. Sua conexão de banda larga é rapidíssima e chegou a ganhar da famosa Verizon DSL em vários testes de velocidade. E, se você estiver cansado de gastar os tubos no seu plano de telefone, pense em usar o serviço de telefone digital da empresa. Agora existem três planos à sua escolha, cujos valores vão de US$ 39,95 a US$ 54,95 por mês. Você terá direito a ligações locais e interurbanas em número ilimitado, teleconferências a três, identificação de chamadas, fila de espera e mensagem de voz on-line – e tudo isso com o aparelho que você já possui. Tudo isso pode ser aproveitado sem nenhum sacrifício porque a Comcast também lhe oferece o que os serviços de telefonia anteriores ofereciam – e muito mais.*

Tenho de contar ao Joe acerca desse serviço telefônico porque ele é muito mais barato e espero que esteja disponível na nossa região. Então, pessoal, que tal visitá-los hoje para ver se a Voz Digital da Comcast está disponível na região de vocês? E, se tiverem dúvidas a respeito de qualquer aspecto do serviço, entrem em contato com o centro de atendimento ao consumidor para obter mais informações.

A Comcast diz que esse exemplo gritante de post pago não foi promovido pelo escritório central da empresa, mas por um subcontratante inescrupuloso. É possível. Mas uma coisa é certa: é uma propaganda de baixo nível, além de patética e desnecessária. Se uma prestadora de serviços quer que falem bem dela, ela pode conseguir isso em um volume exponencialmente maior e de graça. Basta prestar bons serviços. Mas a boa recomendação não é uma mercadoria. O especialista em marketing boca a boca Andy Sernovitz, normalmente o cara mais amável do mundo, fica extremamente irritado quando encontra pessoas que tentam comprar o boca a boca como se se tratasse de centímetros de coluna ou segundos de transmissão. Ele acha que isso tem a ver com o desespero dos profissioanis de marketing quando se dão conta de que os seus dias de impor mensagens terminaram, o que os deixa perdidos, impotentes e vulneráveis às solicitações de vendedores que afirmam ser capazes de influenciar as conversas on-line.

"Há uma pressão gigantesca para que as empresas façam algo com a Web 2.0", diz Sernovitz. "Então, elas contratam alguém que lhes faça uma suposta campanha de *buzz*, uma página no Facebook ou um vídeo 'viral'.

Pois essas coisas são fáceis de comprar. Mas a verdadeira adesão do consumidor e as conversas de verdade são difíceis. Não têm nada a ver com dinheiro e não podem ser vendidas pelas agências de publicidade."

Mas bem que elas tentam. A PayPerPost.com, por exemplo, subsidiária da Izea Social Media Marketing, faz excelentes negócios prometendo aos anunciantes "um veículo para promover seu site, produto, serviço ou empresa através da rede de mais 50 mil blogueiros independentes credenciados pela PayPerPost". Enquanto isso, olhe só como ela recruta os blogueiros: "Os anunciantes estão dispostos a pagar por sua opinião sobre vários assuntos. Faça uma busca na lista de Oportunidades, poste um artigo no seu blog, ganhe a aprovação do seu conteúdo e receba o dinheiro. É simples assim."

Simples como uma rapidinha de 20 reais.

Se essa analogia não basta para convencê-lo, talvez valha a pena conhecer o maior comprador de postagens do mundo. Estou me referindo, naturalmente, ao Partido Comunista da China, onde centenas de milhares de toupeiras cibernéticas são empregadas para abafar todas as críticas on-line ao partido ou ao governo ao preço de 50 centavos por postagem. Os críticos, enquanto isso, vão para a cadeia. Se você sente a tentação de subornar mercenários para lutar na sua guerra de relações públicas, veja quem está lhe fazendo companhia.

São primas da PayPerPost as empresas que recrutam gente comum para atrair clientes não somente na internet, mas em todo lugar: no bar, na igreja, no avião, no salão de beleza, em grupos de leitura, nas cantinas de escola etc. Essa gente não recebe em dinheiro: seu pagamento é o gosto de saber que suas opiniões são ouvidas, mais algumas amostras grátis de seja qual for o lixo que estejam tentando empurrar para os pobres otários que lhes fazem companhia – otários que acreditam estar simplesmente conversando até que percebem (ou não) que estão sendo alvos de assédio comercial. "Enviam agentes secretos para aborrecer as pessoas", diz Sernovitz.

Por motivos óbvios, o código de ética da Associação do Marketing Boca a boca proíbe rigorosamente o disfarce. Quando não é bem-sucedido, ele fere a reputação do cliente; quando dá certo, é a quintessência da propaganda enganosa. No Reino Unido, é crime. Mas é difícil saber quando esses logros ocorrem e quem é responsável por eles. Veja o caso da

BzzAgent, maior empresa do ramo, que até agora não teve nenhum problema judicial nem no Reino Unido nem nos Estados Unidos.

"O logro ocorre quando o intuito propagandístico é secreto e pago", diz o fundador e CEO David Balter, que a qualquer momento tem de 80 mil a 150 mil agentes falando sobre tiras dentais Listerine, a mostarda Grey Poupon, os produtos de limpeza da linha Pledge e tantos outros produtos sobre os quais você provavelmente nunca se preocupou em falar. Mas Balter se apressa em assinalar que (1) seus "agentes" não recebem dinheiro nenhum (somente amostras de produtos, pontos de recompensa e o orgulho de fazerem parte da associação); (2) as normas da empresa os obrigam a revelar sua filiação; e (3) têm liberdade para falar mal do produto, bem como falar bem. A empresa treina seus agentes e constantemente os lembra de que não devem trabalhar sub-repticiamente. "Temos de destreinar as pessoas que gostam mesmo é do segredo", diz Balter. "Quem não revela o que está fazendo é expulso do sistema."

É claro que o próprio Balter também reconhece que não dispõe de nenhum meio para saber se seus agentes estão fazendo isso ou não. Ele se baseia somente nos relatórios deles e na firme crença de que "ser um agente é um título de honra". Talvez seja; às vezes, os seres humanos têm dessas coisas. Mas se é da natureza humana gostar de fazer parte de um grupo e sentir que sua opinião vale alguma coisa, também é da natureza humana não querer ouvir reclames comerciais dos parentes, dos amigos e de pessoas completamente estranhas. Portanto, também é perfeitamente natural que a senhora na cadeira ao lado, o camarada no bar ou a tia Clara lhe mandem catar coquinho quando você espontaneamente fala bem da Marca X.

Eu não gostaria que isso acontecesse comigo. Afinal, ninguém gosta de saber que uma conversa não passou de uma propaganda comercial, do mesmo modo que ninguém gosta de ser convidado para jantar pelo casal Crenshaw e ver os dois, depois da sobremesa, montar uma lousa e começar a desenhar nela os círculos da Amway. Isso mostra como eles nos consideram. Mas o principal é o seguinte: se o poder do boca a boca reside na confiança que todos nós depositamos em nossos amigos, vizinhos, parentes e colegas – oposta à desconfiança que temos de todos os tipos de mensagens comerciais – a revelação do propósito comercial da conversa elimina imediatamente essa confiança. Corta o *buzz* pela raiz, digamos. Por isso, embora eu tenda a acreditar no que Dave Balter me disse, não acredito numa palavra do que seus agentes lhe dizem. Apesar de tudo, em razão de suas diretrizes oficiais rigorosas, a BzzAgent continua sendo bem vista pela Associação do Marketing Boca a Boca – até, pelo menos, o dia em que um agente desavisado se esquecer de revelar a seu companheiro de viagem no avião (um advogado da Comissão Federal de Comércio) que recebeu de graça uma caixa do Arroz Gourmet Mahatma. Nesse meio-tempo, outra grande empresa chamada Tremor não pode se filiar à AMBAB, pois não exige de sua rede de propagandistas adolescentes que revelem sua filiação a seus colegas. A Tremor é controlada pela Procter & Gamble, que deveria se envergonhar.

A revelação é prejudicial quer seja feita, quer não. Mas é pior quando não é feita, pois o mais provável é que acabe sendo descoberta, e ser pego de calças curtas é uma droga. Episódios desse tipo acontecem de vez em quando e sempre mancham a reputação dos perpetradores. Em 2002, a Sony Ericsson contratou 60 atores, equipou-os com telefones celulares T68i e enviou-os a diversas cidades disfarçados como turistas que pediam a outros turistas que batessem fotos deles com a câmera dos ditos celulares. O *Wall Street Journal* denunciou esse marketing guerrilheiro e a Sony Ericsson logo se viu às voltas com o ricochete de sua ação.

Em 2006, um homem e uma mulher chamados Jim e Laura atravessaram os Estados Unidos num trailer, instalando-se a cada noite num estacionamento do Wal-Mart, fazendo amizade com os empregados e consumidores e escrevendo um blog sobre a viagem. Logo foram desmascarados como criações da agência de relações públicas do Wal-Mart, que também criou dois outros "flogs" – falsos blogs – para seu cliente. (Um desses blogs era ligado à Famílias Trabalhando pelo Wal-Mart, uma associação falsa também criada pela agência para combater as críticas dirigidas contra a maior rede de venda a varejo do mundo.) No mesmo ano, um blog chamado The Zero Movement foi criado – ao que tudo indicava, por um desconhecido qualquer – para abraçar o espírito da nova Coca-Cola Zero – ou seja, para defender o ato de não fazer nada. Logo foi desmascarado como criação da Coca-Cola Co., e a Coca Zero tomou várias "lambadas" on-line (bem como nas vendas). Meses depois, a Sony tentou armar o mesmo golpe publicitário em favor do PSP (um *videogame* portátil), usando uma agência de marketing viral para criar um falso blog feito por um suposto artista de hip-hop chamado Charlie.

Apesar de ser uma fraude, esse blog deixou sua marca na blogosfera: "Óbvio, afrontoso, imbecil e ineficaz", escreveu outro blogueiro – que estou citando por ser um dos mais educados. A Comissão Federal de Comércio também não gosta nem um pouco desse tipo de conduta, e no final de 2006 anunciou que os profissionais de marketing cujos agentes não revelem sua filiação estarão sujeitos a multa.

Lembre-se de Siegfried e Roy, Especialmente de Roy

Mesmo quando achar que pegou o tigre pelo rabo, não se esqueça jamais de que o tigre pode se voltar contra você. O boca a boca é um animal selvagem e perigoso.

Já falei do filme *Ishtar*, com Dustin Hoffman e Warren Beatty, que foi um fracasso total em 1987. Lembre também do julgamento das bruxas de Salem, onde fofocas maldosas acabaram provocando assassinatos sancionados pela comunidade. Ou das corridas aos bancos da década de 1930 nos Estados Unidos, quando boatos de que as pessoas perderiam todas as suas economias acabaram por atuar como profecias que provocaram sua própria realização. Ou da caça às bruxas macartista da década de 1050, que tinha como único fundamento mexericos acerca do suposto antipatriotismo desta ou daquela pessoa. Ou, por fim, da atual teoria conspiratória – considerada fato por mais da metade da população do mundo árabe e dos países muçulmanos em geral (segundo pesquisa de 2006 do Pew Global Attitudes Project) – de que os ataques de 11 de setembro não foram tramados pela Al Qaeda, mas sim pelos próprios Estados Unidos ou por Israel.

Ou, só de pirraça, faça uma busca no Google associando "Procter & Gamble" e "satanismo". Décadas de rumores bizarros, radicados no lúgubre logotipo da P&G, ligaram a fabricante do sabão Tide, das fraldas Pampers, da pasta de dente Crest e dos óleos Olay à Igreja de Satanás. Tudo culminou na lenda urbana de que o presidente da empresa compareceu ao programa de Sally Jesse Raphael, Merv Griffin e Phil Donahue em 1999 e declarou a simpatia da companhia pelo diabo. Você pode até procurar a data: era dia 1º de março. E quando Sally, Merv e Phil lhe perguntaram se a ligação com Satanás não seria prejudicial para os negócios, o executivo teria respondido: "Não há cristãos em número suficiente nos Estados Unidos para que isso faça alguma diferença."

É claro que nada disso jamais aconteceu. A Procter & Gamble não é instrumento do demônio. (Claro que não. O instrumento do demônio é a Microsoft.) Mas muitos se aferram teimosamente a essa crença, pois a ouviram relatada pela cabeleireira, pelo primo que distribui produtos da Amway ou pelo pastor.

O poder do boca a boca é que todos nós tendemos a acreditar mais nas informações que nos são passadas por pessoas que conhecemos. Infelizmente, isso também se aplica às informações falsas, que são extremamente difíceis de erradicar. A P&G lutou contra os boateiros, em alguns casos conseguiu vencê-los na justiça e acionou a mídia para corrigir a história.

O que pode ter piorado a situação. Um estudo feito em 2007 por Norbert Schwarz, psicólogo social da Universidade de Michigan, demonstrou que a tentativa de corrigir informações falsas não só tende a reforçar as crenças falsas das pessoas como também leva estas a atribuir a conversa fiada à própria fonte que está tentando esclarecer as coisas. O caso específico em que os pesquisadores se concentraram foi uma campanha do Centro de Controle de Doenças visando desbancar os mitos sobre as vacinas antigripais. O estudo de Michigan revelou, porém, que esse processo acabou por reforçar os mesmos mitos. As pessoas passaram a acreditar que o próprio Centro de Controle de Doenças havia aconselhado o povo a evitar a vacina contra a gripe.

Esse desvio cognitivo é bastante conveniente para quem tenta, por exemplo, dizer ao mundo que Saddam Hussein tinha armas de destruição em massa e estava por trás dos atentados de 11 de setembro. Mas, mesmo que você não seja um dos Grandes Mentirosos, a persistência dos mitos vale uma pausa para reflexão. Você não quer o boca a boca trabalhando contra você.

Em abril de 2009, dois idiotas então empregados na lanchonete Domino da Carolina do Norte fizeram um vídeo em que um deles enfiava a mozarela no nariz antes de colocá-la no sanduíche, depois soltava gases sobre uma fatia de salame cujo destino final era o delicioso sanduíche sendo preparado. Depois de três dias (e de quase um milhão de acessos no YouTube), a rede foi obrigada a colocar no YouTube um vídeo seu condenando a brincadeira e assegurando que os funcionários são rigorosamente instruídos a não soltar gases sobre o salame. Dez dias depois *disso*, a resposta reunira o espantoso número de 600 acessos. Ai.

Pense também no sofrimento da Microsoft, pobrezinha, que, como eu já disse, só lançou seu sistema operacional Vista em 2007 depois de construir uma comunidade de cerca de 5 milhões de usuários da versão beta.

"O lançamento de um novo Windows é sempre muito esperado", diz David Webster, gerente geral de estratégia de marca e de marketing. Mas o Vista foi o primeiro Windows lançado num ambiente povoado pelo Gizmodo, pelo Slashdot, pelo Engadget e por outros sites que alimentam o fogo do mundo digital. Parece que dessa vez, segundo Webster, a atividade do boca a boca ocorreu "numa magnitude de ordem superior".

No começo, como bem observou Sernovitz, especialista em boca a boca, a atenção do mundo on-line fez bem à Microsoft e o novo produto praticamente desapareceu das prateleiras. Vinte milhões de exemplares do Vista foram vendidos no primeiro mês, duas vezes mais que o XP lançado cinco anos antes. Infelizmente, também foi uma faca de dois gumes, pois um número imenso desses primeiros consumidores enfrentou grandes problemas: incompatibilidades de hardware que punham fora de operação as impressoras e outros periféricos, onerosas proteções de Direitos Autorais Digitais que atrapalhavam a gravação de CDs, um uso de memória que tornava o sistema excessivamente lento, o excesso de pedidos de autorização interrompendo funções básicas e por aí afora. O estado de espírito dos consumidores logo começou a mudar e parte da comunidade festiva se transformou numa multidão enfurecida. E não era pequena. Se você pesquisar "Vista nightmare" [pesadelo com o Vista] no Google, obterá mais de 2,4 milhões de resultados, todos muito parecidos com este aqui: "Para todos vocês por aí que como eu compraram um computador novo com o VISTA como sistema opiracionau [sic], DEUS NOS AJUDE!"

Documentos internos da Microsoft, divulgados ao longo do processo judicial de uma ação coletiva, chegaram a revelar aversão ao Vista até nos escalões mais altos da empresa. Mike Nash, vice-presidente de gerência de produtos Windows, reclamou de ter comprado um notebook da Sony supostamente "compatível com o Vista" e depois ter descoberto que o chip de vídeo da máquina não funcionava com aquele sistema operacional. "Agora, tenho uma máquina de US$ 2.100 que serve para mandar e-mails."

Então, Mike Nash entra no rol dos "decepcionados". E Adolf Hitler também. Num clipe hilário postado no YouTube, que apõe legendas a um trecho do filme *A Queda*, o Führer investe contra seus subordinados por ter arruinado seu computador depois de instalar o Vista: "Vocês mexeram com a pessoa errada!" – grita ele, pelo menos nas legendas apostas ao original em alemão. "Babacas!... O XP sempre funcionou direitinho. Eu devia ter ficado com o XP, como o Stalin!"

Mais de 200 mil pessoas assistiram a esse vídeo (http://www.youtube.com/watch?v=ExeyrNZwzwQ), que só faz rir às gargalhadas quem já admite previamente que o Vista é uma droga – sentimento que dominou rapidamente não só a blogosfera mas também os chamados meios de comunicação tradicionais. O *PCWorld Magazine* declarou que o Vista era "A Maior Decepção Tecnológica do Mundo em 2007" e a InfoWorld considerou-o "o 2º Pior Fracasso Tecnológico de Todos os Tempos". (O primeiro é a assustadora incapacidade do setor de proporcionar segurança na rede.) E assim os rumores repercutiram como numa câmara de eco, a ponto de as deficiências do Vista terem passado a ser de conhecimento geral.

O fenômeno não atinge somente a Microsoft. Aflige da mesma maneira uma marca global chamada Estados Unidos da América. Você e eu talvez vejamos na Marca EUA um bastião da democracia, da oportunidade, da tolerância e de liberdades individuais nunca antes oferecidas na história. Em outras partes – especialmente no Oriente Médio e no restante do mundo muçulmano – nossa imagem é um pouco menos lisonjeira. Lá, somos invasores, infiéis, libertinos, sionistas, imperialistas, malfeitores, o Grande Satanás. Você conhece aquela frase: "Falem mal, mas falem de mim"?

Ela não é verdadeira.

Peça a Serenidade em Suas Orações

Deus, conceda-me serenidade
para aceitar as coisas que não posso modificar,

coragem para modificar aquelas que posso
e sabedoria para reconhecer a diferença.

O animal selvagem se voltou contra você. E agora?

Vou lhe dizer o que o governo dos Estados Unidos faz. Gasta centenas de milhões de dólares em "diplomacia pública" tentando amansar o animal na base da conversa. Ei, gatinho! Tome o Hurrah, um canal propagandístico de televisão por satélite. Ei, gatinho! Tome um comercial piegas onde aparecem jovens muçulmanas norte-americanas de véu, sorrindo. Ei, gatinho! Venha sentir o gosto da nossa liberdade.

Desnecessário dizer que o animal não se impressiona, pois tudo o que lhe interessa é a política americana a respeito de Israel e dos palestinos, o apoio dos Estados Unidos a tiranos como o egípcio Hosni Mubarak e o pacto satânico do nosso país com a Arábia Saudita. Tentar erradicar a má vontade alheia sem mudar as políticas básicas é tempo perdido. Como concluiu o estudo de Michigan, quanto mais tentamos combater certa percepção a nosso respeito, mais essa percepção se torna fixa e sólida.

Lancemos, pois, um novo olhar ao problema do Vista. Quando a Microsoft percebeu que a percepção popular estava fazendo baixar as vendas do produto e reconheceu que não teria outro produto a apresentar até 2010, se viu diante de algumas alternativas. De acordo com a oração, a primeira é a "serenidade" para aceitar o destino, que também pode ser chamada de "rendição". Outra é a "coragem", que pode, porém, ser interpretada como "imprudência". Mas talvez haja um caminho intermediário que não está especificado no versinho popularizado, senão efetivamente escrito, por Reinhold Niebuhr: reprima a vergonha, faça um esforço supremo para mudar de assunto e faça mais esforço ainda para tentar não parecer ridículo nesse meio-tempo.

"Acho que a nova realidade do lançamento de produtos de alta tecnologia para um público muito ativo na internet é que existe um ciclo pelo qual precisamos passar: quando uma empresa lançou um produto que é a melhor coisa já inventada depois do pão de forma em fatias, o público mal pode esperar para desbancá-la", disse-me David Webster da Microsoft. "Nesse ponto, trata-se de um fenômeno muito comum. E para nós é um fenômeno que ocorre dentro de uma população absurdamente grande. O que quer que a gente lance, uma porcentagem dessa população sempre estará descontente."

Isso obviamente é verdade. Mas trata-se também de querer transferir parte da culpa para outras pessoas. Webster se esquece de acrescentar que, quanto pior o produto, maior a porcentagem dos "descontentes". Embora ele apresente dados internos que comprovem que 89% dos consumidores ficaram satisfeitos com o Vista, o que eu faço é multiplicar esses 11% de desencantados pelas 140 milhões de unidades vendidas. A conta tem como resultado 15,4 milhões de pessoas que gastaram US$ 200 somente para se sentir tolhidas, frustradas e muito aborrecidas. Mas não vamos discutir, pois Webster diz que o objetivo da empresa não é dizer a esses 15 milhões de pessoas que elas estão erradas, e sim minimizar a influência delas sobre cerca de um bilhão de usuários de computador que nunca compraram o Vista – a imensa maioria dos quais, segundo ele, jamais vai deparar com os problemas que afligiram esses primeiros usuários, pois os primeiros usuários sempre tendem a ser adeptos da alta tecnologia cujas necessidades computacionais são incomuns e acima da média.

"Essa multidão de entusiastas falou tão alto que o discurso foi ouvido pelo público comum. Até minha mãe ouviu dizer que o Vista era ruim", pontifica Webster. "Não estou dizendo que eles erraram ao chegar a essa conclusão, mas que a conclusão deles não serve para prever o que minha mãe vai achar do sistema operacional. O desafio que temos de enfrentar é o de romper a percepção, mudar o ponto de vista, mudar um pouco de assunto e dar às pessoas uma boa desculpa para experimentar o Vista."

E, seis meses depois de o Vista entrar em sua trajetória descendente, foi exatamente essa a estratégia empresarial adotada pela Microsoft:

1) reconhecer que o produto tinha problemas;
2) afirmar que esses problemas foram exagerados por gente mal informada e pela própria natureza do ciclo de adoção do produto e
3) convencer os não consumidores afetados pela percepção negativa a experimentar o produto por si mesmos. "Tentar deixar os consumidores desconfiados. Sei que eles estão desconfiados de nós. Mas quero que também desconfiem do que as outras pessoas falam."

Por isso, em agosto de 2008, foi criado o "Experimento Mojave". Com a ajuda da agência de publicidade Bradley & Montgomery, de Indianápolis, a Microsoft localizou 140 habitantes de San Francisco que tinham ouvido o buzz negativo sobre o Vista mas nunca haviam experimentado o produto; e convidou-os para a demonstração de um novo sistema operacional que, segundo eles, era chamado "Mojave". Depois de uma demonstração de 5 minutos (num computador de nível médio adequadamente equipado), pediu-se que eles comunicassem suas impressões. É claro que adoraram o novo Mojave. Deram-lhe nota 8,5 numa escala de 1 a 10, quando haviam avaliado o Vista – sem conhecê-lo diretamente – em 4,4. Depois, diante de uma câmera oculta, foram informados de que o sistema operacional que estavam experimentando era, na realidade, o próprio Vista.

"Está brincando!"
"Filho da mãe. Me pegou!"
"É totalmente diferente do que eu pensava."
"Entendi!"

Tudo bem. Mas será que a Microsoft está entendendo?

Embora tenha lançado algumas atualizações para resolver problemas de compatibilidade e obrigado os fabricantes de computadores a não vender o programa com máquinas que não tenham a potência necessária, a empresa está é iludindo a si mesma e ao consumidor quando apresenta o buzz negativo como obra de meia dúzia de loucos falastrões. Eis como caracterizei o problema na minha coluna da Ad Review:

No ponto alto do Experimento Mojave, um dos sujeitos recebe a informação de que o "Mojave" na verdade era o Vista. "Mas por que é mais rápido?", pergunta ele. Teoricamente, esse era o momento pelo qual a Microsoft esperava: "Se não serve, ele deve ser absolvido." O detalhe é que essa pergunta é perfeita também para outros fins. Um sujeito de codinome Marketmule*

---

* "If it doesn't fit, you must acquit." A frase foi usada pelo advogado de O. J. Simpson, jogador de futebol americano julgado por homicídio em 1995, em referência a uma luva que supostamente incriminaria seu cliente, mas que não servia na mão dele. A referência é bem conhecida na cultura norte-americana atual. (N. do T.)

comentou no Digg: "A instalação otimizada de um sistema operacional feita por um técnico otimizado num hardware otimizado, em condições otimizadas e visando cumprir um conjunto otimizado de tarefas. Desse jeito, até eu seria capaz de fabricar uma rosa com excremento humano e ganhar o primeiro prêmio numa exposição de flores."

Entendido, Marketmule. Você nem chegou a falar da dinâmica humana: convidados predispostos a agradar seus generosos anfitriões.

Webster diz que o sucesso do Experimento Mojave será medido pela reação dos não consumidores. "Tudo o que precisamos é lhes oferecer motivos para dar uma segunda olhada no produto." Mas a Microsoft dificilmente ganhará a aposta. Para começar, a campanha suscitou uma reação on-line por parte dos próprios megablogs que desde o início haviam atacado o Vista. Dizer que seus críticos são um bando de mentirosos (coisa sobre a qual posso falar por experiência própria, infelizmente de ambos os lados da equação) é um meio garantido para torná-los ainda mais ferozes. Além disso, ai da Microsoft se os consumidores comprarem o Vista devido à campanha e depois tiverem uma experiência ruim. Vão se sentir não somente desencantados, mas francamente manipulados, e acabarão se aliando aos radicais e multiplicando exponencialmente os problemas do Vista. Até para uma empresa que engole 91% do mercado de sistemas operacionais, esse golpe pode ser devastador.

Uma marca com histórico de softwares de má qualidade e práticas comerciais predatórias não pode se dar ao luxo de desperdiçar a boa vontade do consumidor. "Ladra" e "incompetente" já são adjetivos suficientemente ruins; não vale a pena acrescentar "vigarista" a esse rol. O caminho do meio que a Microsoft tomou, entre a rendição e a imprudência, pode até acabar aumentando as vendas do Vista, mas mediante um risco muito grande.

Eu, pessoalmente, teria optado pela serenidade.

Capítulo 5

A ERA DO WIDGET

UM SUJEITO MORA EM ALBUQUERQUE, uma cidade ótima por ser ensolarada e próxima da Vista Encantada e de Hoffmantown. Mas tem parentes em Denver, pouco dinheiro, muitas obrigações familiares a cumprir e uma distância de 750 km entre eles. Então, numa quinta-feira quente e seca, ele está na frente do computador e ouve: "DING!"

Um ícone na área de trabalho lhe dá boas notícias: uma tarifa especial da Southwest Airlines na linha entre Albuquerque e Denver, a US$ 49 na ida e o mesmo na volta. O ícone lhe dá esse aviso porque o próprio usuário o pediu, baixando o widget "Ding!" da Southwest. Durante a maior parte do tempo, o aplicativo fica ali parado, aparentemente inútil, um logotipo pequenininho da Southwest lembrando o usuário, num nível bem rarefeito da consciência, que a Southwest existe. Mas então o aplicativo toca um sininho e o usuário clica nele, pois precisa ver o tio Ramón e a tia Ruth Ellen; e compra a passagem.

"Depois do primeiro ano, atingimos a marca de 2 milhões de downloads", diz Paul Sacco, gerente sênior de estratégia e desenvolvimento de rede na Southwest Airlines. "E ele ainda está funcionando bem." No terceiro trimestre de 2008, o Ding! gerou 10 milhões de cliques.

Quer fugir do Velho Modelo? Procure os widgets, miniaplicativos que podem ser baixados para o navegador, a área de trabalho, as páginas das redes sociais, as primeiras páginas dos sites e os telefones celulares, entre outros. Talvez os widgets não sejam o Santo Graal, mas são, até agora, a mais perfeita expressão do marketing on-line na era digital. E embora representem praticamente o que há de mais avançado na Web 2.0, eles se baseiam num princípio antiquíssimo. Na verdade, para ser visionário neste assunto, primeiro é preciso viajar de volta para o futuro.

Nos últimos 50 anos (mais 5 minutos) os comerciais de TV têm representado o ápice das comunicações de marketing. Depois deles vêm, em qualquer ordem, os anúncios em jornais e revistas, os comerciais de rádio, os cartazes de rua, a mala direta, a propaganda feita no ponto de venda, os folhetos e – na negra escuridão da mais absoluta falta de prestígio publicitário – os brindes: uma caneta esferográfica com o logotipo do corretor de seguros, uma folhinha, um ímã de geladeira, uma caneca de café, uma fita métrica, uma geladeira de isopor para latas de cerveja, um cinzeiro, um chaveiro, uma lixa de unha, uma caderneta de telefones – qualquer objeto barato dado de graça para que o consumidor se lembre de você toda vez que for medir um tecido, tomar uma cerveja ou fazer as unhas.

Não que o spot televisivo de 30 segundos seja coisa da alta cultura, mas é difícil pôr em palavras o quanto o brinde publicitário é brega. Vou tentar: ele representa no marketing o que um traje masculino de cinto e sapatos brancos representa na moda. No mundo digital, os brindes publicitários são a coisa mais análoga que existe.

Isso enquanto não se tornam digitais. Os widgets de marca são os ímãs de geladeira do Admirável Mundo Novo. Esses miniaplicativos de software compactos e portáteis – desde programinhas que passam vídeo até relógios de contagem regressiva, passando por simuladores de corte de cabelo – são baratos de distribuir, gratuitos para o consumidor e (muitas vezes) notavelmente úteis. No mínimo, levam uma mensagem publicitária para onde quer que forem.

Isso no mínimo. Em sua plena forma, o widget é como um vínculo mágico entre os profissionais de marketing e os consumidores, não só substituindo as mensagens de mão única que por tanto tempo dominaram a publicidade nos meios de comunicação como também obtendo um desempenho muitíssimo melhor que o delas, pois na rede mundial de computadores esse vínculo é literal e direto e deixa em seu rastro dados precisos de comportamento, preferências e intenções. Melhor ainda: o público-alvo é quem sai ativamente em busca do dispositivo que leva sua marca. E não é só isso. Os aplicativos se encontram sempre ao alcance do consumidor, que oferece exemplares deles a seus amigos e colegas. Estes, por terem recebido o aplicativo de um amigo, tendem a vê-lo com bons olhos. E, caso você não tenha prestado atenção na primeira vez em que eu disse isto, os obstáculos à criação de aplicativos são quase inexistentes.

"O dinheiro gasto é uma piada", diz Hillel Cooperman, ex-figurão da Microsoft e fundador de uma pequena empresa de desenvolvimento de software em Seattle chamada Jackson Fish Market. "Mal pode ser levado em conta em comparação com as quantias que circulam no marketing."

Michael Lazerow, CEO da Buddy Media (empresa que produz aplicativos de marca em Nova York), concorda plenamente, sobretudo no que se refere ao custo da publicidade do próprio widget. "É baratíssimo. É a barbada do século."

Isso porque 500 milhões de usuários de redes sociais, cada um dos quais geram 1.200 visitas de página por mês, representam 600 bilhões de oportunidades mensais de deixar uma impressão de anúncio. Consequentemente, o resto é resto e "pode-se divulgar a marca a custo praticamente zero".

Hora de Mudar de Imagem?

É claro que isso estimula os profissionais de marketing on-line a aceitar outro conceito antiquado: um bombardeio constante de mensagens de massa sem nenhum alvo específico – problema que o marketing digital teria vindo solucionar, não é mesmo? Mas daqui a pouco falaremos mais sobre a economia dos widgets. Por ora, vamos examinar alguns exemplos que demonstram por que, pelo menos por enquanto, eles representam a apoteose do marketing digital. Está lembrado da minha colega Jess Greenwood, da revista londrina *Contagious*? Eis como ela resume o valor do widget: "É como uma unidade básica de utilidade. O marketing se torna parte do produto." Por exemplo:

- O Miles, um avatar em 3D que parece um refugiado dos Teletubbies mas reside na área de trabalho do computador para estimular você a correr e para organizar o histórico do seu progresso por meio da eletrizante tecnologia da Nike Plus. Também lhe informa sobre a previsão do tempo, os eventos de corrida e as promoções da Nike no local onde você está. E organiza seus feeds de RSS, para que você possa baixá-los para o iPod.

- O widget da UPS, que é uma espécie de primo do personagem da Nike, só que mais bronzeado. Permite que, com um ou dois cliques, você organize e rastreie seus envios pelo mundo afora. Se você manda e recebe muitas encomendas, por que não instalá-lo em sua área de trabalho?
- O CokeTags é um aplicativo do Facebook que mostra seus links favoritos, permitindo que você especifique sua atividade on-line... e rastreie quem está seguindo sua trilha.
- O Steepandcheap.com é um mecanismo de alerta do catálogo da Backcountry.com, que avisa sobre ofertas especiais – especialmente produtos em promoção para estimular outras vendas – e chama o usuário para comprar pela rede. É essencialmente idêntico ao Ding! e funciona porque seu público-alvo não é somente uma lista de consumidores de produtos de aventura, mas também forma uma espécie de rede social.
- The Hollywood Hair Makeover, da InStyle.com, permite que as usuárias destaquem os penteados de Jennifer Aniston, Cameron Diaz etc. e sobreponham-nos a fotos delas mesmas – como diversão ou para mostrar ao cabeleireiro. É fútil mas acerta na mosca.
- Johnnie Walker. Você está em Cingapura, tem idade suficiente para beber nos bares e é novo o suficiente para fazer desse hábito um estilo de vida. Baixe o aplicativo "Jennie", uma avatar bonitinha que lhe indica os melhores bares e depois, quando você já está trançando as pernas, o conduz a salvo de volta para casa.

É difícil imaginar os usuários instalando e usando esses aplicativos e não se lembrando com carinho do patrocinador a cada vez – um carinho que nenhum anúncio em banner seria capaz de suscitar. Nas palavras de Peter Kim, empresário de alta tecnologia e ex-analista de marketing digital: "Quando é possível mesclar algum tipo de utilidade com o objetivo da sua marca, isso é o oposto daquelas características do marketing que as pessoas detestam. Em vez de enganá-las com as velhas apresentações de dança e música da publicidade de marca, o aplicativo não oferece uma promessa, mas uma realidade: 'O trânsito está assim. O tempo está assim. A bolsa de valores está assim.'"

Assim como fico grato à Loja de Ferragens do John quando mato insetos com o mata-moscas que ganhei de brinde, assim também fico agradecido ao uísque Johnnie Walker quando ele me ajuda a encontrar um bar em Cingapura e depois me ajuda a voltar, bêbado, para minha cama. É esse tipo de dinâmica que instiga as pessoas – gente como o povo da *Newsweek* e Om Malik da GigaOm, que declararam que 2007 foi "O Ano do Widget". E por quê? Porque, com esses aplicativos, o profissional de marketing se instala confortavelmente no próprio local onde seu público-alvo mora, trabalha e se diverte.

"Dentro do destino e do contexto com os quais as pessoas já estão envolvidas", diz Niall Kennedy, fundador da empresa de consultoria Hat Trick Media e organizador da Cúpula Anual do Widget em San Francisco, Califórnia. "É como se um pequeno varejista de Cincinnati abrisse filiais em todas as cidades do mundo – em vez de esperar que as pessoas venham fazer turismo em Cincinnati."

Mas, em 2008, todo esse setor do marketing movimentava apenas US$ 100 milhões, mais ou menos. Não é uma soma desprezível, mas, mesmo em meio à implosão da economia, é uma quantia que até uma espécie em extinção, como a NBC Universal, poderia tirar de debaixo do colchão. E isso deixa Hillel Cooperman irritadíssimo. À AdTech e a outros veículos destacados que falam sobre o futuro do marketing, ele diz que não compreende por que é incapaz de chamar a atenção dos anunciantes. Mesmo enquanto estes lamentam a ruína dos meios de comunicação tradicionais e se perguntam onde vão gastar seu dinheiro, ele diz que eles não se voltam para ele de jeito nenhum. "E eu estou aqui, pulando, acenando e dizendo 'Olá!'", afirma ele com voz frustrada. "Os astros estão se alinhando, todos ao meu redor dizem que estou no lugar certo na hora certa, mas fechar um negócio ainda é tão difícil como extrair um dente."

Hmmm. Vínculo mágico, extrair um dente... como conciliar essas duas imagens? Há muitas razões pelas quais os profissionais de marketing têm demorado para explorar as possibilidades dos widgets – e, por mais que os widgets pareçam ideais, pode ser que sua participação numa economia publicitária totalmente digital tenha um limite superior relativamente baixo.

"O próprio conceito de widget é proclamado de modo errôneo ou exagerado", diz Ben Kunz, diretor de planejamento estratégico da Mediassociates, uma empresa de planejamento de mídia. "O importante não é o canal, mas o que você faz com ele."

Cuidado! Mais uma Lista!

Na verdade, Kunz gosta muito dos widgets; só não gosta de vê-los exageradamente elogiados, pois afirma conhecer suas limitações intrínsecas. Uma das principais é a diferença entre interagir com um software e interagir com a marca patrocinadora. "Há muito exagero no que se diz por aí sobre esse vínculo", assevera. Se o barbeador Schick Quattro, por exemplo, patrocina um widget permitindo que um marmanjo insira seu rosto no vídeo de um outro marmanjo brincando de guerra de travesseiros com duas meninas que talvez não tenham 18 anos – e esse widget existe – será que a venda de barbeadores vai aumentar? "Brincar de guerra de travesseiros influencia alguém?", pergunta Kunz.

Mesmo que a resposta seja "sim", há várias outras questões a considerar.

1) A falta de padronização. As plataformas são muitas e incompatíveis entre si: a área de trabalho, o iGoogle, o celular, o Facebook, o MySpace etc. Até que haja um único código universal de software, será preciso criar meia dúzia de versões, ou mais, de cada widget.

2) Aplicabilidade duvidosa às categorias publicitárias de baixo interesse. O que dá certo para a Johnnie Walker e para a Nike não se aplica necessariamente a uma marca de papel higiênico.

3) O custo. Hillel Cooperman observa corretamente que o custo de criação de um widget é pequeno e o custo de distribuição, baixo quando comparado à publicidade em meios de comunicação;

mas o preço final fica, em geral, em aberto. O profissional de marketing pode ter de pagar uma taxa de até US$ 5 a cada vez que alguém instala o widget numa página qualquer do MySpace. Por isso, quem tem sorte também pode ter azar na conta de distribuição. É difícil fazer um orçamento quando um dos itens está "em aberto".

4) A escala. O espaço da área de trabalho, da página do Facebook ou da tela do celular é limitado. Como observa Ben Kunz, "É claro que eles podem ser úteis, mas existe um certo número de oportunidades de utilidade. Eu, por exemplo, uso meu computador para fazer umas 100 coisas diferentes. É possível criar um widget para cada uma delas, mas depois disso não terei uso para mais nenhum". Isso significa que a imensa maioria dos anunciantes fica sem espaço durante a maior parte do tempo.

Há também o Grande Cisma dos Widgets, uma divergência filosófica fundamental entre os usuários e desenvolvedores acerca do melhor uso a dar a essa tecnologia. Ao encomendar um widget, você quer seguir o exemplo daquelas pessoas notoriamente instáveis cujas grandes sensações virais se espalham pelo mundo todo mas logo caem no esquecimento? Ou prefere privilegiar a permanência, residindo perpetuamente nas primeiras páginas dos sites e nas áreas de trabalho? Os criadores de widgets parecem preferir a diversão à utilidade, usando os widgets como se fossem anúncios: para atrair por um breve período a atenção dos usuários e depois começar de novo quando essa atenção desaparece.

"É um modelo de campanha", diz Liza Hausman, vice-presidente de marketing da Gigya, a maior agência de distribuição de widgets. "Os anunciantes continuam tendo de criar muito impacto em pouco tempo. Tem gente que encara os widgets como instrumentos de gestão de relacionamento com o cliente ou como meios de diálogo de longo prazo. Não é isso que nós enfocamos."

Hausman diz que o modelo de campanha também se encaixa bem no comportamento do consumidor, especialmente entre os usuários do MySpace etc. Ali, segundo ela, a página do usuário é uma expressão sempre mutável do seu próprio "eu", o qual normalmente se expressa na forma da última coisa que o usuário descobriu. Em suma, Hausman diz que "os usuários gostam de atualizar suas páginas". Em terceiro lugar, quando se pressupõe que o widget utilitário tende a residir nas áreas de trabalho e não nas páginas das redes sociais, parece que a utilidade é obtida à custa da virulência.

"É uma relação de 1 para 1", diz Hausman. "O widget é visto somente pela pessoa que o pôs ali. São widgets que a ajudam a negociar as tarefas do dia: notícias, previsão do tempo", em comparação com os das redes sociais, que residem "onde as pessoas mostram ao mundo sua face pública. E o widget ali tem uma exposição de 1 para muitos".

Parece que esse argumento é corroborado pelos dados. Um estudo feito pela Marketing Evolution, uma empresa de pesquisa de marketing on-line, descobriu que o retorno sobre o investimento em widgets cresce na razão direta de sua virulência. O estudo de campanhas conduzidas pela Adidas e pela Electronic Arts, uma produtora de *videogames*, nas comunidades do MySpace descobriu que 70% do retorno sobre o investimento podia ser atribuído à proliferação do widget entre consumidores. A empresa de consultoria dá a esse fenômeno o nome de *momentum effect* [efeito de impulso], e está na cara que o impulso é fruto de um tipo de compartilhamento de que o Ding! da Southwest, por exemplo, não goza.

"Não tenho interesse pessoal em nenhum dos dois tipos", diz Rex Briggs, CEO da Marketing Evolution. "Mas tendo a preferir o primeiro, principalmente porque sabemos que a propaganda envelhece. Quando a publicidade é sempre nova e 'fresquinha', a resposta é maior. Parte dessa resposta está na vontade e na possibilidade que as pessoas têm de transmitirem a outras pessoas o que você está dizendo. A novidade promove notícias e promove a vontade de transmitir a informação a outros, e isso tem valor."

Empresas como a Gigya, por outro lado, têm motivos muito pessoais e estruturais para se pôr contra o modelo da utilidade permanente: a durabilidade exclui a possibilidade de lançamento de novas campanhas. Se um cliente consegue pôr seu widget num zilhão de áreas de trabalho ou páginas de redes sociais e o widget permanece ali, esse cliente terá menos incentivo para encomendar novos esforços publicitários, o que não augura bons negócios para os projetistas e distribuidores de software. Além disso, o problema dos widgets de diversão, como os joguinhos de computador, é o mesmo que aflige as demais formas de marketing viral: é difícil promover a virulência. Por mais gente que haja por aí, é dificílimo lançar a Novidade do Momento que vai capturar a imaginação delas, mesmo que por um breve instante. Nas palavras de Cooperman: "Os games são como as músicas, os filmes e os livros. Os que fazem a diferença são aqueles que estouram. E me parece correto dizer que ninguém sabe exatamente o que fazer para criar um produto que estoure em qualquer desses setores."

Esteja você do lado que estiver, os widgets oferecem vantagens que praticamente nenhuma outra ferramenta de marketing pode igualar. A principal: a portabilidade. Não consegue fazer as pessoas visitarem seu site? Quando elas visitam, não consegue fazer com que elas voltem? Experimente o novo "Site em Miniatura"! É compacto e cabe na área de trabalho ou na página do Bebo... ou pode ser dobrado, compactado e colocado na barra de ferramentas! *Diversão a qualquer hora!*

Só um Detalhezinho

E funciona! Registra dados como um site, permite o comércio direto como um site e se transforma num destino virtual onde o usuário pode chegar sem ter de sair de sua casa virtual. Basta-lhe ir até o guarda-comida e abrir uma lata. De graça, é claro. Por ser tão barato, o Site em Miniatura pode ser dado de brinde. E pode trazer consigo um monte de coisas legais, entre as quais – para citar meu exemplo favorito – filmes de longa-metragem. Aliás, permita-me deixar de lado por um instante a atual arte do brinde publicitário para lhe dar uma ideia das implicações mais profundas dos widgets. Se o Ding! não o impressiona, vamos conversar com Ted Leonsis e conhecer um pouco melhor sua criação, a SnagFilms.com.

Você já ouviu falar de Leonsis: empreendedor da internet antes mesmo da criação da rede mundial, ele fundiu sua empresa à recém-lançada AOL e, depois de ganhar centenas de milhões de dólares, tornou-se filantropo, passou a patrocinar empresas emergentes – como a Clearspring, líder do mercado de widgets – e assumiu um time de hóquei no gelo, os Washington Capitals. Pode-se dizer que, de três maneiras diferentes, ele é um magnata que questiona o sistema.

Quem o vê, grandalhão e de cavanhaque, teria motivos para pensar que ele é uma espécie de mafioso valentão do bairro grego. Na realidade, porém, ele é um visionário de fala mansa, olhos sorridentes e coração bondoso. Além disso, tem o dom de estudar grandes sistemas, identificar suas falhas estruturais – e encontrar soluções para corrigi-las. É por isso que, no dia em que o encontrei, em maio de 2009, ele estava de excelente humor.

Os Caps se recuperaram no campeonato e ganharam dos New York Rangers na primeira rodada do mata-mata da Stanley Cup. Os jogadores estão vagando pela área de treinamento em Ballston, Virgínia, e depois do treino cada um deles parece um Adônis de chinelo. No decorrer dos próximos 10 dias, eles vão enfrentar 7 vezes os poderosos Pittsburgh Penguins, sinal de que a franquia adquirida por Leonsis em 1999 deixara para trás o frustrante padrão de grandes ambições/esforços heroicos/fracasso no mata-mata. Desse modo, como tantos outros personagens e instituições mencionados neste livro, os Caps representam algo maior. Esses meninos não são somente patinadores de sotaque esdrúxulo que ganham altos salários; enquanto grupo, representam um microcosmo da capacidade especial que Leonsis tem para solucionar problemas. No caso dos Caps, ele parou de pagar salários astronômicos para astros renomados que não se davam bem com o resto do grupo e começou, em vez disso, a investir na juventude – especialmente no prodígio russo Alexander Ovechkin.

O que nos leva ao terceiro aspecto de "questionamento do sistema". Há alguns anos, Leonsis começou a *produzir* filmes – documentários, especificamente – e rapidamente percebeu o que havia de errado com eles. O filme, no caso, era *Nanking*, documentava a época imediatamente anterior à Segunda Guerra Mundial na China, quando, em 1937, o Exército Imperial Japonês matou 200 mil pessoas e estuprou 20 mil mulheres na cidade que então era a capital chinesa. Por algum motivo, a distribuidora do filme nos Estados Unidos achou por bem lançá-lo em Nova York na época do Natal. "Não é uma comédia de família", diz Leonsis, ainda balançando a cabeça e tentando entender, um ano e meio depois, o que a distribuidora pensou ao imaginar a reação do público a um filme como *Nanking* no feriado de Natal: "Ei, vamos patinar no gelo no Rockefeller Center e depois vamos assistir ao filme do holocausto chinês!" Desnecessário dizer que poucos cinéfilos reagiram dessa maneira – apesar de um anúncio publicado no *The New York Times* que, segundo Leonsis me conta ainda mais perplexo, custou mais do que a distribuidora teria ganhado se tivesse vendido todos os lugares de todas as sessões nos dois cinemas onde *Nanking* foi exibido em sua estreia em Nova York, que durou duas semanas.

"Por que esse pessoal é tão burro e perde tanto dinheiro?" Foi o que ele se perguntou, e tomou lápis e papel para fazer as contas. A cada ano, o Festival de Sundance, de filmes independentes, recebe de 9 mil a 10 mil inscrições. De todos esses filmes, 124 são aceitos para a mostra oficial. Destes, de 8 a 10 são adquiridos por estúdios ou distribuidoras. De 8 a 10, e até esses poucos terão dificuldade para fazer sucesso. Dos cerca de 30 mil cinemas existentes nos Estados Unidos, somente 400 costumam exibir filmes independentes. *Nanking* foi um dos poucos documentários a obter uma bilheteria de quase 1 milhão de dólares. Leonsis calcula que foi visto no cinema por umas 70 mil pessoas – um público que, num mundo onde todos têm uma tela de cinema no computador ou no celular, lhe pareceu absurdamente reduzido. "Eu queria consertar o sistema." O mentor de Leonsis na Universidade de Georgetown costumava aconselhá-lo: "O segredo do sucesso na vida está em ligar os pontos." Foi exatamente isso o que ele fez.

Por acaso, Leonsis também é *chairman* da Clearspring, talvez a maior vendedora de widgets nos Estados Unidos. E pensou: e se os documentários e filmes independentes viessem distribuídos em widgets e pudessem se alastrar como vírus por meio das redes sociais – especialmente aquelas construídas em torno de obras de caridade ou causas sociais? Os filmes poderiam render alguma coisa com 90 segundos de anúncios por hora de conteúdo e seriam distribuídos de graça para ser exibidos num número ilimitado de telas de computador ou de celular. Em outras palavras, a internet se transformaria na maior cadeia de salas de cinema do mundo. O que mais fascinou Leonsis foram as possibilidades filantrópicas do esquema. Os filmes poderiam enfocar temas de interesse social, e, além disso, todo usuário que baixasse um widget cinematográfico do site central (ou de outra pessoa em sua rede de contatos on-line) se tornaria um exibidor voluntário.

"Eles não têm muito tempo nem muito dinheiro", diz Leonsis, "mas têm muitos pixels."

Eureca! Assim nasceu a SnagFilms. O site foi lançado em julho de 2008. Menos de 10 meses depois, já reunia 25 mil exibidores afiliados. A receita dos anúncios é dividida meio a meio entre a Snag e os proprietários do conteúdo.

Leonsis não pensa que seu sistema vai conseguir abastecer de dinheiro um setor que se constrói sobre amizades, relações familiares e cartões de crédito estourados. Mas entende que o sistema é capaz de aumentar o alcance de filmes de boa qualidade que, de outro modo, cairiam imediatamente no esquecimento. Para quem investiu o coração, a alma e o dinheiro num filme, o número de espectadores não é questão de pouca importância. O próprio Leonsis está pensando em *Nanking*, do qual logo vai readquirir os direitos de exibição. Vai colocá-lo no SnagFilms.com, patrocinado por organizações chinesas, organizações missionárias cristãs, organizações antiguerra e outras.

E ele finaliza: "Aposto que um milhão de pessoas vão assistir ao filme."

O Que Você Estava Dizendo, Colega?

Mas vamos voltar ao mata-moscas dado de brinde.

A Buddy Media, uma das maiores criadoras de aplicativos de marca, ocupa dois andares de um velho edifício de escritórios na Broadway, pertinho do Columbus Circle. Antes era um Estúdio de Dança de Fred Astaire, com um restaurante indiano no piso térreo e rios de água escorrendo pelo interior das paredes de tijolos não rebocados depois de cada aguaceiro. Agora é uma fábrica de códigos, onde os operários abastecem seus iMacs com a matéria-prima de zeros e uns e criam peças de software – peças que, por sua vez, são montadas em várias combinações para formar aplicativos personalizados. Usando um pequeno estoque de algumas centenas de peças, a Buddy Media produz widgets barato e rapidamente.

"Se você vai fazer um anúncio em banner de 728 por 90 pixels, compensa mais fazer um aplicativo, pois o tempo e o custo serão os mesmos", diz o CEO Lazerow.

O que ele não aconselha é almejar alcance e frequência. O termo que ele prefere é "alcance e engajamento", a ideia de cultivar umas poucas pessoas em vez de infernizar a vida de muitas. "Em vez de querer alcançar

80 milhões de pessoas, vamos ter um milhão por alvo e passar 10 minutos com cada uma delas." A Buddy Media não tem dificuldade com o elemento "engajamento". O widget de corte de cabelo da revista *InStyle* foi instalado mais de 300 mil vezes, 185 mil delas nas primeiras seis semanas. O tempo médio gasto em cada visita foi de 7 minutos – 3 penteados – e quase metade das usuárias voltaram ao aplicativo mais de 25 vezes. "Eles custam menos que os banners tradicionais, e o tempo que o consumidor gasta com eles é 75 vezes maior que o gasto com os banners comuns e cinco vezes maior que o gasto com anúncios de TV."

Um dos clientes que acredita no que Lazarow diz é Keith S. Levy, vice-presidente de Marketing da cervejaria Anheuser-Busch, que criou um widget chamado Bud Light Dude Test para alavancar [Nota ao Leitor: Acabei de usar o verbo "alavancar". Isso nunca mais vai acontecer] um anúncio da cerveja Bud Light chamado "Dude" ["Cara"].

"Acho que o efeito multiplicador da internet é extremamente poderoso", diz Levy. Embora os 300 mil downloads sejam irrisórios em comparação com o público atingido por um comercial de TV, "você de fato constrói uma relação com o consumidor". Outro widget, criado somente para os sortudos ganhadores da promoção The Bud Light Party Cruise, constituiu uma comunidade on-line de cerca de 4 mil divulgadores. Um deles é ROWYCO', que (de acordo com sua página do MySpace) é um nativo do Arizona de 24 anos cujo codinome é um acrônimo obsceno, cujo slogan é "Hardcore pela Vida Afora", que gosta de música country, heavy metal e motocicletas incrementadas e que está fazendo administração no Paradise Valley Community College. Seus amigos são Judith, Diana, Courtney, Crazy Christene, Justin, The Rouch e – bem no topo da lista – Bud Light Party Cruise.

Compare esse esforço com a BudTV, por exemplo, que gastou US$ 15 milhões somente nos primeiros dois anos para tentar criar na rede um destino de formato parecido com o da televisão. O que a Anheuser-Busch ganhou com tudo isso foi um zilhão de acessos ao hilário comercial "Swear Jar", a inimizade perpétua de muitos procuradores-gerais dos estados e nenhum amigo no MySpace. Num belo dia do fim de novembro, o ranking geral da BudTV na rede, segundo o site de análise on-line Alexa, era o de número 26.253.061. Para você ter uma ideia do que isso representa, o museu dos lenços umedecidos (moisttowelettemuseum.com) estava em 5.681.209º lugar. Alguém aprendeu uma lição com isso. Embora ele não caracterize a BudTV como um furo n'água, quando peço a Levy que compare a eficiência da BudTV com a de widgets que custam tostão, ele diz: "Por acaso tivemos que construir uma rede estacionária aonde as pessoas entravam para buscar conteúdo? Não."

É claro que o engajamento – e até a comunidade – não se reflete diretamente nas vendas. Mas me dê licença: afora a publicidade de resposta direta, com qual tipo de publicidade isso acontece? E vamos examinar as outras questões ainda não resolvidas que lançam suspeitas sobre a sustentabilidade dos widgets:

1) Incompatibilidade com determinadas plataformas. Já não estamos tão longe de um código universal, embora isso acarrete certa perda de funcionalidade. Lazerow diz que seus aplicativos se adaptam facilmente a todas as plataformas.

2) O que funciona para uma marca sexy não funciona para o papel higiênico? Pensando bem, será mesmo? Dois segundos de reflexão bastaram para que eu tivesse umas 10 ideias relacionadas com papel higiênico, algumas mais nojentas que as outras: desde o vídeo de uma cesta cheia de filhotes de animais (gatinhos, cachorrinhos, patinhos etc.) até um "Merdômetro" que centraliza as notícias sobre frases imbecis de celebridades, atletas e políticos.

3) Custo. É verdade que uma taxa de US$ 5 por instalação pode sair cara, mas muitas empresas cobram bem menos que isso. Mas o mais importante é o seguinte: quem disse que as verbas de marketing têm que ser regidas pelo calendário? Já que estamos reinventando o comércio, devemos considerar a possibilidade de os programas de marketing continuarem sendo financiados enquanto estiverem dando certo, sem definições arbitrárias para o fim da campanha. "Não compreendo a definição estreita que os profissionais de marketing dão ao calendário de controle, pois não é assim que a mente do consumidor funciona", diz Rex Briggs, da Marketing Evolution. "É como se a Coca-Cola quisesse que todas

as pessoas que têm brindes, lembranças etc. da Coca-Cola dos anos 1950 jogassem tudo isso fora, pois hoje a mensagem da Coca é outra."

4) Espaço. Mesmo que se admita que existe uma quantidade limitada de espaço nas 500 milhões de páginas de redes sociais do mundo, esse universo aumenta a cada segundo. "Saturar o mercado?", pontifica Lazerow. "Não estamos nem perto disso. Acho que nunca vamos conseguir saturar esse mercado."

E mais uma coisinha. Se você, como profissional de marketing, passou os últimos 10 anos investindo num site robusto para atrair clientes e não está com vontade de canibalizar seu tráfego oferecendo o Site em Miniatura, não esteja tão seguro de si. Pode ser que o seu próprio público decida tomar essa decisão por você.

Segundo o Alexa, num período de 3 meses no início de 2009, o número de visitas de página por usuário à Apple.com caiu 9%; à Comcast. net, 1%; à Dell.com, 22%; à AT&T.com, 18%; à Xbox.com, 9%, e por aí afora, à medida que os bastiões da mídia eletrônica corporativa começam a sofrer a mesma fragmentação de audiência que está matando os antigos meios de comunicação. "Por mais que seu site seja popular", diz Niall Kennedy, "o fato é que as pessoas visitam muito mais o Yahoo, o MySpace, o Google e o Facebook do que visitam você." Tony Zito, da Media Forge, dá a esse fenômeno o nome de "morte lenta do site de destino". Leve em conta que ele vende widgets – mas, mesmo que esteja exagerando, as tendências são meio agourentas. Se Maomé de fato deixou de ir à montanha, talvez seja hora de a montanha ir a Maomé.

Afinal de contas – Ding! – o preço é bem baixo.

_____ *Capítulo 6* _____

MORTE À COMCAST

DIZEM QUE MARK TWAIN OBSERVOU: "Nunca compre briga com alguém que compra tinta em barris." É a mais pura verdade. Um jornal influente, quando irritado, tinha poder para enterrar qualquer adversário. E isso ainda é verdade, embora o truísmo deva hoje sofrer ligeira alteração. Na Era da Listenomics, nunca entre em conflito com quem tem acesso a um computador.

Se essa pessoa estiver ofendida o suficiente, tiver razão suficiente, for suficientemente perseverante e tiver um número suficiente de contatos, ela pode enterrar você. Ou pelo menos pode fazê-lo infeliz por bastante tempo. Essa pessoa não precisa ser dona de uma cadeia de jornais; basta--lhe ter um teclado e estar com raiva.

Para gente raivosa, a internet é uma dádiva catártica e/ou uma arma letal. Conhece o tipo? É aquela pessoa que aceita as indignidades da vida com certa equanimidade, mas que vira bicho quando alguém lhe mente, trapaceia, tenta intimidá-la ou a ofende pessoalmente de um jeito ou de outro. Esse tipo de pessoa deixa, de bom grado, que um consumidor com poucos volumes passe à sua frente na fila do supermercado, mas confronta violentamente o imbecil que fura a fila no cinema. Mesmo que isso provoque uma discussão em voz alta. E não volta atrás, pois é um princípio que está em jogo. Do mesmo modo, quando lhe negam um Egg McMuffin na lanchonete às 9 da manhã com a desculpa esfarrapada de que "os muffins estão em falta", essa pessoa vai – como dizê-lo? – buscar maiores informações junto à gerência e não desiste até que alguém abra um pacote de muffins e lhe dê seu sanduíche (talvez com o DNA de algum funcionário irritado). Esse tipo de pessoa pode até ser convidado a desembarcar de um voo transatlântico por motivo de segurança caso o funcionário da empresa aérea perca a documentação de visto, minta descaradamente dizendo que não há mais lugares no avião e depois, quando a mentira é desmascarada, resolva encarar os gestos e palavras violentos do cliente como sinais de perigo e chame a segurança para retirar do voo o pobre coitado.

Em outras palavras, estou falando de uma pessoa igualzinha a mim.

Certas pessoas – por mais que em geral sejam bondosas, generosas, amistosas e ponderadas, por mais que sejam compassivas e transcendentalmente amorosas – não devem ser cutucadas com vara curta. Isso porque, quando sofrem injustiça, vão a extremos para ver essa injustiça reparada. Em setembro de 2007, a Comcast Corporation não sabia disso a meu respeito.

Desde então, li milhares de histórias de terror que os consumidores sofreram nas mãos dessa empresa. Por isso, posso afirmar com segurança que o que aconteceu comigo foi mais ou menos comum, de modo que só vou contar os detalhes que forem necessários. Mas a experiência de contato com o serviço de atendimento ao consumidor da Comcast tende a nos fazer abaixar os padrões de má-fé empresarial. Para vocês, não iniciados, a leitura desse episódio pode levá-los a chorar lágrimas de sangue.

Não Leia Isto. Vai lhe Fazer Mal

A saga começou de fato no mês de julho daquele ano, quando tentei contratar o pacote "Triple Play". Trata-se de uma combinação promocional de TV a cabo, serviço de telefonia VOIP e banda larga, vendida por um preço baixo. Eu estava farto de lidar com três provedores e, de qualquer modo, precisava que um técnico viesse ligar um cabo de rede num computador situado numa zona morta da casa, onde o sinal do roteador wireless não chegava. Assim, esqueci a prudência, pus todos os ovos na mesma cesta e – mais um clichê – resolvi provar que era mais idiota do que parecia. Conversei no telefone por 15 minutos com um representante de vendas da Comcast até lhe dar toda a informação de que ele precisava. Ele respondeu afirmativamente a todas as minhas perguntas, inclusive sobre a questão da necessidade de um cabo de rede, à qual não fez objeção. Depois me informou que seu sistema tinha caído e que voltaria a me ligar mais tarde para concluir a transação. Não ligou.

Era o que se chama de "um sinal".

Dois meses depois, deixando passar em branco essa prefiguração divina, comecei de novo todo o processo. Do meu ponto de vista atual, esse ato me parece de uma imprudência extraordinária, como se eu entrasse com um teco-teco no meio de uma tempestade. Que posso dizer? Achei que o tempo melhoraria. Tragicamente, apertei o cinto de segurança e decolei, em rota de colisão com o destino – ou, pelo menos, com a indiferença épica de uma grande empresa. Os fracos de coração podem pular os 11 parágrafos seguintes. Vamos lá:

Em setembro de 2007, tendo solicitado à minha anterior companhia telefônica que liberasse o número, agendei a instalação do sistema da Comcast para um domingo, entre às 11 e às 14 horas. Às 13 do dia combinado, o instalador ligou para dizer que estava terminando outro serviço e se atrasaria um pouquinho. Na língua dele, "um pouquinho" significava "3 horas e meia". Às 15h15, saí para levar minha filha a um compromisso. Ao que parece, ele chegou em casa às 15h30, não encontrou ninguém e cancelou toda a instalação. É claro que, depois disso, eu liguei para a Comcast pedindo informações. Durante as três ligações que fiz, passei um total de 40 minutos em espera, ao fim dos quais falei com três funcionários diferentes de atendimento ao consumidor, todos os quais prometeram me retornar a ligação. Nenhum deles retornou. Por fim fui informado de que, quando o instalador cancelara o pedido, ele também devolvera o número à firma de telefonia anterior, impedindo que o mesmo fosse instalado numa linha da Comcast. Em outras palavras, eu tinha que começar tudo de novo. Tudo.

Isso já não era um sinal. Era um alarme de ataque antiaéreo me dizendo que corresse para salvar a vida. Mas não. Gosto de terminar aquilo que começo. A instalação foi reagendada para dali a duas semanas. Dito e feito: duas semanas depois, um instalador bateu na porta de casa. A primeira coisa que me disse foi que não podia ligar um segundo computador ao modem por cabo de rede; eu teria de fazer uma outra assinatura. Eu não sabia disso, e, se tivesse sabido na hora de contratar o serviço, não teria me importado. Mas o representante de vendas que recebeu meu pedido não falou nada sobre "um cabo por assinatura", embora eu o tivesse informado de que precisaria de um computador ligado diretamente ao modem por cabo de rede. Pela terceira vez, um mal-entendido prefigurava mais desgraças. Qualquer mortal com a cabeça no lugar teria mandado o instalador embora naquele mesmo instante, mas eu 1) já tinha mandado cancelar o serviço de TV por satélite e 2) sou um imbecil.

O cara entrou e começou a trabalhar – a trabalhar muito. A instalação estava demorando mais do que o previsto, pois, entre outras coisas, ele estava tendo de furar paredes, serviço que não esperava – afinal de contas, quem disse que a profissão dele é instalar cabos nas casas das pessoas?... Mas enfim. Ele disse então que teria de encontrar outro instalador, trabalhando ali perto, para emprestar uma broca. Cinco horas e meia depois, não tinha voltado.

Dos quatro telefones da casa, dois não funcionavam; um televisor também estava fora do ar.

Naturalmente, liguei para meus amigos do serviço de atendimento ao consumidor da Comcast – os mesmos que tinham me deixado 40 minutos na fila de espera havia 15 dias, enquanto se ocupavam de não conseguir encontrar o instalador. Vou insistir só um pouquinho: 40 minutos na fila de espera. Em 40 minutos dá para fazer muita coisa. Dá para ir de carro de Washington a Baltimore, dá para jogar duas partidas de Candyland com seu filho de 6 anos, dá para fritar um bife e assistir a um episódio de *Seinfeld*, dá até para fazer um cateterismo no coração. E dá para ficar de molho na tentativa de falar com a empresa de TV a cabo enquanto sua pressão sanguínea sobe sem parar.

Uma Guerra Santa dos Consumidores

Dessa vez, felizmente, a espera inicial no telefone foi breve. Expliquei as circunstâncias à atendente, que me pediu "um momentinho" para fazer averiguações. Quinze minutos depois, entrou de novo na linha pedindo "mais um momentinho". Então fiquei esperando 32 minutos. Nesse meio-tempo, usei o celular para ligar para o atendimento ao consumidor e pedir para falar com um supervisor. Não me deixaram e me disseram que alguém me retornaria a ligação. Agradeci e voltei à primeira ligação. Depois de "um momentinho" que durou 50 minutos, a atendente entrou de novo na linha para me informar que "um técnico está a caminho". Eu lhe disse que tinha ficado 48 minutos esperando na linha. A resposta: "Duvido." Pedi para falar com um supervisor. Ela disse que o sistema não lhe permitia transferir a ligação e que o supervisor me telefonaria. Ninguém telefonou. Enquanto isso, perdi um compromisso marcado para as 16h30, mas tinha um jantar às 18h30 que não poderia ser cancelado. Às 17h40, o instalador reapareceu e não parecia nem um pouco envergonhado por ter fugido.

Foi então que um milagre aconteceu: ao mesmo tempo em que ele chegou, a Comcast me ligou informando que o instalador havia mentido ao expedidor, dizendo que tinha completado a instalação. Concordamos que tanto eu quanto a empresa éramos vítimas – mas eu mais que ela. Como ele tinha sumido por 4 horas e 10 minutos e só tinha 34 minutos para terminar o serviço, pedi que o restante do trabalho fosse reprogramado para o dia seguinte. Não pedi, exigi – exigi em voz bem alta. Era como se eu estivesse no banco com uma espingarda de cano serrado e a caixa não estivesse me passando o dinheiro com rapidez suficiente. Mas, apesar da minha fúria e de estar quase tendo um ataque, a funcionária não tinha autoridade para atender ao meu pedido. Tudo o que podia fazer era confirmar que o mentiroso tinha voltado à minha casa. A essa altura – embora eu já estivesse com taquicardia, o coração pulando no peito – parei de gritar e comecei a implorar. Perdi a dignidade, mas na hora me pareceu a coisa certa a fazer. "Por favor", gemi. "Por favor, por favor, por favor!" Por fim, a atendente se compadeceu. Esperei por pouco tempo até que uma fulana chamada Carol Webb entrou na linha.

Então, outra surpresa. Ela se tornou a primeira funcionária da Comcast naquele dia de loucura a me pedir desculpas. "Estou pasma com o que lhe aconteceu", disse. Gostei de seus sentimentos, mas a essa altura eu já estava muito além da perplexidade e da mudez. Qual é o contrário de "pasmo"? Digamos que eu estava me sentindo muito... loquaz. Mas não partilhei meus pensamentos com a Sra. Webb. Partilhei-os com *a web*, com a rede mundial.

Foi uma postagem curtinha no meu blog da AdAge.com. Nela, resumi os acontecimentos relatados acima e acrescentei algumas reflexões:

"Será que essa empresa está com tanta vontade de abocanhar uma fatia de mercado de telefonia e banda larga que está disposta a atrapalhar a vida do consumidor, sonegar visitas técnicas, mentir para ele reiteradamente, deixá-lo esperando e depois tratá-lo como se fosse ele que estivesse atrapalhando? Veremos. Estamos na era da Listenomics. Não vamos ficar em silêncio."

Mais notável que o fel destilado nesse texto era seu título, que a meu ver soava bem: "MORTE À COMCAST: em busca de ideias para uma guerra santa do consumidor."

Tem uma coisa que você precisa saber sobre o meu blog na *Ad Age*. Ninguém o lê, ou quase ninguém. Mas, não sei como, as pessoas acabaram lendo essa postagem. E, não sei como, ela tocou num ponto sensível; em 24 horas recebeu 60 comentários, número bem maior que minha média anterior de zero. Alguns comentários desfiavam longas novelas de terror, bem piores do que o que acontecera comigo. Outras eram palavras de incentivo e apoio para uma Guerra Santa contra a Comcast e todos os Cabos Coaxiais do Mal. Outras pessoas, por fim, escreveram oferecendo a ajuda que eu pedira. Num prazo de uma hora, alguém chamou minha atenção para o vídeo, postado no YouTube, de um instalador de cabo dormindo no sofá do cliente enquanto esperava na linha para falar com a própria empresa para a qual trabalhava. E outro comentarista disse o seguinte:

"Uma guerra santa do consumidor é exatamente do que precisamos. Talvez o que se deva fazer é comprar o domínio ComcastMustDie.com [MorteàComcast.com] e criar um blog para que todas as vítimas da Comcast possam contar sua história. Você poderia oferecer um link para o novo site da Guerra Santa contra a Comcast e fazer um comunicado à imprensa para direcionar o tráfego para o site. A raiva e o repúdio ali expressos serão gigantescos."

"Chantagem" é uma Palavra Feia

Hmmm. Usar a rede para galvanizar a raiva e o repúdio dos consumidores. Ideia interessante. Eu sabia, é claro, que isso já tinha sido feito. Em novembro de 2004, um inglês chamado Adrian Melrose comprou um Discovery 3 zero quilômetro. Era um abacaxi de US$ 60 mil. Mas a concessionária e a própria montadora Land Rover não reagiram a contento. Então,

Melrose criou um blog chamado "Descubra a verdade sobre o Land Rover Discovery 3" e levou suas queixas a público. Durante semanas a Land Rover ignorou o blog, enquanto Melrose acumulava centenas e, depois, milhares de comentários solidários e favoráveis. A notoriedade se tornou tão vergonhosa que a montadora enfim resolveu substituir o carro de Melrose – e o carro substituto quebrou imediatamente. Quando estava no conserto, o carro que tinham lhe emprestado também quebrou. Depois, um segundo carro emprestado quebrou – e tudo isso estava sendo relatado no blog.

Por fim resolveram lhe devolver o dinheiro, ocasionando acusações de que ele havia chantageado a empresa. Mas o que ele fez não foi chantagem de forma alguma. Melrose estava somente usando o poder que a era digital lhe deu, de usar seu abacaxi para fazer um bom suco. O que a fabricante do Discovery descobriu é que deve tomar cuidado com aqueles a quem ferra para não terminar ferrada. E o blog não teve vida curta. Até hoje, quando se faz busca pelo modelo Discovery 3 no Google, ele aparece na primeira página – e só Deus sabe o quanto isso custa para a empresa em matéria de perda de consumidores em potencial. Mas o mais incrível é que a marca ainda não tem um fórum on-line para perguntas frequentes e notificações sobre serviço, muito menos para reclamações. Melrose ofereceu transferir seu blog à empresa para esses fins, mas a empresa recusou. Em meados de 2007, ele disse:

> A Land Rover Reino Unido precisa de uma plataforma eficiente para ouvir seus consumidores e cuidar deles. O motivo pelo qual recebo 700 visitas por dia no www.haveyoursay.com, a maioria direcionada pelos sites de busca, é que os consumidores querem, como eu, conversar com uma de suas marcas prediletas, querem ser fiéis à marca, mas estão frustrados porque ninguém lhes dá ouvidos. O único meio de que dispõem para se comunicar com a Land Rover são os Correios Britânicos, mas para eles isso não é suficiente.

Adrian Melrose alcançou a perpetuidade no Google por acidente, mas outra pessoa – num momento que bem pode ter definido a era da Listenomics – fez a mesma coisa de propósito. Isso aconteceu em 21 de junho de 2005, quando o blogueiro Jeff Jarvis, do Buzzmachine.com, finalmente se cansou da Dell, fabricante de computadores.

"Comprei um laptop da Dell que não funcionava", diz ele. Mas esse foi só o começo. O pior foi o modo como a Dell lidou com suas queixas – um modo muito semelhante ao da Comcast. "Excesso de e-mails, excesso de telefonemas, excesso de frustração. Entrei no meu blog e criei uma postagem intitulada 'Dell Lies, Dell Sucks' [A Dell mente, a Dell é uma droga]. Não foi um indício de imaturidade da minha parte; foi uma manobra de otimização dos mecanismos de busca."

Jarvis sabia que seu blog era muito lido e, melhor ainda, tinha muitos links em outros sites. Sabia, portanto, que nos resultados de qualquer busca pelo nome "Dell" a frase "Dell Sucks" [a Dell é uma droga] apareceria com destaque. Aliás, a última linha da postagem dizia: "Enfie isto no Google e acenda um charuto, Dell."

No fim, a alta gerência da Dell interveio – como a da Land Rover e a da Comcast – e Jarvis foi reembolsado, mas isso só aconteceu depois de a situação sair completamente do controle da empresa. A saga foi relatada pelo *Houston Chronicle*, pelo *Guardian* britânico e pela revista *BusinessWeek*, entre outras, que promoveram a fofoca na internet, resultando em maior cobertura da grande imprensa e assim por diante. Em pouco tempo pouco a Dell se tornou a pior e mais infame empresa da face da Terra. Agora, quem digita "Dell sucks" num site de busca obtém mais de 2 milhões de resultados. Um único homem conseguiu detectar um filão profundo de frustração dos consumidores – frustração essa que, na era da internet, pode vir à tona como o petróleo de um poço. Nas palavras de Jarvis: "Se você entrar na rede e puser em qualquer site de busca as palavras '(qualquer marca) é ruim', encontrará a verdadeira opinião dos consumidores." Mas a Dell ignorou a controvérsia por bastante tempo, lapso que lhe custou alto preço em matéria de imagem e, provavelmente, de lucros. Correlação não é causa, mas vale notar que, 17 meses depois da postagem de Jarvis, a empresa perdeu para a HP o primeiro lugar nas vendas de computadores no mundo.

Falar mal

É claro que nem eu nem Jeff Jarvis inventamos a moda de falar mal dos outros on-line. Desde o início a internet é um ninho para a cultura da reclamação. O site de busca em blogs Technorati diz fazer busca em 109 milhões de blogs. Em 27 de outubro de 2007, encontrou 1.232.853 postagens usando a palavra "sucks" ["é uma droga", "é ruim"]. No Blogdigger: 234.448. No BlogPulse: 641.682. E na busca de blogs do Google: 3.264.834.

É coisa ruim que não acaba mais.

Entre elas: Bill O'Reilly, PayPal, a escola, andar de skate, leite, o programa "Survivor", o câncer, o Facebook, todo o mundo, o Garfield (não é parente meu) e até o aspirador de pó Morphy Richards Pod Bagless Compact.

Tirei essas de entre os 50 primeiros resultados. Não posso falar muito acerca dos demais 3.264.784, pois essa choradeira logo se torna tediosa – embora eu não tenha deixado de observar que um blogueiro, que talvez seja o cara mais exigente do mundo, achava o orgasmo ruim. Está na cara que Bill O'Reilly, o PayPal e o Facebook vão achar difícil agradar a essa pessoa. (Aliás, enquanto 3.264.784 blogueiros estavam de saco cheio naquele momento, muitos outros não estavam e também registravam esse fato em seus blogs. O Google contou 525.240 postagens naquele dia com a palavra "awesome" ["maravilhoso"]. Outras 21.734 descreviam "an incredible experience" ["uma experiência incrível"]. E 35.060 diziam que isto ou aquilo era "the coolest thing ever" ["a coisa mais legal do mundo"]. Uma única blogueira, uma estudante universitária chamada Suze Bramlet, usou "a coisa mais legal do mundo" para se referir às sandálias Birckenstock, mas no mais as coisas legais são previsivelmente variadas: o site Librarything.com, o Google Earth, o Google Ride Finder, a pomada BenGay, a rádio Pandora, os vídeos da Coca Diet explodindo com a bala Mentos, o jogo de tênis e o fato de as fêmeas de tubarão terem dois úteros e não terem placenta. Então, se você está deprimido com o que os consumidores pensam de você, anime-se. Basta ser "legal" como uma fêmea de tubarão com dois úteros e sem placenta.)

É claro que os consumidores reclamões sempre existiram. Além dos que têm motivos legítimos para se irritar, sempre houve os descontentes crônicos. Até há pouco tempo, no entanto, o público deles eram o estabelecimento ou empresa que os ofendeu e seus infelizes amigos e familiares. Agora, graças à internet, esse público inclui, potencialmente, todas as pessoas. Por isso, mais ninguém precisa depender do discernimento crítico de gente perspicaz de elite, como eu. As opiniões são como a glândula paratireoide: todos têm. Sejam elas sobre a política, sobre o esporte ou sobre os antissépticos bucais.

> *"O Listerine foi o primeiro antisséptico bucal e continuou essencialmente o mesmo desde quando foi inventado, em 1914, até 1992: tinha gosto de fezes, mas matava os germes da boca", blogou um sujeito chamado Stegmann. "Foi então que se introduziu o Listerine Cool Mint, talvez para fazer frente a um novo antisséptico chamado Scope, doce e enjoativo mas não antisséptico. De lá para cá foram lançados vários novos sabores de Listerine: Citro Natural, Canela... A última variedade é uma tal de Menta e Baunilha. A propaganda diz que ela é 'menos intensa'. Por acaso o seu gosto é bom? Claro, agora mesmo estou bebericando uma taça dela com gelo. Que delícia. Mas venha cá... Não quero que o meu Listerine seja delicioso. Quero que tenha um gosto horrível mas mate os germes, como fazia 100 anos atrás. Hoje em dia todos nós viramos um bando de maricas."*

Que Deus abençoe o sr. Stegmann. Ficamos sabendo que ele não gosta do Listerine de Menta e Baunilha. Mas não é o fato de ele pensar assim que torna sua postagem notável e revolucionária. É o fato de ele ter se dado ao trabalho de comunicar seu pensamento ao mundo, e de pelo menos uma outra pessoa ter se dado ao trabalho de lê-lo. Multiplicando-se isso por um bilhão, tem-se uma ideia de como é o mundo da Listenomics. O número de mecanismos de expressão de opinião é cada vez maior, assim como o número de mecanismos para buscar essas opiniões, algumas das quais são mais argutas e eloquentes que as outras. Dê uma olhada nesta resenha do filme *Um Príncipe em Minha Vida*, publicada por uma usuária do Netflix:

> *O uso impropreo da gramatica me fez pensar que não valia a pena ver o filme, e eu estava certa. O titulo correto não é O Principe e Eu, mas o Principe e Mim. Quando esses caras vão aprender? Se eles não conseguem nem acertar o titulo, para que perder tempo e ver o filme???*

Tudo bem, essa espectadora decepcionada é, por acaso, meio burrinha. Mas para cada fanático por gramática que não consegue acentuar direito as palavras há pelo menos mais uma pessoa que entende a arte da reclamação e consegue cativar o público. A carta a seguir foi enviada à empresa de telecomunicações britânica NTL, queixando-se aliás exatamente da mesma coisa que me deixou furioso em relação à Comcast. A carta é o que os diplomatas chamam de "um intercâmbio franco de ideias", por isso já lhe aviso que a linguagem não é das mais limpas. Também tem umas três páginas, mas não me desculpo por reproduzi-la na íntegra. É um clássico que acabou se tornando viral na internet.

Caros Cretinos.

Sou cliente da NTL desde 9 de julho de 2001, quando assinei o pacote de TV a cabo, modem e telefone. Nos três meses que se passaram conheci uma má qualidade de serviço que até então eu não sabia que existia; encontrei também uma ignorância e uma estupidez de proporções monolíticas. Permitam-me descrever os detalhes específicos, para que vocês possam ou cumprir suas funções profissionais e buscar corrigir essas dificuldades – ou, o que (suspeito) é mais provável, para que tenham algo divertido para ler enquanto matam as horas de trabalho fumando Benson & Hedges e tomando café nesse brejo fedorento que é o escritório de vocês.

Minha primeira instalação foi cancelada sem aviso, pelo que passei um sábado inteiro sentado no meu traseiro gordo esperando a chegada do técnico de vocês. Quando ele não chegou, passei mais 57 minutos ouvindo a irritante música de espera de vocês e a robô de sotaque escocês, ainda mais exasperante, que me aconselhava a consultar o site... COMO, se estou sem a internet? Para aliviar o tédio, cocei meu saco por alguns minutos – atividade que vocês sem dúvida conhecem e na qual são inapelavelmente peritos. A instalação remarcada aconteceu umas duas semanas depois, embora o técnico tenha esquecido de trazer algumas ferramentas essenciais – entre elas, uma broca de furadeira e, mais importante ainda, seu próprio cérebro. Duas semanas depois disso, o modem ainda não tinha chegado.

Depois de 15 telefonemas ao longo de 4 semanas, meu modem chegou... 6 semanas depois do pedido e do início do pagamento. Acho que o tempo que o servidor de internet de vocês não funciona compreende mais ou menos 35% das horas entre às 18 horas e meia-noite de segunda a sexta e a maior parte do fim de semana. Ainda estou esperando o telefone chegar. Fiz 9 ligações de celular para a linha de não atendimento de vocês e fui transferido, sem efeito, para vários indivíduos desinteressados que também parecem especialistas na manipulação do saco.

Fui informado que a linha telefônica está disponível (e que alguém ia me retornar); que a linha telefônica não está disponível (e que alguém ia me retornar); que seria transferido para alguém que saberia informar se a linha telefônica está disponível ou não (e depois a ligação caiu); que seria transferido para alguém (e depois fui transferido para uma máquina que informava que o escritório de vocês estava fechado); que eu seria transferido para alguém e no fim acabava ouvindo a irritante robô escocesa... e muitas outras variações sobre o mesmo tema.

Provavelmente vocês não estão mais lendo esta carta, pois têm pelo menos outros mil clientes insatisfeitos para ignorar, além das sessões inadiáveis de coçação de saco. Francamente, isso pouco me importa, pois é muito mais agradável dar voz às minhas frustrações através da palavra escrita do que gritá-las para a máquina que toca música no telefone de vocês. Perdoem-me, portanto, por seguir em frente.

Eu achava que a British Telecom era uma m***, que ela havia descido ao fundo do poço do relacionamento com o consumidor e que ninguém jamais poderia ser mais negligente, menos solícito e mais incapaz de proporcionar ao cliente o serviço contratado. É por isso que escolhi a NTL – por isso e porque, afinal, não existe nenhuma outra empresa, não é mesmo? Quão grande não foi minha surpresa, portanto, quando descobri, para minha terrível decepção, que vocês não passam de um bando de canalhas catarrentos de reto distendido, incompetentes de primeira ordem.

A British Telecom, apesar de ser uma porcaria, brilha como um farol luminoso diante do pântano imundo e cheio de pus da incapacidade de vocês, que parece não ter limites. Basta dizer que já desisti completamente da tentativa louca e infrutífera de obter algum tipo de serviço por parte de vocês. Sugiro que suspendam todas as potenciais tentativas futuras de extorquir de mim o pagamento pelos serviços que vocês, de modo tão insistente e catastrófico, se negaram a oferecer – toda atividade desse tipo será recebida a princípio com gargalhadas de incredulidade, rapidamente substituídas pelo desprezo e, talvez, pela fúria.

Junto com esta, mando duas pequenas amostras escolhidas a dedo da caixa de areia dos meus gatos, como expressão do meu mais sincero e absoluto des-

prezo por vocês e pela empresa inútil que representam. Espero de todo o meu coração que essas amostras não se ressequem demais durante o envio – estavam satisfatoriamente úmidas na hora da postagem, e eu ficaria decepcionado se vocês não experimentassem seu rico aroma e delicada textura. Entendam- -nas como sinal dos meus verdadeiros sentimentos para com a NTL e seus abjetos funcionários.

Tenham um bom dia – espero que seja o último da vida curta e miserável de vocês, seu bando de [palavrão censurado] irritantes, incompetentes e inúteis. Psicoticamente,

– John.

Cancele a Conta. CANCELE A CONTA.

Pode ser que a empresa de telefonia tenha levado John à loucura, pode ser que não, mas uma coisa é certa: ele era um sujeito solitário e cheio de raiva que encontrou, por acaso, um público maior. Há outras pessoas muito mais organizadas. Percebendo que o apetite dos consumidores por informação e o impulso de expressar opiniões são infinitos, várias empresas resolveram hospedar esse troca-troca. Tanto a Amazon quanto o eBay solicitam aos consumidores que avaliem não só os livros e demais produtos comercializados, mas também os vendedores que operam em seus sites. O Angieslist.com solicita avaliações dos encanadores, eletricistas e outros prestadores de serviços domésticos em residências, e cobra dos membros uma taxa mensal para ter acesso às avaliações. O Yelp.com e o Citysearch.com, sites sustentados pela venda de publicidade, compilam avaliações de restaurantes, lojas e casas noturnas, avaliações feitas pelos membros da comunidade. O ePinions.com faz o mesmo em nível nacional, principalmente no que se refere às marcas norte-americanas. Esses sites têm influência.

Craig Stoll, proprietário do restaurante Delfina e da pizzaria de mesmo nome em San Francisco, constatou que seus estabelecimentos eram muito bem avaliados pelos críticos tradicionais, mas de vez em quando tomavam pauladas no Yelp. Não verificou nenhuma queda de faturamento, mas as críticas abalavam o moral dos funcionários. E pareciam injustas. Por isso, como expressão de desafio e frustração, os funcionários começaram a usar camisetas com citações das resenhas – não das boas, mas das ruins. Por exemplo: "A pizza estava cheeeeia de gordura. Acho que por ter sido feita com banha de porco."

Stoll reconhece que algumas dessas resenhas o ajudaram a identificar problemas no serviço e no menu, mas a incapacidade de controlar a metralhadora giratória o deixa maluco. "Parei de entrar no Yelp há uns dois anos", diz ele. "Não aguento. Aquilo me deixa de mau humor o dia inteiro." Por outro lado, observa com amargura que "outro dia, uma das nossas gerentes estava decidindo onde ia jantar e estava consultando o Yelp".

Estou pulando os detalhes, mas vamos encarar a realidade: hoje em dia, em comparação com o ano jurássico de 2001, as avaliações de consumidores não são mais novidade. Esses mecanismos agora fazem parte da paisagem – a tal ponto que já se tornaram motivo de piada. Em 2006, o *The New York Times* descobriu que centenas de pessoas haviam postado resenhas de uma jarra de leite integral de 4 litros na Amazon.com. Entre os comentários destacados pelo *Times*: "Atribuo quatro estrelas a este leite da Toscana porque sua consistência é um pouco leitosa demais para o meu gosto." Outro aconselhava: "Uma advertência: mesmo quando se congela o leite no formato de um bastão de beisebol, ele não serve para rebater uma bola; meramente se desagrega numa multidão de fragmentos quando encontra a esfera."

Admito que a ânsia por atenção, à maneira de Willy Loman, chega às vezes às raias do absurdo, mas também pode render algumas histórias notáveis. Afinal, o que seria da arte dramática sem o conflito? O embate entre o Homem Comum e as Poderosas Forças do Mal pode ser apaixonante, gostoso de acompanhar e até, às vezes, muito engraçado. É essa a premissa do Consumerist.com, um site de fofocas financiado por anúncios que integra o império bloguístico Gawker. O Consumerist.com foi fundado em 2005 como um fórum para desmascarar produtos e serviços de qualidade duvidosa, seguindo a tradição de perseverança e zombaria da Gawker. Diz o editor Ben Popken: "Em essência, o objetivo é informar, fortalecer e divertir o consumidor." Foi assim que um sujeito chamado Vincent Ferrari se tornou um ícone nacional ao tentar efetuar a simples tarefa de cancelar sua conta da AOL – e gravar o diálogo telefônico. O Consumerist publicou o arquivo de áudio, no qual o funcionário da AOL desfia todo o repertório de tentativas de conservar o cliente até chegar, de modo hilariante, à pura e simples obstrução. Um trecho:

> **AOL:** *Você teve algum problema com o software em si?*
>
> **Vincent:** *Não. Eu simplesmente não uso ele, não preciso dele, não quero mais, não preciso mais dele.*
>
> **AOL:** *Então, quando você usa o computador, é para fazer negócios ou...?*
>
> **Vincent:** *Amigo, que diferença faz? Não quero mais a conta da AOL. Cancele a conta.*
>
> **AOL:** *No mês passado, você usou 545 horas.*
>
> **Vincent:** *Não sei o que falar para deixar isso ainda mais claro, então vou repetir a mesma coisa mais uma vez: cancele a conta.*
>
> **AOL:** *Qual é o problema, cara? Estou tentando lhe ajudar.*
>
> **Vincent:** *Você não está me ajudando. Eu liguei para cancelar a conta. Se quer me ajudar, cancele a conta.*
>
> **AOL:** *Na verdade, isso não vai ajudar você.*
>
> **Vincent:** *Cancele a conta. Cancele a conta. CAN-CE-LE A CON-TA.*

E por aí vai. Em decorrência da fita de Ferrari, a AOL modificou seus procedimentos de intervenção para facilitar o cancelamento para os clientes. Também despediu o empregado, apesar de sua lealdade e dedicação. É isso que acontece quando a proteção ao consumidor se torna um espetáculo.

O Consumerist promoveu outra minicruzada contra o Wal-Mart quando descobriu que a maior rede de supermercados do mundo estava vendendo camisetas com a imagem da caveira e dos ossos que serviam de insígnia para a 3ª divisão da SS nazista, a chamada Divisão Totenkopf, dedicada principalmente à vigilância dos campos de concentração. O tema veio à tona em outro blog, mas o Consumerist lhe deu toda a divulgação possível – mesmo depois que o Wal-Mart prometeu recolher a mercadoria. Isso porque, na verdade, por muito tempo as pessoas continuaram encontrando essas camisetas no Wal-Mart.

"A quantidade de pixels de que dispomos é infinita", diz Ben Popken, "por isso pudemos acompanhar o assunto. Dia 5, dia 27, dia 97 da vigilância sobre o recall de camisetas nazistas. Podemos acompanhar o processo até o dia do Juízo Final." Foi o mesmo que eles fizeram com uma linha de sandálias de dedo do Wal-Mart, que vinham tão saturadas de formol que irritavam os pés dos usuários. A princípio o Wal-Mart negou o problema, mas o site acabou vencendo a loja pelo cansaço.

"Isso equilibra a situação, reforça a posição do consumidor. Hoje em dia, a pessoa comum tem o mesmo poder de uma megaempresa. Os poderes hierárquicos estabelecidos já não têm tanto controle sobre as mensagens veiculadas. Todos têm o mesmo poder de se fazer ouvir. O que determina quem se faz ouvir não é a quantidade de dólares injetados nos meios de comunicação, mas sim o quanto a coisa a ser dita é interessante."

Um outro participante do crescente setor das reclamações eletrônicas é o Complaints.com, cujo público é menor que o do Consumerist, mas que tem uma proposta mais ousada: promete envergonhar explicitamente a empresa de que você não gosta. Para ser mais específico, o site se orgulha de empregar a estratégia de otimização dos mecanismos de busca usada por Jeff Jarvis. Como proclama a página inicial do site: "Muitas vezes, uma única queixa postada no Complaints.com aparece em lugar mais alto nos resultados de busca que a própria página inicial da empresa contra a qual se reclamou."

Engraçado. Era o mesmo plano que eu tinha em relação à Comcast.

Infantilmente, passei a chamá-la de "Qualmcast"*

Mas a AdAge.com/Garfield – também chamada Bobosfera – não é um Buzzmachine. É antes de tudo um veículo que me ajudou a escrever este livro, onde, seguindo os princípios da Listenomics, eu postava alguns trechos aqui e ali para serem avaliados por meus leitores, que tinham liberdade para comentar, corrigir, argumentar e desenvolver. O processo era, em geral, muito produtivo, mas não era um vale-tudo. A página era acessada algumas dezenas ou centenas de vezes por dia, mas não milhares. Isso até que iniciei minha Guerra Santa contra uma empresa de TV a cabo. Foi aí que a situação começou a esquentar.

---

* "Qualm" significa "enjoo de estômago". (N. do T.)

No Capítulo 4, discuti a semeadura (*seeding*), mecanismo pelo qual um conteúdo que você quer tornar viral é apresentado a agentes supostamente amistosos por meio de relações públicas ou de e-mail. A *AdAge* me ajudou, incluindo minha postagem no resumo enviado por e-mail a 175 mil dos cerca de 700 mil usuários inscritos. De repente a postagem obteve 60 comentários, a maioria deles transbordando de ódio à Comcast; e logo outros blogueiros – com destaque para o próprio Jeff Jarvis – me ajudaram a divulgar a campanha. Então, fui levando adiante a Morte à Comcast: Parte II, Parte III etc. Esta foi minha terceira postagem, de 14 de setembro de 2007, com o título "The Fix is In" [O Conserto Chegou]:

> *Maluquice. Depois de ser exposta ao ridículo, ao desprezo e a uma justa medida de ódio, a Qualmcast se alvoroçou para terminar minha instalação abortada e resolver todas as minhas pendências, grandes e pequenas, acerca dos seus serviços. Dois supervisores extraordinariamente simpáticos e solícitos estiveram em minha casa por duas horas inteiras. Recebi quatro ligações do atendimento ao consumidor para saber se meus "problemas" tinham sido resolvidos, e parece que uma mensagem de um vice-presidente da Qualmcast está à minha espera em casa. Não há dúvida de que ela transborda arrependimento. E esse arrependimento é sincero: a Qualmcast está seriamente arrependida de ter maltratado brutalmente a mim, entre todos os seus clientes. Isso porque tenho um público que me acompanha e amigos na blogosfera, entre os quais Jeff Jarvis, que me ajudou a espalhar o episódio aos quatro ventos. Jenni Moyer, diretora sênior de comunicações empresariais da Qualmcast, considerou que a onda de hostilidade precisava ser sustada e divulgou um comunicado à imprensa:*
>
> *"Estamos perplexos diante das experiências divulgadas recentemente por alguns clientes em blogs e outros fóruns. Nos casos em que fomos capazes de identificar os clientes que tiveram interações insatisfatórias com nossos serviços, tomamos medidas para resolver seus problemas. Reconhecemos que não deveria ser necessária uma mobilização do público para obrigar-nos a fornecer um serviço de qualidade, e estamos envidando todos os esforços para garantir que todos os nossos clientes recebam o melhor serviço possível."*
>
> *Razoável. Ela só mentiu na segunda parte da última frase. Os comentários aqui deixados deixam claríssimo que a Qualmcast não está envidando todos*

os esforços para garantir que seus clientes recebam o melhor serviço possível. Está envidando todos os esforços para reduzir custos e ser capaz de competir com as outras empresas de telecomunicações, que também maltratam seus clientes para poder competir com a Qualmcast.

Mas o resto é verdade. Eles tomaram medidas para resolver meus problemas, o que me ajuda mas de modo algum me tranquiliza. Pelo contrário: na qualidade de combatente numa guerra santa, determinado a destruir o sistema corrupto dessa empresa, minha raiva e meu zelo nunca foram tão grandes. Atendimento ao cliente não é lamber as botas das celebridades e deixar todos os outros esperando na fila até o dia de São Nunca. É tratar todos os clientes com dignidade e respeito e investir todos os recursos necessários para que os problemas sejam resolvidos de imediato – para todos. Se essa política se institucionalizasse na cultura da empresa, ela aos poucos deixaria de representar um gasto para se tornar um diferencial inestimável numa determinada categoria de serviços.

Vejam o caso da Nordstrom. Seus custos são mais altos que os da concorrência, mas ela também pode cobrar preços mais altos porque – quem diria? – os clientes gostam de ser tratados como seres humanos.

Por isso, Qualmcast, obrigado por acompanhar o meu caso. Mas não pensem que serei comprado por essa solicitude tardia, pois esta história ainda está longe de terminar. E só mais um detalhe: meus malditos telefones ainda não estão funcionando.

Era verdade. A Comcast de fato havia colocado todo o seu time em campo para resolver meu problema. Pouco depois dessa postagem, 5 furgões da empresa ficaram estacionados ao lado da caixa de distribuição mais próxima da minha casa por cerca de 18 horas. (E agora meus serviços de telefone, TV a cabo e banda larga estão ótimos, muito obrigado.) Mas isso também não me tranquilizou. Como você vê, só me deixou com mais raiva. A súbita atenção que me dedicaram dava a entender que minha guerra santa era mera chantagem, uma tentativa de extorsão para tentar fazer com que resolvessem o problema dos meus telefones. Mas não era nada disso. A Morte à Comcast era uma tentativa de extorsão para tentar fazer com que eles resolvessem os problemas dos telefones de *todo o mundo.*

As coisas estavam caminhando muito bem. A Morte à Comcast chamava a atenção de blogueiros e leitores de blogs e o tráfego de comentários na Bobosfera aumentava a olhos vistos. Foi então que aconteceram três golpes de sorte quase simultâneos. Você se lembra que, no primeiro dia, alguém sugeriu que eu reservasse o domínio Comcastmustdie.com. No quarto dia, um outro sujeito fez exatamente isso. O nome dele é Bart Wilson e ele, fundador de uma empresa chamada Voyager International em Santa Fé, Novo México, também estava de saco cheio da Comcast. Só me restava encontrar alguém que efetivamente criasse o site e o blog anexo. Tudo bem. Eu já havia lidado com a Comcast e tinha aprendido a implorar. Bart gentilmente topou cuidar da parte técnica e, duas semanas depois do início da minha guerra santa, o site Comcastmustdie.com entrou no ar com o seguinte manifesto:

Na verdade, não desejo a morte da Comcast nem de nenhuma outra corporação gigantesca, mentirosa, gananciosa e arrogante. Desejo apenas que essas empresas mudem seu modo de agir. Este site oferece uma oportunidade para que você extravase suas queixas (em linguagem educada, por favor) e para que a Comcast preste atenção.

Aconselho você a incluir seu número do cliente na postagem; com isso, a Comcast terá a oportunidade de entrar em contato e resolver seu problema. Se isso efetivamente acontecer, espero que você poste uma atualização do comentário, reconhecendo o mérito da empresa se ele for merecido. Enquanto isso, saiba que você pode ser alvo de pessoas mal-intencionadas tentando obter seus dados pessoais on-line. NÃO RESPONDA A NENHUM E-MAIL QUE PAREÇA TER SIDO MANDADO PELA COMCAST. Só trate com eles pelo telefone.

Parabéns. Você já não é um cliente espezinhado, raivoso e solitário. E espero que não seja apenas mais um a fazer parte de um linchamento on-line. Você é um revolucionário que arranca o poder das mãos das oligarquias e o transfere para o consumidor. Seu poder é enorme. Use-o com sabedoria.

Nas primeiras 24 horas houve 70 comentários. Na primeira semana, foram 200 – não visitas ao site nem impressões de página, mas comentários: gente que se deu ao trabalho de passar do mouse ao teclado e registrar seus pensamentos, a maioria dos quais, como era de se esperar, condenavam a Comcast. Alguns foram até postados por funcionários da empresa, tão infelizes em seu local de trabalho quanto nós, clientes, éramos do outro lado dos cabos. Outros funcionários defenderam a empresa, às vezes ridicularizando os clientes menos educados e/ou mais hostis. Até alguns executivos de relações públicas da Comcast postaram comentários oficiais, declarando-se sensíveis às queixas dos clientes e profundamente dedicados a robustecer ainda mais os seus esforços. Essas afirmações foram recebidas com certo ceticismo e até com palavras de baixo calão por parte dos outros comentaristas.

O estranho é que eu sabia que essa alegação era parcialmente verdadeira. Isso porque, no comecinho do meu pesadelo com a Comcast, recebi um telefonema de uma jovem chamada Michelle que parecia estar fazendo uma pesquisa aleatória de satisfação do cliente com a instalação "Comcast Triple Play".

"Numa escala de 0 a 10", perguntou, "sendo 10 o melhor, que nota você daria para o nosso serviço?"

"Zero", respondi. Houve um longo silêncio.

"Você pode me dizer qual foi o problema?", prosseguiu. Expliquei. Ela se desculpou e se ofereceu para transferir a ligação para alguém capaz de me ajudar. Por que não? Fiquei curioso de saber se o acompanhamento de rotina produziria algum resultado.

"Aguarde um momento", explicou ela. "A linha vai ficar em silêncio um instantinho."

"Tudo bem." Seguiram-se 20 segundos de silêncio e depois um sinal de ocupado. A Comcast, aparentemente por simples incompetência, desligou o telefone na minha cara.

A Velhinha do Martelo

Perguntei-me se não haveria aí mais um sinal mandando-me desistir enquanto estava ganhando. Mas então aconteceu o segundo golpe de sorte, uma notícia tão deliciosa e inesperada que, quando a ouvi, suspendi temporariamente meu ar de sangue-frio e gargalhei como um maníaco enquanto improvisava uma dança de roda. Refiro-me, é claro, à conduta criminosa de uma certa Mona Shaw. Em 17 de agosto de 2007, depois de passar 4 dias sujeita a uma típica sequência de maus-tratos e abusos por parte da Comcast, a sra. Shaw se sentou num banquinho do lado de fora de um centro de atendimento ao cliente num subúrbio qualquer da Virgínia. Haviam-na mandado se sentar ali para esperar o gerente, que viria falar com ela. Depois de ela passar duas horas sob o sol abrasador, alguém veio lhe dizer que o gerente havia ido embora e só voltaria na segunda-feira. Isso a irritou.

"Acho que a grandeza subiu à cabeça deles", me disse ela algum tempo depois. "Eles se achavam imunes a todos e pensavam que podiam fazer o que bem entendiam."

Esse desrespeito, somado a todos os outros sofridos na semana anterior, a aborreceu durante todo o fim de semana. No dia 20 de agosto, ela voltou ao centro de atendimento acompanhada pelo marido e por um instrumento que haveria de garantir, segundo depois afirmou, que ninguém a deixasse esperando. O instrumento era um martelo. Ela o usou para pulverizar um computador e dois telefones, quando então comentou com certo azedume: "Será que agora consegui chamar a atenção de vocês?" Conseguiu, sem dúvida. Mas ela já sabia disso. O ataque premeditado não foi cometido por ódio à eletrônica de consumo, mas por uma ira santa baseada na teoria de que, como ela disse, "já que meu telefone não funciona, vou quebrar o de vocês". A teoria jurídica da polícia era um pouquinho diferente, e a sra. Shaw foi presa imediatamente. Com rapidez igualmente grande, as algemas foram removidas para que ela pudesse ser atendida numa ambulância. A sra. Shaw sofria do coração e, depois do incidente, sua pressão sanguínea subiu descontroladamente.

Não admira. Ela tinha 75 anos.

Mona tornou-se, assim, a Barbara Fritchie* da telecomunicação a cabo. Parafraseando o poema de John Greenleaf Whittier: "Batam, se quiserem, nesta cabeça grisalha, mas consertem meu maldito telefone!"

De repente ela estava na capa do *Washington Post*, no *Good Morning America* e em todos os meios de comunicação do mundo. As pessoas lhe

---

* Barbara Fritchie é uma personagem histórica dos Estados Unidos que, segundo se conta, foi morta aos 95 anos de idade durante a Guerra Civil americana por agitar a bandeira do Norte diante de um exército de tropas do Sul. (N. do T.)

enviavam dinheiro para pagar a multa (ela doou tudo à SPCA – Sociedade da Prevenção de Crueldade Contra os Animais). Ela recebeu três martelos pelo correio. E todos os meios de comunicação que falavam sobre Mona Shaw falavam também sobre o Comcastmustdie.com. Como eu disse: um golpe de sorte. No dia 1º de novembro já havia mais de 900 comentários no site, entre os quais muitas histórias de horror, algumas confissões de culpa de empregados da empresa e uns poucos textos padronizados de relações públicas falando o quanto a empresa fazia em prol de seus 25 milhões de clientes e todo aquele blá-blá-blá. Com efeito, presa entre Mona Shaw e o Comcastmustdie.com, a empresa se viu respondendo a muitos interrogatórios da imprensa – mas poucas respostas foram tão desonestas quanto aquela dada a um colega da *Ad Age*.

"Lidamos do mesmo modo com todas as interações, independentemente do blog do Bob ou de qualquer outro blog", disse Jeniffer Khoury, porta-voz da Comcast. "Bob não queria um tratamento especial e não foi tratado de maneira especial." Entendi: sempre que alguém tem um problema, eles mandam 5 carros de serviços e 5 vice-presidentes telefonam para a pessoa.

Depois veio o golpe de sorte número 3. Numa frenética série de desastres de relações públicas ocorridos no prazo de duas semanas, a empresa praticamente se posicionou de livre e espontânea vontade como alvo dos clientes, das agências reguladoras e dos banqueiros – primeiro tratando mal a Velhinha do Martelo, depois tentando impedir os usuários de usar o software de compartilhamento de arquivos BitTorrent, depois impedindo que os principais jogos do campeonato de futebol americano fossem transmitidos para o Meio Oeste e, por fim, tirando a MSNBC to pacote básico de TV a cabo no Oregon. É claro que cada uma dessas manifestações de insensibilidade e arrogância alimentava o tráfego no site. Mas, desse tráfego, a melhor parte foi a presença da própria Comcast. Não "independentemente do blog", mas dependendo totalmente dele, a empresa estava lendo todas e cada uma das reclamações e, como eu havia proposto, estava tentando resolvê-las da melhor forma possível. por exemplo:

Atualização da minha postagem de 12 de outubro às 9h49... Este site é fantástico. Logo depois de fazer minha postagem, recebi três telefonemas da Comcast: (1) de um sujeito chamado Mark, da direção, que deixou seu número e disse que eu seria contatado por alguém do escritório local; (2) de Gwen, do escritório local dizendo quem estaria encarregado do meu caso; por fim, (3) de Rebecca, que estava cuidando do meu caso. Depois de mais alguns telefonemas (não por culpa da Comcast, mas porque eu estava com problemas de agenda), consegui hoje falar com a Rebecca, que analisou minha fatura, corrigiu todas as cobranças e me passou meu saldo mensal. Também incorporou os créditos que restavam das cobranças excessivas passadas e ligou para dizer qual era a minha nova tarifa, para que eu não pagasse a mais.

Houve diversos comentários desse tipo, confirmando minha tese de que uma entidade de fora estava fazendo pela Comcast o que a própria Comcast já deveria estar fazendo há muito tempo. E também é isso que Jeff Jarvis, da Buzzmachine, estava *dizendo* desde o começo: "As pessoas estão conversando abertamente sobre a sua marca. Você pode entrar na conversa ou ficar de fora dela." Será que a Comcast estava dando seus primeiros passos rumo à redenção? Outras empresas fizeram isso.

Pense na General Motors, que durante décadas foi a própria quintessência da arrogância empresarial mas de repente se mostrou mais ponderada. Bob Lutz, então vice-*chairman*, hospeda agora um blog cheio de comentários deixados por gente que odeia os produtos da GM e fala isso em voz alta e clara – além de falar outras coisas, como acusar a empresa de participar de uma conspiração mundial para suprimir a tecnologia do carro movido a eletricidade:

O veículo "Volt" da GM, um elétrico híbrido, é a última tentativa das montadoras tradicionais de desinformar o público acerca da viabilidade dos carros elétricos e híbridos. A maioria dos meios de comunicação fez reportagens reproduzindo a propaganda da GM, que diz que a tecnologia da bateria ainda não está pronta e será muito cara. Todos esses meios de comunicação citaram especificamente a autonomia de meros 70 quilômetros do Volt quando usa somente o motor elétrico. Também essa é uma tentativa da GM de implantar na mente do público a ideia de que os carros elétricos e híbridos só podem rodar 70 km. A verdade é que a bateria pesada NiMh, extremamente confiável, foi projetada por Stanford Ovshinsky há 10 anos, comprada pela GM e vendida à Chevron, que agora mantém a tecnologia escondida e se recusa a vendê-la às pequenas montadoras de carros elétricos...

Por que se expor ao fogo dessa metralhadora giratória? Porque ele já está estourando ao seu redor de qualquer modo. Lutz acreditava que é melhor a conversa ocorrer em seu próprio território do que pelas suas costas: melhor para colher úteis ideias sobre sua marca e seus produtos; melhor para ser capaz de influenciar as percepções em vez de se colocar na posição de um observador impotente.

(Sem dúvida, o mesmo raciocínio determinou o modo como a GM lidou com o fiasco dos anúncios feitos pelos consumidores. Numa determinada promoção, ela forneceu elementos de vídeo e áudio para um comercial do utilitário Chevy Tahoe e pediu que os consumidores montassem e enfeitassem esses elementos, fazendo um spot de 30 segundos. Os consumidores fizeram exatamente isso – e encheram o site do concurso, bem como o YouTube, de infinitas repetições de uma mesma ideia: a Tahoe, bebedora contumaz de gasolina, era uma ameaça grotesca contra a ecologia da Terra. É motivo de glória eterna para a empresa o fato de ela não ter tirado do ar esses anúncios – baseando-se na teoria correta de que hospedar uma conversa, mesmo antagônica, é maior garantia de boa vontade do que a canhestra censura empresarial.)

É verdade: milagrosamente, às vezes os olhos das corporações se abrem.

O Blog da Dell

Se você conversasse hoje com Jeff Jarvis, por exemplo, ele lhe diria que, apesar de tudo o que você leu na rede, a Dell não é uma droga. Com efeito, dois anos depois daquele episódio, ele disse a seus leitores que sua anterior desafeta fora "da pior à melhor".

A Dell conseguiu essa façanha atacando o *status quo* por meio da Web 2.0. Tudo começou com um blog da empresa, o Direct2Dell, que convidava os visitantes a dar sua opinião sobre todos os assuntos – inclusive sobre o quanto a empresa era uma droga. Isso veio a calhar quando as baterias dos notebooks da Dell começaram a pegar fogo sozinhas. E assim a empresa também tomou ciência, com detalhes de gelar o sangue, de o quanto a sua infraestrutura de atendimento ao consumidor era ineficiente. Centrando-se numa análise de custo (aparente), os gerentes contratavam *call centers* muito distantes e davam a pouquíssimos empregados a autoridade para sair do roteiro e efetivamente resolver o problema do cliente. O custo real do sistema se revelou quando Jeff Jarvis perdeu a paciência e a Dell perdeu uma fatia do mercado. Acabou perdendo também valor de mercado: admito que correlação não é prova, mas, no ano seguinte, o preço das ações da Dell caiu pela metade. Uma empresa pode ignorar os resultados do Google, mas não pode ignorar Wall Street.

A grande mudança culminou na IdeaStorm.com, um fórum on-line que centraliza as sugestões e interações dos consumidores acerca de qualquer coisa relacionada à computação. É em parte um fórum de reclamações, em parte caixa de sugestões, em parte fórum de pesquisa e em parte rede social. Acabou transformando a cultura da empresa, que deixou de cortar custos cegamente e passou a alimentar o diálogo. É claro que é impossível conhecer as motivações reais de qualquer entidade, mas o colosso recalcitrante parece sinceramente convertido. Nas palavras do ex-diretor de marketing Mark Jarvis (que não é parente de Jeff), as coisas mudaram: "Radicalmente, na minha opinião. A grande revelação para nós foi que os clientes queriam interagir conosco. Isso mudou nossa organização de suporte e atendimento. Mudou nosso esquema de desenvolvimento de produtos. Mudou de cabo a rabo o marketing da empresa.... O marketing tradicional não funciona mais. Atualmente, o veículo de marketing mais importante é o próprio consumidor. Na Dell, as coisas viraram de ponta-cabeça."

E o próprio Jeff tem certeza de que a Dell está nisso a sério: "Repare que a empresa está seguindo as sugestões dos clientes. A pedido dos mais geeks dos geeks em computação, ela está vendendo computadores equipados com Linux e está diminuindo a quantidade de programas inúteis que congestiona as máquinas novas. Michael Dell reconhece que as sugestões dos clientes podem não trazer resultados econômicos diretos, mas devem ser experimentadas. Dell até fala sobre a colaboração com os clientes. Ele me disse: 'Tenho certeza de que há muitas coisas que eu não consigo sequer imaginar, mas que nossos clientes imaginam. Uma empresa desse tamanho não pode depender das ideias de meia dúzia de pessoas. Tem de aproveitar o poder das ideias de milhões.'"

Amigos Mal Situados

Em 8 de novembro de 2007, este comentário apareceu no Comcastmustdie.com: "Trabalho para a Comcast. Desculpe, Bob, mas você saiu do radar." Talvez fosse verdade. Depois da explosão inicial de atividade, o número de comentários havia diminuído. Talvez a Comcast acreditasse que o fator novidade tivesse acabado, mas havia algumas coisas que ela não sabia.

Em primeiro lugar, a insurreição pela internet não é uma novidade; já é um fato da vida comercial. Em segundo lugar, eu ainda não havia terminado. Àquela altura, estava planejando um evento que, se meus planos dessem certo, exporia ainda mais a empresa à ira dos consumidores. E por fim, como observei no início do capítulo, eu sou rápido para me irritar mas lento para me desencorajar. Aquela não era a primeira cruzada que eu promovia através dos meios de comunicação. Muito tempo atrás, no primeiro mandato de Bill Clinton, tentei levar meus filhos para jogar boliche num sábado à tarde e descobri que todas as pistas de boliche da região estavam ocupadas pelos jogos da liga. Isso me aborreceu, pois eu sabia que havia uma excelente pista de boliche entregue às moscas a meros 30 km da minha casa, nos arredores da cidade de Washington. Foi então que decidi levar meus filhos para jogar ali.

A ideia era quixotesca, pois a pista em questão estava situada na Casa Branca e era destinada ao uso exclusivo da família presidencial e de seus amigos. E eu não conhecia os Clinton – ou, pelo menos, eles não me conheciam. Comecei então a telefonar para amigos, conhecidos, conhecidos de conhecidos e toda e qualquer pessoa que, na minha opinião, estivesse próxima das entranhas do poder – desde a minha deputada federal a James Carville e até o presidente da Federação Norte-Americana de Boliche, passando por Ralph Nader – a fim de conseguir um convite. Fiz isso para o programa *All Things Considered*, da NPR, uma espécie de comentário sobre os efeitos da influência política em Washington. Na verdade, esse esforço foi o inverso do que aconteceu no Comcastmustdie.

com. Este último procurava obter influência não pelas relações políticas, mas pelas relações digitais: não por ter alguns amigos bem situados, mas por ter um número imenso de amigos mal situados.

Mas vou lhe contar uma coisa. A cruzada do boliche deveria ter durado o verão inteiro, mas eu e minha família obtivemos acesso à pista presidencial em meras duas semanas. Foi divertidíssimo. Acho que, quanto a me aproveitar dos benefícios e da arrogância do poder, eu quase cheguei ao nível de Richard Nixon. Isso me levou a pensar no que eu faria se estivesse no lugar da Comcast. E decidi: se eu fosse eles, colocaria os clientes raivosos de volta no meu radar.

Morte à Comcast: o Podcast

A primeira coisa foi o *jingle*.

Ora, todo o mundo que é importante tem uma música-tema. A cerveja Budweiser, o seriado *Família Soprano*, o presidente da república... Então, pedi no site que os interessados me mandassem uma música em qualquer estilo, desde que passasse a mensagem correta: "morte à Comcast". Não obtivemos uma, mas duas contribuições excepcionalmente brilhantes: uma de um sujeito chamado James Cobbins e outra de um camarada denominado Shawn Who (ambos os *jingles* podem ser ouvidos ou baixados no Comcastmustdie.com). A versão de James é um rock pesado com acordes distorcidos de guitarra, sintetizador e bateria:

Morte à Comcast! Por muitos motivos.
Ela é irritante. Me deixa esperando.
Estão me matando, brincando comigo.
E onde vou parar? Morte à Comcast!
Só me resta chorar. Morte à Comcast!
Ela é mentirosa e eu estou roubado.
Morte à Comcast! Morte à Comcast! Morte à Comcast!
MORTE À COMCAST!

Eu concordo, não é uma melodia para se cantarolar, mas tem ritmo e ninguém pode questionar o sentimento que a anima. Enquanto isso,

Shawn Who e o produtor Antisoc misturaram os estilos techno e hip-hop para dar ao tema uma abordagem ainda mais percussiva:

A Comcast afirma
Com muita fineza
Que é mais beleza
Que qualquer outra firma.
Quem é o culpado
Quando eles adiam
E você perde o dia
Inteiro parado?

Quando chegam pra arrumar
O técnico dorme no sofá
Dizem que o serviço é "de primeira"
Mas eu digo: "brincadeira"!
Vamos fazer barulho
A Comcast é um bagulho!

E o consumidor suspira: Morte à Comcast!
É a mãe da mentira: Morte à Comcast!
Somos a pedra no sapato: Morte à Comcast!
Não vamos deixar barato: Morte à Comcast!

E o consumidor suspira: Morte à Comcast!
É a mãe da mentira: Morte à Comcast!
Somos a pedra no sapato: Morte à Comcast!
Não vamos deixar barato: Morte à Comcast!

Digo somente que a transcrição não faz justiça a essas músicas. Mas, de qualquer modo, o objetivo não era a mera diversão. Afinal de contas, seria bobagem produzir um podcast de uma hora sem um bom fundo musical. Isso mesmo: o *Podcast da Morte à Comcast*.

Boa ideia, não? Em tese, talvez. O PDMAC foi projetado como um evento ao vivo, transmitido on-line por streaming e depois disponível para download como podcast. Foi o primeiro do gênero: um programa de entrevistas de uma hora, que receberia telefonemas, todinho dedicado à ideia de que os clientes da Comcast estavam loucos da vida e não levariam mais desaforo para casa. Convidei 4 pessoas: o blogueiro Jeff Jarvis, Mona Shaw (a Velhinha do Martelo), o comediante Harry Shearer e o advogado Ralph Nader, cada um dos quais seria responsável por uma parte do programa. Mona falou sobre o episódio do martelo; Jeff, sobre a capacidade da internet de galvanizar a raiva e o apoio do público; Harry, sobre suas frustrações diante dos monopólios sem alma; e Ralph, sobre suas técnicas de combate aos dragões empresariais.

Não criei o PDMAC somente para fazer uma coisa nova. Tinha algumas metas específicas: 1) oferecer mais uma plataforma para que as vítimas da Comcast desopilassem o fígado; 2) elaborar uma lista de pessoas que se registrassem no site para contatá-las depois, quando fosse necessário; 3) demonstrar que o Comcastmustdie.com não era um simples site de ódio; e 4) chamar a atenção dos blogueiros e dos meios de comunicação tradicionais, cujo buzz atrairia mais gente para o site.

Digamos que o sucesso do evento foi parcial. A conversa foi ótima (você também pode ouvi-la ou baixá-la no Comcastmustdie.com), mas a transmissão ao vivo foi um fiasco. Muitos que se conectaram só ouviam ruídos de distorção, e muitos outros que telefonaram para o estúdio situado em Santa Fé, Novo México – onde uma tempestade de neve estava fazendo gato e sapato dos serviços telefônicos – só ouviam o sinal de ocupado. Infelizmente, a ironia da minha incapacidade de fazer a tecnologia funcionar não foi poupada pela publicação *Multichannel News*, que divulgou a seguinte nota na rede: "Os responsáveis pelo site 'Morte à Comcast' transmitiram um primeiro podcast no dia 11 de dezembro com o objetivo de dar aos assinantes um novo veículo em sua estratégia de receber um atendimento melhor, mas por sorte o organizador Bob Garfield chamou alguns convidados. Só dois clientes telefonaram ao longo de todo o podcast, que durou uma hora." Alguns funcionários da Comcast, felizes da vida, postaram comentários no meu site onde diziam coisas como "kkkkkkkkkkkkkk!" Eis um dos mais educados:

Sou funcionário da Comcast e ADOREI o fato de você ter tido problemas com seu sistema telefônico. Não estou dizendo que a firma para a qual trabalho não pode melhorar em alguns aspectos – muitos dos quais foram levantados aqui mesmo neste fórum – mas talvez agora você comece a perceber como é difícil administrar uma rede GIGANTESCA que tem de atender às necessidades de centenas de milhares de clientes. Suponhamos que uma pessoa telefone e não consiga falar no seu programa, e que essa pessoa faça um blog. A culpa foi sua? Não, mas vai recair sobre você mesmo assim.

Tudo bem, entendi. Mas eu não estava cobrando pelos meus serviços nem tinha a meu dispor uma estrutura multibilionária. Pelo contrário, tudo tinha sido organizado por mim e por Bart Wilson em nosso tempo livre. Além disso, eu de fato alcancei minhas metas principais. Graças, em parte, à publicidade que rodeou o evento – especialmente uma reportagem no *USA Today* –, o tráfego no Comcastmustdie.com aumentou e, se eu tinha saído do radar da Comcast, logo voltei a aparecer nele. Se, naquela época, você fizesse uma busca por "Comcast must die" ou outra expressão semelhante, encontrava entre os resultados uma propaganda da empresa onde exaltava seu sistema de atendimento ao consumidor.

Os Cinco Estágios

Isso me consolou. Afinal, eu tinha gasto alguns milhares de dólares do meu próprio bolso para bancar o site e o podcast; foi muito bom saber que a Comcast provavelmente estava tendo que gastar um pouco mais do que isso. Mas eu ainda não tinha terminado. No começo, Jeff Jarvis tinha me dito uma coisa à qual, na época, eu não prestara atenção. Já que eu, supostamente, sou um especialista na ciência e na arte da propaganda televisiva, não deveria elaborar um spot de televisão questionando a Comcast?

A sugestão era interessante, mas também me pareceu pouco prática. Um spot de 30 segundos custa caro, leva tempo para fazer e, de modo geral, pode atrapalhar a vida de quem tem dois empregos, um livro para escrever e uma guerra santa do consumidor para heroicamente comandar. Mas a ideia não saía da minha cabeça. Fazia 25 anos que eu ganhava a vida criticando anúncios e, muitas vezes, argumentando ferozmente contra gastos injustificados e toda vistosidade inútil. Eu deveria ser capaz de inventar algo que não só promovesse o site como também demonstrasse que o segredo de um bom spot de vídeo não está na quantidade de dinheiro investida. E assim, com minha própria voz violentamente crítica ressoando na cabeça, e apesar do meu ceticismo diante da Publicidade Gerada pelo Consumidor (ver o Capítulo 9, "Adeus, Madison"), concebi uma ideia.

A ideia era mostrar uma mulher no telefone em diversos estágios de colapso emocional. Numa cena, ela grita; em outra, implora; em outra, reza – e assim por diante, cada cena fundindo-se na seguinte. O fundamento de tudo eram as teses de Elizabeth Kübler-Ross, mas, em vez de mostrar os estágios do sofrimento, eu mostraria os estágios da irritação causada pelo atendimento ao consumidor da Comcast. Enviei o projeto ao meu irmão David, que elabora vídeos biográficos humorísticos para quem está fazendo aniversário, comemorando o aniversário de casamento, partindo para a aposentadoria e assim por diante. Em dois dias ele aperfeiçoou, filmou e editou "Os Cinco Estágios", que dramatizava a angústia associada ao ato de tentar chamar a Comcast para consertar o serviço de TV a cabo. David acrescentou no fim um toquezinho diabólico – a atriz Olga Rosin faz uma cara de anjo fatal e gotas de sangue pingam do logotipo do Comcastmustdie. É um trabalho de alta qualidade (eu lhe teria atribuído três estrelas de um total de quatro na minha coluna da *AdReview*, mas os usuários do YouTube lhe deram quatro estrelas e meia de um total de cinco). Ele não só refletia com brilhantismo a experiência de quem tenta falar com a Comcast como também chamou a atenção da mídia. O Comcastmustdie.com já havia sido mencionado em dezenas de reportagens, inclusive numa reportagem de capa que a *BusinessWeek* publicara sobre os "consumidores justiceiros". Mas cinco dias depois da divulgação de "Os Cinco Estágios", a ABC abriu o programa *Nightline* com uma reportagem sobre a minha guerra santa. Isso foi mencionado em centenas de blogs e alimentou forte tráfego para o site.

O total não é necessariamente extraordinário. Desde 11 de março de 2008, quando começamos a contagem, o site tem atraído, em média, 400 visitantes diferentes por dia. O extraordinário é que milhares deles escreveram comentários detalhados acerca dos seus pesadelos pessoais com a Comcast, alguns dos quais são histórias de terror de realmente gelar o sangue. Mais extraordinário ainda é que centenas deles seguiram o meu conselho e postaram, nos comentários, o número de suas contas na Comcast. E o mais extraordinário de tudo é que a Comcast, até onde sei, atendeu às reclamações de cada um deles, geralmente em não mais que 24 horas. Longe de deixar o Comcastmustdie.com sair do seu radar, eles o incorporaram à sua infraestrutura de Listenomics, na medida em que ela existe. Eis um comentário deixado por um usuário do site que já havia feito um primeiro comentário de reclamação:

> *Meu nome é Jonathan e moro em East Petersburg, Filadélfia. Fiz uma postagem neste site relatando alguns problemas que tive com a Comcast e uma semana depois fui contatado pelo serviço de atendimento ao consumidor da empresa. Estou contente por poder dizer que, no dia seguinte ao do telefonema, um supervisor técnico me visitou em casa e resolveu perfeitamente o meu problema! De lá para cá, tudo está funcionando como deveria. Digo a todos que este site funciona! Eu sou a prova viva. Obrigado a este site por nos dar a oportunidade de desabafar e obrigado à Comcast por finalmente me ouvir!*

Pois é! Obrigado à Comcast por ser tão inepta e incompetente que se rebaixou a ponto de usar um site chamado Morte à Comcast como último recurso para atender aos seus clientes! Obrigado à Comcast por submeter-se à humilhação abjeta de destacar funcionários para monitorar a terapia do grito primal de seus piores inimigos! E obrigado por lidar com seus graves problemas de imagem não mediante a melhora dos serviços, mas pelo ato de localizar e resolver os piores casos publicados na rede! E não somente os publicados no Comcastmustdie.com. No segundo semestre de 2008, os usuários do Twitter que mandaram mensagens a seus "seguidores" falando mal da Comcast se surpreenderam ao receber resposta de um gerente de comunicação com o consumidor da Comcast chamado Frank Eliason, que se pôs à disposição para resolver os problemas. Certas pessoas tiveram medo disso em razão da invasão de privacidade, mas a maioria estava disposta a aplaudir o esforço da Comcast. Eu também estava.

Exatamente um ano depois do lançamento do Comcastmustdie.com, tanto o *The New York Times* quanto o *Washington Post* deixaram claro que a Comcast não estava se limitando a resolver os piores casos. No decurso daquele ano, a cultura da empresa entrou numa nova fase, às vezes atendendo explicitamente às exigências do Comcastmustdie.com:

1) O vice-presidente Rick Germano, nomeado superintendente de qualidade, recebeu a incumbência de acompanhar todas as questões de atendimento ao consumidor e construir uma infraestrutura para prevenir e resolver problemas nesse departamento. A equipe de Frank Eliason é apenas uma parte dessa infraestrutura.
2) Uma equipe de funcionários foi destacada para esquadrinhar a internet em busca de sinais de problemas e descontentamento.
3) Foram criados mecanismos de comunicação instantânea entre os atendentes do call center e os funcionários de instalação e reparos.
4) Os funcionários da linha de frente passaram a ser incentivados a prezar mais a qualidade que a "produtividade", ou seja, a tentar resolver o problema do cliente em vez de partir para o próximo conserto antes de terminar o atual.
5) A empresa decidiu abrir ("no prazo de um ano", segundo Germano) um equivalente do Comcastmustdie.com em seu próprio site, em vez de depender de terceiros para ter acesso às críticas, à frustração e às sugestões de seus clientes.

"Nós entendemos", me disse a porta-voz Jenni Moyer. "E não só entendemos como estamos indo além de simplesmente ouvir. Estamos mudando nosso jeito de fazer as coisas, deixando de ser reativos e começando a ser proativos." Para minha surpresa e infinita satisfação, ninguém ali estava afirmando que a mudança estava feita ou quase feita. Em agosto, de 2008, Germano usou um eufemismo para retratar a situação: "Ela tem um lado positivo para nós." Mesmo assim, a promessa de construir um mecanismo on-line para receber os mais raivosos comentários de clientes insatisfeitos é impressionante. Seria impensável pouco tempo atrás. Do ponto de vista de Germano, o Comcastmustdie.com foi uma faca de dois gumes. Sob certo aspecto, diz ele, "gostaria que nunca tivesse acontecido". Mas reconhece que fez parte de "um chamado maior para despertarmos". Perguntei-lhe quando é que ele iria "pedir arrego".

"Bob", respondeu, "estou pedindo arrego agora."

Humilhação Pública: a Franquia

E assim, terminado o meu trabalho, cavalguei heroicamente para o pôr do sol, legando o site a Bart Wilson de Santa Fé e saindo à procura de outros dragões para matar, outros moinhos de vento para atacar à lança, outros sitiantes para defender contra os fora da lei e os corruptos donos de ferrovias.

Tudo bem, não foi isso que eu fiz. Na verdade, me estirei no sofá com uma tigela cheia de pretzels e meia dúzia de cervejas para ver como andava o campeonato nacional de beisebol. Mas, antes de retomar minha vida de ócio e consumo de carboidratos, eu tinha uma última coisa a fazer: expandir o Comcastmustdie.com – sob o novo nome de Customer-Circus.com – para fornecer ajuda on-line aos pobres e oprimidos de todo o país, de norte a sul e de leste a oeste. O Customer-Circus oferece aos clientes da Dish Network, da American Airlines e do Bank of America o mesmo canal de reclamações que oferecia aos da Comcast. O mesmo formato, as mesmas instruções, o mesmo tribunal de humilhação pública para os transgressores. E não estará sozinho. Quando o tão esperado iPhone se revelou infestado de problemas e limitações ao uso de software, um site chamado pleasefixtheiphone surgiu e gerou mais de 800 mil votos em favor dos mais diversos reparos e melhoras. Até agora, a Apple fez 133 desses reparos por meio de atualização de software.

Como eu disse há pouco, nunca compre uma briga com quem compra zeros e uns por barril. Hoje em dia, esses somos todos nós.

___ *Capítulo 7* _____

ADIVINHE

*– Tenho a vantagem de conhecer seus hábitos, meu caro Watson –
disse ele. – Quando sua rota é curta, você vai a pé; quando é longa,
chama uma carruagem. Percebo que seus sapatos, embora usados,
não estão sujos. Logo, não duvido de que neste momento você esteja
ocupado a ponto de justificar o uso da carruagem.*

– Maravilhoso! – exclamei.

*– Elementar – respondeu ele. – É um daqueles casos em que
a pessoa que raciocina é capaz de provocar um efeito que seu
companheiro considera notável, porque este não prestou atenção
àquela questãozinha que serve de base para toda a dedução.*

– Arthur Conan Doyle, 1893

ZUCKERBERG, OUÇA O QUE LHE DIGO. Este capítulo trata de como ganhar dinheiro com o Facebook. A resposta de US$ 1 bilhão está logo abaixo. Leia as 5 mil palavras seguintes e nada de ir direto ao final. Isso só serviria para arruinar o suspense.

Mas por enquanto, para todos os outros, uma breve recapitulação.

Nos seis capítulos anteriores, falei sem parar sobre uma Era Pós-Publicitária, na qual o marketing de massa não vai depender unicamente, nem mesmo principalmente, dos meios de comunicação de massa. Vamos supor, pelo bem do argumento, que eu não tenha perdido completamente a razão. Não vou estragar seu dia com os últimos dados de audiência da TV aberta nem vou esfregar na sua cara a horripilante implosão da indústria dos jornais, mas peço que você me conceda o benefício da dúvida. Vamos supor que, no futuro próximo, os vínculos entre os profissionas de marketing e os consumidores de produtos e serviços não sejam mais criados por meio da publicidade de display, mas sim cultivados on-line. Vamos supor que a tecnologia disponibilize meios cada vez mais sutis para que o profissional de marketing saiba quem é o consumidor e para que o consumidor, por sua vez, goze de um benefício real. Nessa linha de argumentação, os mecanismos de busca e os widgets são as provas A e B.

Obrigado por aceitar provisoriamente essas premissas. Mas se a *língua franca* do nosso futuro on-line é de fato constituída pelas informações pessoais, de onde virão essas informações?

É claro que uma quantidade imensa de informações será fornecida pelos próprios consumidores. Há séculos que a relação entre o profissional de marketing e o público consiste no oferecimento de meios de comunicação gratuitos ou subsidiados em troca de uma verdadeira inundação de mensagens publicitárias. Não é à toa que Madge vivia dizendo: "Você está mergulhada nela".* No Admirável Mundo Novo, e até nos últimos estertores do velho, a proposição de valores será semelhante, mas a troca, muito diferente. O profissional de marketing não terá mais de custear episódios de *Gunsmoke*, *Um Amor de Família* ou *24 Horas*; terá somente de fornecer algum tipo de valor – de entretenimento, de informação, de desconto ou de utilidade. Em troca, o consumidor lhe entregará seus dados. Isso já acontece em grande escala. Cada registro on-line que você preenche, cada cookie que aceita em seu HD, cada compra que faz com o cartão de crédito do supermercado é uma troca. Essa nova economia de dados tem evidentes implicações de invasão de privacidade, mas a privacidade não é um valor absoluto. É cada vez mais uma mercadoria – que as celebridades trocam pela fama, os viajantes pela segurança e a maioria de nós por alguns centavos aqui e ali, e o fazemos sem hesitar um segundo. Em troca de nos dar 50 centavos de desconto numa lata de sopa de mariscos da Nova Inglaterra, a Safeway (uma

---

* "You're soaking in it." Madge foi uma personagem famosa dos comerciais do sabão líquido para lavar louças Palmolive nos Estados Unidos. Fazia o papel de uma manicure que mergulhava os dedos de suas clientes em sabão Palmolive para amaciá-los. (N. do T.)

rede varejista americana) fica sabendo absolutamente tudo o que compramos, quando compramos e quanto compramos. E olhe que nem comecei a falar dos detalhes íntimos que publicamos no Facebook. É um assunto meio sinistro de se pensar, mas a maioria de nós não pensa. Aceitamos a troca, pegamos o dinheiro – ou o objeto dado de brinde – e vamos embora.

Mas os dados oferecidos voluntariamente, por mais excelentes que sejam, não resolvem todos os problemas do profissional de marketing. A criação de um vínculo verdadeiro, de uma relação íntima, pressupõe um entendimento cabal do comportamento do consumidor, de seus interesses, sentimentos, estados de humor, movimentos e por aí afora – não se trata do tipo de informação que pode ser colocada num formulário, mesmo que a pessoa que se dispusesse a dá-la fosse suficientemente paciente, generosa, sincera e consciente. Para obter esse tipo de informação, é preciso praticar o que Sherlock Holmes chamava de dedução, e mais um pouco de extrapolação, inferência, intuição, futurologia, previsão e suposição. Ou seja:

Adivinhação.

Fraldas e Cerveja

Lembro aqui da lendária descoberta feita pelo Wal-Mart, de que a colocação da cerveja ao lado das fraldas descartáveis nas lojas aumentava a venda de ambos os itens. E por quê? Porque os homens, voltando do trabalho e instruídos pelas esposas para comprar um pacote de Pampers ou seja o que for, também levavam de quebra umas latinhas de cerveja. É a correlação quintessencialmente inesperada, universalmente invocada para exemplificar as vantagens da prospecção de dados. Afinal de contas, essa correlação não é um vínculo superficialmente absurdo mas que, analisado, faz o mais perfeito sentido?

É claro que é. E outra: ela nunca existiu. A historinha da cerveja e das fraldas é um evangelho apócrifo do marketing, uma espécie de lenda urbana dos profissionais de marketing, o "jacaré na banheira" da ciência da prospecção de dados. Geralmente é atribuída ao Wal-Mart, às vezes à 7-Eleven, mas já faz tempo que a procedência da historinha foi descoberta. Em 2002, o professor Daniel J. Power, da Universidade do Norte de

Iowa, encontrou essa correlação numa análise de dados feita em 1992 pela Teradata Corp para a rede de farmácias e lojas de conveniência Osco – análise que constatou a afinidade de compra desses dois itens aparentemente desconexos entre as 17 e 19 horas. Embora a Osco não tenha mudado o layout de suas lojas nem feito programas promocionais por causa dessa observação, a notável simplicidade do exemplo praticamente exigia certa ornamentação. De lá para cá, a historinha das "fraldas e cerveja" não só se tornou a lenda urbana número 1 do marketing como também se transformou no equivalente, para a ciência da prospecção de dados, da maçã de Isaac Newton ou do banho de Arquimedes. Ela simplesmente grita "eureca".

E isso porque, além de ser falsa, ela também é verdadeira.

Pouco importa que a Osco, naquela época, não tenha visto vantagem em rearranjar suas lojas (fraldas na geladeira?) para aproveitar um fenômeno que durava duas horas por dia. Resta o fato de que grandes veios de correlações despercebidas jazem ocultos logo abaixo da superfície, à espera de alguém que os descubra e extraia.

Embora as diversas compras pareçam não ter relação umas com as outras, é possível formar uma ideia acerca dos compradores", diz Matt Ackley, vice-presidente de marketing na rede do eBay, onde todas as compras baseadas em anúncios e quase todas as experiências individuais dos usuários são informadas pelo comportamento anterior do usuário no site. Às vezes, isso se manifesta de maneira óbvia.

"Digamos que você entrou no eBay há três dias", diz Ackley, "e procurou determinado objeto. Essa informação fica guardada no cookie do usuário, de tal forma que, quando vemos esse usuário de novo à solta na rede e estamos apresentando um anúncio – no Yahoo Mail, por exemplo – é esse cookie que nós vemos. Então, nós passamos essa informação para o nosso banner. Acontece que o banner não é um anúncio, mas um aplicativo em miniatura. Esse aplicativo vai ao eBay, procura objetos parecidos com aquela palavra-chave e os apresenta no banner."

Porém, a otimização dos anúncios é apenas parte da história. Os algoritmos do eBay, por exemplo, adivinham o sexo do usuário com base em seu primeiro nome e adivinham sua idade com base nas categorias de compra escolhidas.

"Sabemos que os jovens compram iPods e os mais velhos compram cestas da Longaberger. Esse tipo de informação é fácil de obter. Bem, se eu conheço o sexo e a idade de uma pessoa e sei quais são as categorias que ela mais procura, sou mais ou menos capaz de prever qual é a próxima coisa que ela vai procurar."

Dessa maneira, diz ele, não só os anúncios on-line mudam como também a própria experiência de navegação no eBay se modifica de acordo com a pessoa que está navegando. "Sabemos que, quando usam certas palavras-chave em certas categorias, as pessoas tendem a se preocupar mais com o preço. Os resultados da busca no eBay aparecem em determinada ordem. Podem aparecer primeiro os itens mais baratos, aqueles cujo leilão vai vencer mais cedo, aqueles cujo preço de leilão é mais vantajoso em relação ao preço fixo, produtos novos ou produtos usados. Bem, se uma pessoa se preocupa com o preço, na página de busca dela aparecem primeiro os resultados mais baratos. É bastante rudimentar, mas dá para imaginar tudo o que se pode fazer com isso."

No mínimo, diz ele, o velho ditado de que "metade da minha publicidade é puro desperdício, mas não sei qual metade" – atribuído às vezes a John Wanamaker, às vezes ao Lorde Leverhulme, às vezes a F. W. Woolworth – vai perder todo o seu sentido.

"Acho que estamos chegando perto de resolver o dilema de Wanamaker", diz Ackley. "Podemos esquecê-lo."

Isso é Jeito de se Comportar?

Já concordamos em que a publicidade de display como ferramenta de marketing – por ser ineficaz e odiada por todos – está caminhando para a quase-obsolescência. As palavras-chave nessa frase são "caminhando" e "quase". O processo é longo e, enquanto não se completa, cabe aos profissionais de marketing maximizar a utilidade de seus anúncios. É certo que eles têm entrado de cabeça nos mecanismos de busca. Os US$ 8,7 bilhões gastos nessa categoria em 2007 (segundo o Internet Advertising Bureau) representaram 41% da receita dos anúncios on-line naquele ano. E não admira. A busca tem relação com a intenção. Se alguém está procurando informações sobre o Ford Mustang, é natural supor que essa pessoa quer comprar um Mustang. Por isso, a Ford faz aparecer um anúncio no Yahoo, no Google, no Edmunds.com ou em qualquer outro site. Não há nada de complicado nisso.

Mas talvez seja um pouquinho complicado. Estranhamente, o comportamento de compra não é orientado pelo comportamento de consumo nem, às vezes, tem correlação com ele. Pelo contrário, nós muitas vezes fazemos compras por impulso, que nem sempre são tão "impulsivas" ou aleatórias quanto parecem. Em geral, tudo se resume ao fato de algo nos lembrar, meio que por acaso, que um certo produto vai atender a um desejo ou necessidade nossa. Ninguém jamais procurou "tira-manchas de percarbonato de sódio" no Google, mas um âncora de infomercial que gritava "BILLY MAYS CHEGOU" às 4 da manhã estimulava a tal ponto nosso interesse latente por esse produto que conseguiu vender toneladas de OxiClean e outras porcarias. O problema é que encontrar o Billy no momento certo depende essencialmente do acaso. E a probabilidade de isso acontecer é baixíssima. Até mesmo a compra mais exata feita por intermédio dos meios de comunicação tradicionais é baseada em projeções estatísticas de dados grosseiros de audiência e suposições ainda mais grosseiras acerca das tendências dessa suposta audiência. Em suma, também é uma adivinhação, mas – como bem entendeu John Wanamaker ou quem quer que seja – é uma adivinhação completamente aleatória. Por mais que Billy esgoele na TV, somente uma parcela mínima do público insone vai ter a revelação de que precisa de uma bisnaga útil e barata de OxiClean. ENTÃO, OUÇA! BOB GARFIELD CHEGOU COM UMA OFERTA INCRÍVEL:

"Agora temos capacidade para automatizar o acaso", diz Dave Morgan, fundador da Tacoda, empresa de marketing comportamental vendida para a AOL em 2007 pela suposta quantia de US$ 275 milhões. "Os consumidores sabem quais são as coisas que acham que querem, mas não sabem ao certo quais são as coisas que podem vir a querer. Não perdem tempo procurando essas coisas."

Os televisores de tela plana, por exemplo. Em 2006, a Tacoda fez um projeto para a Panasonic em que estudou o comportamento on-line de milhões de usuários da internet. Não estou falando de uma amostra de 1.200 pessoas a ser projetada sobre o total da população com certa margem de erro, mas de milhões de pessoas, literalmente. A Tacoda analisou o comportamento de navegação dessas pessoas, classificando-o segundo uns 400 critérios: escolha de mídia, último site visitado, termos de busca etc. Depois, hierarquizou esses comportamentos de acordo com sua correlação com a compra de televisores de tela plana.

Nessa lista, "procurar um televisor de tela plana para comprar on-line" ficou em 22º lugar – 18 lugares atrás de "consumir conteúdo relacionado a viagens para Miami". Viagens para Miami?

"Para Miami. Não para Chicago, nem para a Europa, nem viagens a negócios", diz Morgan. "Não me pergunte o porquê. Mas o mais incrível: em primeiro lugar na lista, e muito acima de todos os outros critérios, estava 'visitar sites de conteúdo militar'. Isso não tinha nenhum sentido. Conversei então com um amigo meu que tinha servido como oficial na primeira guerra do Iraque. Perguntei: 'O que está acontecendo?' E ele respondeu: 'Simples. Os garotos que entram no exército adoram jogar *videogame*. Recebem um bônus polpudo quando se alistam, moram de graça e não precisam de carro. Por isso, compram um televisor grande.'"

Morgan foi se informar porque estava curioso e sentia a necessidade de explicar essa correlação contraintuitiva. Mas não precisaria ter feito isso. Por que perguntar por quê? O negócio é que a prospecção de dados nos introduz numa esfera que está muito além das obviedades e do senso comum. Os dados falam por si.

Essa ideia se confirmou numa pesquisa feita naquele mesmo ano para as promoções de fim de semana da locadora de automóveis Budget. "Procurar um carro para alugar on-line" ficou em quarto lugar. O primeiro lugar era "ler um obituário on-line". Se você quiser, vá tentando ligar os pontos; enquanto isso, leia alguns obituários on-line e veja quais anúncios aparecem na sua tela.

"Já não temos que confiar nas antigas profecias culturais acerca de a quem certas mensagens devem ser direcionadas", pontifica Morgan. "O direcionamento já não precisa ser baseado em microamostras [à moda da Nielsen ou da Simmons]. Agora dispomos de dados [relativos à totalidade da população], e isso muda tudo. Com [esses] dados, ficamos sabendo de praticamente tudo. Descobrimos correlações não intuitivas ou contraintuitivas que servem para fazer previsões maravilhosas.... É um poder imenso."

É exatamente esse o poder que assusta os defensores da privacidade, como a Electronic Frontier Foundation ou o Center for Digital Democracy. Para essa gente, a ideia de direcionar anúncios para indivíduos é uma prova evidente de que a privacidade individual está sendo violada – ou pelo menos ameaçada – pela segmentação comportamental. E a lógica desse raciocínio é mais ou menos conhecida. É a mesma que o personagem Yossarian empregava no livro *Ardil 22*:

– Estão tentando me matar – disse-lhe, calmamente, Yossarian.
– Ninguém está tentando matar você – gritou Clevinger.
– Então por que estão atirando em mim? – perguntou Yossarian.
– Estão atirando em todo o mundo – respondeu Clevinger. – Estão tentando matar todo o mundo.
– E qual é a diferença?

Na concepção do capitão Yossarian, os artilheiros inimigos que miravam o fogo antiaéreo em sua aeronave estavam tentando assassiná-lo – o que, de certo modo, era verdade. Mas Yossarian foi considerado louco por não compreender que nenhum artilheiro queria atingir pessoalmente o indivíduo capitão Yossarian. Simplesmente queriam derrubar o bombardeiro aliado e, junto com ele, o seu navegador, fosse qual fosse o seu nome. O marketing comportamental é a mesma coisa. A diferença é que aqueles cujo número de IP é alvejado on-line não recebem uma rajada de fogo antiaéreo. Recebem apenas algumas mensagens publicitárias menos descabidas.

Vídeo sob Demanda

Estamos no Vale do Silício – precisamente em Los Gatos –, no cruzamento entre a Winchester Circle e a rodovia estadual 85, que não corresponde à imagem que fazemos do Mundo do Futuro. Não há aqui nenhum edifício brilhoso de vidro e aço, nenhum robô, nenhum ancoradouro para carros flutuantes. Estamos diante de um edifício absolutamente comum no estilo neocolonial espanhol, de cor bege e majestosos três andares, bem em frente à alça da via expressa. A corrente que fecha o perímetro do estacionamento é de baixíssima tecnologia, mas precisa estar ali; caso contrário, os pedestres correriam perigo toda sexta-feira às 14h30, quando o trem de carvão passa lentamente pelos trilhos vizinhos da Southern Pacific Railroad.

Onde fica mesmo esse vale? Em Ohio?

Entrando nessa sede empresarial, ainda é impossível saber com certeza. São os mesmos cubículos de sempre em todos os andares. Percorrendo o labirinto de divisórias, os únicos ruídos que se ouvem são os de dedos diligentes martelando invisíveis teclados. É fácil explicar esse silêncio lúgubre: a maioria das operações dessa empresa não acontece aqui, mas divide-se entre 55 galpões (não virtuais, mais reais) espalhados pelos Estados Unidos. Nesse lugar, tudo indica tratar-se de um típico escritório de retaguarda. Poderíamos estar na central de logística de uma fabricante de torres de resfriamento em Akron, ou num centro de processamento de reclamações em Hartford, ou mesmo num longínquo *gulag* de auditores da Receita Federal. Se não fosse o carrinho de pipoca vermelho na recepção e as plaquinhas que dão nome às salas de reunião – denominadas *Batman*, *Tubarão* e *Apocalipse Now* entre outros – o ambiente em si não nos daria nenhuma informação.

A menos que você feche os olhos e sinta o ritmo.

Ou melhor, o algoritmo. Esta é a Netflix, empresa que se firmou no mercado entregando filmes em DVD para seus clientes a uma taxa fixa por mês e que cresceu imensamente quando começou a recomendar aos clientes – por meio do "milagre" de um software de filtragem colaborativa – filmes que eles gostariam de ver. Não se deixe enganar pelo neocolonial espanhol e pelo horrível azul-turquesa do carpete. Essa empresa é tecnológica até os ossos.

"Aproveitar o poder da comunidade para gerar resultados mais positivos para o indivíduo."

Palavras de Reed Hastings, fundador e CEO da Netflix, ao descrever não só os métodos de sua empresa como também a própria essência da filtragem colaborativa, um dos conceitos básicos do marketing de previsão. Os conceitos são: comportamento, a capacidade de rastrear sua navegação on-line; contexto, a atenção às palavras-chave; e associação, a capacidade de adivinhar seus interesses com base em padrões estabelecidos por pessoas parecidas com você. Quando Hastings e seu sócio Marc Randolph fundaram a empresa, em 1998, ela fornecia DVDs *à la carte* pelo correio a US$ 4 a locação, sem cobrar nem o envio nem taxa de atraso. O sucesso foi razoável, pois muitos norte-americanos acabavam tendo de pagar – digamos – US$ 34 mil à Blockbuster pelo VHS de *Uma Linda Mulher* esquecido debaixo do banco do carro. O negócio melhorou bastante um ano e meio depois, quando a Netflix introduziu o modelo de assinatura: a mais popular garante o aluguel de três vídeos por vez por tanto tempo quanto o cliente quiser ficar com eles, pela quantia mensal de US$ 16,99. Mas a Netflix só decolou realmente no ano 2000, quando passaram a usar o Cinematch, um mecanismo de recomendação desenvolvido por eles próprios. O Cinematch examina o histórico de locações do cliente, a avaliação que ele fez desses filmes e sua pontuação num levantamento feito continuamente pela própria Netflix a fim de sugerir filmes de que o cliente provavelmente gostará. Toda pessoa que já caminhou por uma hora entre as prateleiras de uma videolocadora e saiu de mãos vazias – ou saiu chateada, com um exemplar de *Sr. e Sra. Smith* – compreende imediatamente o quanto isso é uma vantagem. As recomendações que a Netflix me dá se dividem em duas categorias: filmes que eu vi e adorei e filmes que eu não vi... mas certamente vou querer ver, pois o algoritmo foi capaz de decifrar com precisão os meus gostos.

Se a Netflix consegue descobrir que eu admiro os filmes *Manhattan*, *Vem Dançar Comigo*, *Felicidade*, *A Garota da Cafeteria* e *Što Je Iva Snimila*, como é possível que *Fitzcarraldo* e *Geração Roubada* me decepcionem? A consequência é uma grande vantagem para mim: um processo de escolha mais fácil e menos filmes de que não gosto. É, por sua vez, uma vantagem imensa para a Netflix, que tinha 239 mil assinantes quando o Cinematch foi lançado e hoje tem 8,4 milhões. E é, por fim, um verdadeiro presente dos deuses para a indústria cinematográfica. Não me refiro aos estúdios de Hollywood, pois o *Homem Aranha 17*, ou seja lá o que for, vai conseguir excelente bilheteria sem nenhum esquema desse tipo. O impacto da Netflix se exerce sobre todo o resto do cinema, a chamada Cauda Longa da arte cinematográfica.

O termo "Cauda Longa" foi cunhado por Chris Anderson, editor da *Wired*. O seminal artigo de revista escrito em 2004 gerou um blog sobre o assunto, que por sua vez gerou um livro *best-seller* em 2006. O "assunto", no caso, é o modo pelo qual a tecnologia digital pôs fim ao quase-monopólio de distribuição de que, desde a Revolução Industrial, as grandes marcas gozam à custa dos bens e serviços de nicho. A cabeça gorda é o *Homem Aranha*. *Fitzcarraldo* está lá pela metade da cauda longa e magrinha. Mas agora posso alugar os dois de uma só vez e com um só clique.

Esse é um testemunho claro da tão propalada democratização de todas as coisas promovida pela internet. No ponto de locação on-line, o orçamento de US$ 100 milhões do *Homem Aranha* não lhe dá vantagem nenhuma. Talvez na Blockbuster, que enche suas prateleiras com 4 mil exemplares de oito superlançamentos e nenhuma *Geração Roubada*, a cabeça gorda ainda predomine. Mas a tese de Anderson é a de que, no universo on-line, a cabeça gorda fatalmente emagrecerá e a Cauda Longa engordará. E a filtragem colaborativa está bem no meio dessa transformação, pois, para estabelecer um vínculo entre o consumidor e o que ele realmente quer, ela é um mecanismo melhor.

Até uma época recente, quando nossas escolhas eram (na prática) limitadas pelos ditames dos Poderes Instituídos, a filtragem não era colaborativa, mas unilateral – ou, nas palavras de Anderson, era uma "pré-filtragem". Em outras palavras, alguns especialistas – das gravadoras, dos estúdios, das editoras etc. – aplicava sua experiência, seu instinto e seu discernimento ao processo de selecionar o conteúdo para o público. Está na cara que as pessoas que assinaram os contratos para *Titanic*, os Beatles, a peça *Cats* e *O Código Da Vinci* eram excelentes avaliadores de qualidade, ou pelo menos do gosto das massas. Mas tem um detalhe: a experiência, a perícia e o discernimento não são clarividência, mesmo quando os gênios também comandam as empresas que efetivamente monopolizam a produção e a distribuição de conteúdo. Foram visionários da mesma laia que investiram na inassistível peça *Moose Murders*, legendária na Broadway; na abortada meditação literária de O. J. Simpson, *If I Did It*; no dançarino Kevin Federline como cantor solo; e, no mesmo ano de 1997 em que foi produzido o *Titanic*, no calamitoso *O Carteiro*, feito para promover o ego de Kevin Costner. É por isso que foi em Hollywood que se cunhou o famoso axioma "Ninguém sabe nada", que procura explicar, por exemplo, como a Warner Bros. pôde gastar US$ 120 milhões na produção e outros 60 milhões na divulgação de *Speed Racer*.

Além disso, a pressão financeira para não errar obriga os Deuses do Discernimento a pecar pelo excesso de cuidados, ou seja, a dar preferência ao (suposto) apelo às massas, que também se chama nivelamento por baixo. Esse fenômeno explica por que *Independence Day*, sob todos os aspectos o pior filme já produzido, teve o sinal verde da 20th Century Fox. Também explica por que fez tanto sucesso pelo mundo afora. Por definição, metade dos habitantes da Terra são menos inteligentes que a média, mas nem por isso são proibidos de comprar ingressos para o cinema – realidade estrutural que sempre prejudicou aqueles entre nós que apreciam Kurosawa e documentários, para não mencionar os que gostam de anime ou filmes românticos cristãos. Em outras palavras, a necessidade econômica criou um mercado que não só limita a distribuição de produtos de nicho como também suprime por completo a sua produção.

Essa pré-filtragem deve ser comparada, portanto, à pós-filtragem – a filtragem colaborativa – que, baseando-se no conhecimento do passado (é só assim que ela funciona), conhece tudo. Isso é especialmente útil num mundo digital onde a cauda é longa e as escolhas são aparentemente infinitas. Como meus amigos, refugiados da União Soviética, que derramaram lágrimas ao entrar pela primeira vez num supermercado norte-americano, nós facilmente nos sentimos assoberbados pela incrível quantidade de itens encontrados nas prateleiras virtuais da internet. Esse fenômeno costuma ser chamado de "sobrecarga de informação"; mas Clay Shirky, autor de *Here Comes Everybody* e professor de novas mídias na Universidade de Nova York, discorda. Segundo ele, "nós não sofremos de sobrecarga de informação, mas de deficiência de filtragem. Quando as pessoas são expostas à realidade, elas entram em parafuso. A filtragem colaborativa substitui as categorizações pelas preferências".

Na Netflix, como nas locadoras de tijolo e concreto, as recomendações do Cinematch se classificam por gênero: drama, comédia, filme estrangeiro e assim por diante. Mas, dentro de cada um desses gêneros, os filmes não são apresentados em ordem alfabética, como os títulos da Blockbuster: são organizados segundo as preferências que você declarou, seu histórico de locações e as preferências de pessoas cujo histórico é parecido com o seu. E essa técnica não se limita à locação de filmes. É a base matemática das recomendações de livros da Amazon.com, do serviço eletrônico de compatibilidade matrimonial da Match.com e de todas as mensagens que você já viu em sites de comércio eletrônico que dizem "as pessoas que compraram peixe defumado também compraram bagels".

"Se você nos der todo o seu conteúdo", diz Paul Martino, fundador da empresa de prospecção de dados Aggregate Knowledge, "posso colocá-lo diante da pessoa certa na hora certa." É uma fanfarronice interessante, pois ele não está falando somente da recomendação de livros, por exemplo, baseada nos livros que você e outras pessoas parecidas com você já compraram. Está falando de recomendar churrasqueiras, artigos de jornal e produtos para o cabelo com base nos livros que você e as pessoas parecidas com você compraram. "Não se trata de compatibilizar livros com livros", diz ele, "mas de compatibilizar qualquer coisa com qualquer outra coisa."

Mark Zuckerberg, guarde essa ideia.

Como Diria o Falecido Billy Mays...

... mas espere! Não é só isso!

Para determinadas aplicações, a filtragem colaborativa é útil mas não é suficiente. Veja o caso dos sites de vídeo, por exemplo. Sabendo-se que os vídeos em geral não têm metadados – um texto oculto que pode ser lido pelos mecanismos de busca – afora uma ou duas "palavras-chave" fornecidas pela própria pessoa que posta o vídeo, parece que o paradigma "as pessoas que assistiram a este vídeo também assistiram..." seria a base de qualquer sistema de recomendação. Mas não necessariamente. Uma vez que a maioria dos sites mostra fotos em miniatura de seus vídeos mais populares e visto que essa prática acaba por promover a popularidade desses mesmos vídeos, a abordagem da filtragem colaborativa em estado puro acabaria por recomendar sempre a mesma meia dúzia de vídeos. A maioria dos fornecedores de conteúdo, que querem que os usuários fiquem no site o máximo possível e possam assistir a um número maior de anúncios, não veem benefício nenhum num cachorro que corre atrás do próprio rabo. Como, então, saber o que, afora os produtos de maior sucesso, poderia interessar a um determinado usuário?

Vamos visitar Israel numa viagem de descobertas.

Escondida numa das monstruosidades arquitetônicas que enfeiam o centro tecnológico de Tel Aviv encontra-se a Taboola, uma pequena empresa fundada em 2006 que – como muitas de suas vizinhas – procura explorar comercialmente as técnicas de prospecção de dados do legendário sistema de segurança do país. Mas, em vez de tentar adivinhar as intenções do Irã ou do Hamas, ela se dedica a adivinhar as intenções de pessoas que, por exemplo, visitaram o site 5min.com para assistir a vídeos que ensinam técnicas de consertos caseiros. O fundador Adam Singolda, que comandava uma equipe de prospecção de dados para as Forças de Defesa Israelenses e para a Agência de Segurança Nacional, diz que tudo se resume "ao reconhecimento de padrões... os fatores ocultos que levam cada pessoa a fazer o que faz e que a própria pessoa não conhece".

Parte do segredo está na filtragem colaborativa: as pessoas que assistem à demonstração do uso de uma serra circular podem receber recomendações de vídeos assistidos por outras pessoas que assistiram ao da serra circular. Também são levados em consideração os fatores textuais, à moda dos mecanismos de busca, que encontram a compatibilidade entre os metadados de um vídeo (por rarefeitos que sejam) e os de outros vídeos (igualmente rarefeitos). Esse processo também emprega o que se chama de "enriquecimento de dados", onde certas palavras-chave evocam outras palavras-chave associadas com ela no vocabulário da Taboola. Por exemplo: embora um vídeo sobre o iPod possa ter como palavra-chave somente "iPod", ou mesmo não ter palavra-chave nenhuma, a pessoa que clica nele pode receber a recomendação de um vídeo – ou pode ser exposta a um anúncio – falando sobre tocadores de MP3 ou sobre a Apple. A função mais crítica, no entanto, consiste em observar o comportamento do usuário no site: "se você fechou um vídeo rapidamente", diz Singolda, "se pulou as três primeiras recomendações, se deixou o ponteiro do mouse pausado sobre uma miniatura antes de clicar, se o deixou pausado e não clicou, se postou um comentário, se postou dois comentários". Todas essas dicas de comportamento são analisadas para aprimorar ainda mais as recomendações.

No 5min.com, uma das cobaias da Taboola, os resultados foram impressionantes: aumento de 30% no número de vídeos assistidos, de 41% no número dos que foram assistidos do começo ao fim e de 50% no tempo que o usuário passa, em média, no site. Além disso, os mesmos mecanismos de previsão de intenção e pertinência são aplicados aos anúncios mostrados no site. Para garantir sua competitividade e, segundo ela, por precaução científica, a Taboola se recusa a divulgar a taxa de cliques propriamente dita – mas afirma, baseando-se em pesquisas preliminares, que ela aumentou em todos os casos.

Tudo isso se resume no seguinte: a utilidade de qualquer uma dessas tecnologias é extraordinária. Quando elas são combinadas entre si, seu potencial é surpreendente.

Vamos falar de outra pequena empresa iniciante israelense chamada My6Sense. Localizada nas imediações da Trendum, especialista em boca a boca, no corredor de alta tecnologia de Herzliya Pituach, a My6Sense criou um mecanismo de hierarquização de mensagens que facilita a "descoberta de conteúdo pelo usuário" com base não só em vínculos associativos, comportamentais e contextuais, mas também numa quarta dimensão: o local onde o usuário está. A meta é fundir as várias correntes de informação que entram no celular (RSS, manchetes, e-mails, mensagens de texto, atividades do Facebook, postagens do Twitter e anúncios apresentados em quantidade módica) e listá-las em ordem de prioridade. Não a prioridade que você atribui, mas aquela que o algoritmo lhes atribui.

"Acreditamos que as pessoas não conhecem suas próprias preferências", diz o cofundador e CEO da Avinoam Rubinstain.

Ele cita um experimento psicológico clássico, o "teste do chapéu". Quando se pergunta às pessoas se elas preferem um chapéu verde ou um chapéu branco, a maioria diz preferir o verde. Mas, quando têm a oportunidade de escolher um dos dois na prática, a maioria escolhe o branco. Do mesmo modo, os usuários a quem se pede que priorizem as informações que chegam a seus celulares não conhecem suas próprias intenções ou, pelo menos, seus próprios impulsos – além do que, o valor relativo de certas informações muda de acordo com o local onde o usuário está. O negociante inglês, por exemplo, quer saber "se as ruas de Londres estão congestionadas. Mas isso não lhe importará se ele estiver em Israel".

Perguntei a Rubinstain se seu algoritimo sintetiza o senso de urgência. Ele disse que não e me lembrou que vários sistemas de alerta em celulares fracassaram porque a urgência é coisa subjetiva e constitui, no fim das contas, o alvo móvel por excelência. Mas sorriu: "Nós sintetizamos a pertinência."

Impressionante, não? É por isso que essas tecnologias, ou pelo menos algumas delas, estão transformando o marketing. O monstro dos mecanismos de busca se torna mais monstruoso a cada trimestre. A segmentação comportamental se tornou uma ferramenta básica do ramo. Mas a filtragem colaborativa, por algum motivo, ficou para trás. É verdade que a

Amazon e a Netflix são sites de perfil alto e que recomendações de todo tipo fazem parte da vida on-line, mas, por enquanto, a filtragem colaborativa enquanto tecnologia está patinando sem sair do lugar – especialmente nas redes sociais, para as quais teoricamente reserva possibilidades ilimitadas. E isso apesar do fato de as próprias redes sociais serem um fruto direto da filtragem colaborativa.

Em 1992, alguns cientistas do MIT queriam a) aperfeiçoar a arte da programação de computadores e b) ajudar a pesquisadora-chefe a organizar sua lista de músicas. "Eu estava interessada em obter recomendações de músicas de que eu gostasse, e meus gostos são muito ecléticos", diz a professora Pattie Maes, do Laboratório de Mídia do MIT. "Era uma coisa relativamente simples, para facilitar a minha vida."

"Fizemos diversas variantes do algoritmo", continua. "No sistema comercial que construímos, chamado Firefly, possibilitamos que se mandassem mensagens de e-mail para pessoas de gosto semelhante. Disso saíram até casamentos. Não estávamos tentando construir um serviço matrimonial, só achamos que seria um elemento divertido no site."

Tá bom. Jed Clampett também tinha saído para caçar gambás quando encontrou petróleo. Clay Shirky, da UNY, explica que os pesquisadores entenderam o conceito ao contrário: "O paradigma clássico da filtragem colaborativa consiste em usar as pessoas para encontrar coisas de que você gosta. Mas acontece que as pessoas estão muitíssimo mais interessadas em usar as coisas para encontrar outras pessoas de quem gostem." Os usuários do Facebook, por exemplo, criam e cultivam vínculos baseados nas coisas que têm em comum – especialmente relacionadas ao trabalho e às escolas que frequentaram – e em afinidades comuns por certos livros, músicas, programas de televisão, causas sociais etc.

"Só Precisamos de um Modelo"? Precisávamos.

O que nos traz de volta, por fim, ao geninho de 24 anos Mark Zuckerberg. Amigo, por mais que você tenha em seu poder o megafenômeno chamado Facebook, por que será que ele não passa de mais um objeto útil à procura de um modelo comercial? Será que você está fixado na noção de que sua receita teria de provir da publicidade tradicional? Já não concordamos em que a publicidade é problemática porque os usuários suspeitam dela, porque não gostam dela, porque empregam todos os meios possíveis e imagináveis para fugir dela? Concordamos. Mas esses mesmos usuários: 1) adoram bens e serviços; 2) têm sede de informação; e 3) estão a tal ponto fascinados consigo mesmos que revelam na rede todos os detalhes sobre si mesmos, seus gostos, suas preferências, seus passatempos, suas noitadas no bar, tudo – e tudo isso no seu site.

Nesse caso, por que você não põe uma caixa imensa embaixo de cada página do Facebook, intitulada "Do que Você vai Gostar" ou "Suas Coisas" ou "O Espelho", onde apareçam, selecionados por categoria, livros, músicas, filmes, vídeos, artigos, sites, equipamentos esportivos, sapatos, ferramentas, ingredientes culinários, repelentes de pernilongos... tudo?

Verdade: para o cidadão on-line, toda propaganda é spam – mas isso não seria propaganda. Seria um conjunto de recomendações objetivas informadas pelas tecnologias associativas, comportamentais e contextuais especificadas acima. Em outras palavras: seria conteúdo. "O Espelho" seria um aplicativo, um superwidget da casa. E seria tão valorizado pelos usuários quanto o Conselheiro da *Playboy* foi valorizado por várias gerações de jovens – ou seria ainda mais valorizado, pois suas recomendações não seriam meros palpites baseados em dados demográficos amplos, no braço forte dos anunciantes e nos gostos do editor. Seriam palpites extremamente informados, baseados nos dados pessoais mais exatos já coletados e analisados na história do mundo. E esses palpites logo se tornariam indispensáveis, pois desde a primeira experiência os usuários pensariam: "Nossa, que legal! É disso mesmo que eu gosto!"

Seria *Geração Roubada*, portanto, vezes todas as categorias de produtos e serviços existentes no mundo.

É claro que você não cobraria um centavo dos usuários. Nem cobraria nada de qualquer produtor ou fornecedor para fazê-los aparecer na lista. Mas é certo que cobraria pelo hyperlink.

Os links, Mark. OS LINKS.

Boa sorte, jovem. Mas não precisa me agradecer. Isso não é nenhuma revelação. Na verdade, é tão simples quanto o abecedário – ou, em outras palavras: elementar, meu caro Zuckerberg, elementar.

Capítulo 8

ÀS VEZES É PRECISO "DE-LEGAR"

UM HOMEM MONTADO NUM BODE.
Um bassê. Um caminhão de bombeiros. Um patinho. Em 1932, quando Ole Kirk Christiansen inaugurou sua empresa de brinquedos, não fazia parte da linha de produtos qualquer robô eletrônico equipado com sensores de som ou movimento. Nem peças de montar; o plástico ainda era uma tecnologia futurista. O que havia era uma crise econômica mundial e um mercado surpreendentemente aquecido para brinquedos simples de madeira, os quais ele, um carpinteiro desempregado, se viu obrigado a construir, junto com escadas e tábuas de passar, para colocar ludefisk (bacalhau seco) na mesa da família recém-formada. Em Billund, na Dinamarca, uma das duas coisas mais fáceis de encontrar era gente passando por dificuldades econômicas; a outra, por sorte, era madeira. Os bosques estavam cheios dela.

Além da matéria-prima e da sorte, Ole Christiansen tinha, naqueles longínquos 75 anos atrás, uma virtude que ele próprio desconhecia por completo: a presciência. Em 1934, com sua oficina agora ostentando 15 funcionários, Christiansen decidiu dar um nome à empresa. Foi um exercício precoce e uma estranha antecipação da terceirização de serviços. Ele lançou um concurso, oferecendo uma garrafa de vinho para o nome vencedor. A rendição à sabedoria e à vontade de todos os interessados! Listenomics!

Mais ou menos. Acontece que "presciente" não é sinônimo de "santo". Christiansen, o principal jurado, ganhou seu próprio concurso. Saiu-se com uma combinação das palavras dinamarquesas Leg ("brincar") e Godt ("bem") e chamou a empresa de Lego. Não se sabe o que foi feito do vinho, mas a exemplo dos bilhões de peças de plástico que viriam (encaixadas ou espalhadas no chão machucando o pé do papai), o nome "pegou".

Os negócios cresceram. O patinho de puxar tornou-se um ícone da infância e a Lego prosperou, até que um incêndio catastrófico transformou praticamente toda a empresa em cinzas – um acontecimento que mudou a mentalidade "carpinteira" daquele marceneiro. Em 1949, Christiansen comprou uma patente da Kiddicraft, uma empresa britânica, para peças de acetato de celulose com pinos redondos salientes. O dinamarquês ficou encantado com o fato de os formatos serem universais e interligáveis entre si; enxergando cada vez mais longe, entreviu infinitas possibilidades – para as peças e para a empresa em si. Infelizmente, o comércio não antevia o futuro do mesmo jeito que ele. As lojas de brinquedos e os próprios consumidores demoraram a aceitar o plástico, e a Lego precisou lutar contra essa indiferença. A grande novidade veio em 1958, quando a Lego aprimorou a tecnologia da Kiddicraft ao colocar "tubos" circulares moldados na parte inferior de cada peça, aumentando consideravelmente a capacidade de se prenderem aos pinos da parte de cima – algo que a Lego chama de "poder de encaixe". Mas esse avanço precisou de 5 anos e de um novo material – a Acrilonitrila Butadieno-Estireno – para tomar corpo. Só então, em 1963, o sistema Lego explodiu pelo mundo afora, tornando-se o brinquedo que mais marcou presença no século XX e o mais onipresente de qualquer século. (Se todas as peças de Lego fossem divididas entre os habitantes do planeta, seriam 62 peças para cada um.)

O problema, no entanto, era o século XXI. Peças de montar são divertidas, mas proporcionam bem menos ação do que, digamos, o Wii. Assim, quando o novo milênio chegou, a Lego acolheu a tecnologia com a criação de uma série de kits chamados Mindstorms: uma combinação de peças de Lego, motores, sensores e outros componentes para a construção de robôs programáveis de mesa. O público-alvo: meninos a partir dos 12 anos.

Opa!

O Mindstorms foi lançado em agosto de 1998. "Alguns dias após o lançamento", relembra Steve Canvin, gerente de desenvolvimento de negócios, "o produto foi desmontado, os componentes do hardware foram listados e o código [do software], revelado."

Garotos com bem mais de 12 anos de idade imediatamente fizeram a engenharia reversa do kit e divulgaram as especificações por todos os cantos da internet. "Os advogados piraram", diz Canvin, "pois era uma violação dos nossos direitos. Eles temiam que estivéssemos sofrendo um uso indevido de propriedade." Os advogados, é claro, não estavam errados. A ideia original não era que a linha de produtos fosse de código aberto. As informações ampla e repentinamente divulgadas eram, sem dúvida, de propriedade exclusiva da empresa. Mas espere um pouco. Espalhadas pelos quatro cantos da internet? A Lego? Seria possível que a pequena oficina de Ole Christiansen estivesse criando buzz? Isso mesmo. E o buzz tem valor – um valor incalculável.

"O brinquedo migrou para a comunidade adulta", explica Calvin. "Ouvimos inúmeras vezes: 'o Lego renasceu para mim.'"

A vez dos fanáticos

Em Billund, o corpo de diretores simplesmente não reagiu aos acontecimentos. Não processou ninguém por uso indevido de propriedade intelectual nem mudou o plano de marketing do Mindstorms, se é que tal plano existia. Apenas deixou o produto nas prateleiras, onde ele vendeu bem, ainda que não necessariamente atingindo o público-alvo que a empresa tinha em mente. Porém, seis anos depois, com a versão original tornando-se tecnologicamente ultrapassada, a empresa foi à internet para analisar mais de perto a comunidade que se reunira em torno do Mindstorms. A Lego descobriu que os fãs não só receberam bem os robôs como também criaram versões personalizadas, utilizando várias peças e sensores criados por eles próprios para melhorar as capacidades originais do produto.

"Eles conhecem o produto melhor do que nós", comenta Canvin. Foi daí que surgiu a Grande Ideia: recrutar alguns fãs para colaborarem com a atualização do brinquedo. Usando o Google para conseguir seus endereços de e-mail, a Lego entrou em contato com os quatro maiores entusiastas, oferecendo-lhes a oportunidade de participar da atualização do novo kit Mindstorms, desde que assinassem um acordo de confidencialidade e viajassem até Billund por conta própria. "Em uma hora, todos tinham assinado o acordo", Canvin lembra. Formou-se, assim, o Conselho de Usuários do Mindstorm, mais tarde ampliado para 13 fanáticos por Lego, carinhosamente chamados em Billund de Lególatras. E esse fanatismo poderia mostrar novas maneiras de encaixar as mesmas peças? Sim, e muitas. "Alguns desses caras me assustam", diz Canvin. Mas não a ponto de que não possam ter livre acesso ao santuário de criação ultramega-secreto da Lego. O centro de pesquisa e desenvolvimento, um labirinto de mesas e prateleiras abarrotadas no coração do campus empresarial, é fechado para a maioria dos funcionários e para todas as pessoas de fora. "Nós conseguimos colocá-los para dentro", Canvin conta. "Ninguém entra ou sai sem permissão, mas eles tinham passe livre."

A segurança operacional é a guardiã das chaves do reino. Obviamente, colocá-la em risco exigia uma concessão sem precedentes da alta diretoria, paranoica – com razão – com a concorrência surpreendente e forte no ramo de peças plásticas de montar. Sentindo que não obteria tamanha concessão, a equipe do Mindstorms lidou com a situação com a tradicional delicadeza da chefia intermediária:

Nem perguntaram.

"É melhor pedir perdão do que pedir permissão", Canvin sabiamente observa. E assim começou o processo. Quatorze meses depois, foram desenvolvidos os protótipos para a segunda geração do Mindstorms. Mas a Listenomics não parou por aí. Pelo contrário. Na Lego, a Listenomics estava apenas começando.

"Estávamos lançando uma nova mentalidade", afirma Canvin. "A empresa de repente percebeu que a comunidade em torno do Lego era tão grande que não a estávamos aproveitando como deveríamos." Por exemplo, em vez da prática comum de contratar uma empresa para fazer o teste beta dos protótipos, o grupo de Canvin entrou em grupos de discussão on-line e anunciou que iria criar um fórum aberto para 100 membros. Receberam 10 mil candidaturas. E os 100 sortudos pagaram US$ 150 cada por seus kits. "Eles são doidos. Eles curtem muito isso",

Canvin diz, com mais admiração do que condescendência. "Não sei como adultos podem gastar tanto tempo com isso, mas parece que eles gastam mesmo."

O resultado? O relançamento do Mindstorms para um público engajado, entusiasmado e cheio de energia, ansioso por novos modelos muito antes de eles entrarem em produção. Os fãs consultados durante o processo não foram apenas cocriadores e testadores de produtos; foram evangelizadores, que espalharam aos quatro ventos da internet a Boa-nova da Lego. Não é preciso dizer que o Mindstorms 2006 foi um estouro.

"Representa uma pequena parte das vendas [totais da empresa]", Canvin diz, "mas em termos de lucratividade é o produto mais eficiente que a Lego já lançou. E deu origem a um volume de atividade de relações públicas nunca antes visto na história da empresa."

De fato, era a quintessência das boas relações públicas. E elas não pararam por aí. Pelo contrário, a comunidade que se uniu em torno da segunda geração do Mindstorms permaneceu unida e cresceu. Para se ter uma pequena noção da intensidade do culto, você pode visitar o thenxstep.blogspot.com, um entre as dezenas de blogs fiéis que partilham as últimas novidades da robótica da Lego. Só para dar uma ideia, estou escrevendo este parágrafo no dia 2 de julho de 2007. Às 2h37, a colaboradora Fay Rhodes publicou o seguinte:

"Sei que os arquivos de som consomem a memória do NXT Brick, mas se alguém por aí estiver criando efeitos sonoros personalizados para seus robôs, gostaria de saber como estão fazendo isso. Que software você usa? De que equipamento eu preciso? Existe um jeito de reduzir o tamanho dos arquivos? Como se faz o download para o Brick? Algum outro conselho?"

Em seis horas e meia, ela recebeu 13 respostas. Uma delas, de Christopher Smith, foi assim:

Estou criando um monte de sons personalizados e tenho encontrado novas maneiras de economizar o máximo de espaço possível. Também estou procurando pelo melhor compactador de RSO, que não diminua muito a qualidade. Principalmente porque o BenderBot (que aparece no livro theNXTstep Idea) usará arquivos de som e eu espero ter vários arquivos legais quando o livro for lançado. Falo um pouco sobre isso no livro também. Estou usando um processador de efeitos para guitarra muito bacana e gravando uns sons ótimos.

Aqui vão algumas dicas:

Quando você criar o arquivo RSO, é preciso copiá-lo no diretório correto para usar com o NXT-G. O diretório é: C:\Program Files\LEGO Software\ LEGO MINDSTORMS NXT\engine\Sounds.

O arquivo estando lá, você pode escolhê-lo nos seus blocos de som.

A maioria dos programas de música é complexa ou exige arquivos de som muito grandes. O NXT tem vários programas e arquivos pré-instalados que ocupam mais ou menos metade da memória disponível. Esses arquivos podem ser removidos e reinstalados sem nenhum problema. Reinstalar o firmware do NXT irá restaurar completamente o software embutido.

Para otimizar o uso da memória embutida, recomendo que você siga os seguintes passos:

- *Faça o download do firmware mais atual usando o software NXT-G.*
- *Delete os programas não utilizados.*
- *Delete os arquivos gráficos e de som não utilizados.*
- *Delete arquivos e programas pré-instalados. Tente remover todos os demos e arquivos de sons desnecessários (pwr de som, cliques etc.).*
- *Crie sub-rotinas para diminuir o número de blocos de programação necessários.*
- *Quando possível, crie programas com miniblocos.*

Para obter informações mais detalhadas sobre como deletar arquivos do seu NXT Brick e como gerenciar a memória do NXT e os downloads do firmware, leia o Guia do Usuário do Mindstorms NXT da LEGO, ou ative as funções de ajuda do software NXT-G.

Isso, senhoras e senhores, se chama devoção. E por um produto de consumo, diga-se de passagem. Um mero brinquedo! Não só todas as empresas do mundo devem ter inveja, como eu mesmo tenho inveja. Uma vez, em circunstâncias que me deixaram sem saída, pedi à minha filha adolescente uma carona até o aeroporto para um voo internacional. Ela não foi tão dedicada e afável como o fã de Lego Christopher Smith. Tudo o que ela disse foi "não".

A institucionalização da novidade

Depois de perceber que os clientes estavam mais que dispostos a participar da criação, dos testes, da comercialização e do atendimento ao cliente, a Lego não demorou a também adotar a Listenomics fora da linha Mindstorms.

"Tentamos trabalhar em conjunto com o cliente já nas primeiras etapas da ideia inicial", diz o gerente de marketing Martin Lassen. "Partimos do princípio que isso nos ajuda a acertar o alvo. Se fizermos algo errado, eles acabam com a nossa raça na hora."

Por isso, em vez de manter conselhos permanentes de usuários, agora a empresa organiza três Boost Weeks [Semanas do Mutirão] por ano, em que os Legoperegrinos do mundo inteiro fazem sua romaria a Billund. O resultado, como era de se esperar, é favorável a todos. Veja o exemplo da linha Creator, kits complexos de montagem que podem ser agrupados de outras duas formas. O kit do estegossauro, por exemplo, pode criar também um pterodáctilo e um tiranossauro.

"Nossos criadores estavam trabalhando num modelo da linha Creator, uma balsa de transporte", lembra Lassen. "Não foi escolhido. Apenas estava lá numa prateleira. Mas, numa Semana do Mutirão, cinco fãs o viram e disseram: 'Nossa! É um modelo muito legal.' Eu pensei: 'Sim, mas não para crianças pequenas.' Porém, eles estavam tão animados que decidimos fazer uma experiência. E nos testes, o produto saiu-se bem entre os americanos, os ingleses e os alemães." Assim, o modelo foi incluído na linha de produtos seguinte. O mesmo se deu com o Café Corner House: uma cafeteria de esquina tipicamente europeia. Um dos criadores foi Jamie Berard, um americano de 34 anos contratado em tempo integral em Billund depois de impressionar durante uma Semana do Mutirão em 2005. Como funcionário, por sua vez, ele abraçou uma ideia lançada numa Semana do Mutirão de 2006.

"Uma das coisas que vira e mexe eram discutidas", relembra, "eram os edifícios. Tínhamos a delegacia de polícia e a central dos bombeiros, mas no Lego ninguém tinha casa."

Daí a ideia dele: criar prédios uniformes que, conectados, poderiam formar cidades inteiras, expandindo-se na vertical e na horizontal. No começo, a gerência foi cética. Prédios residenciais sempre pareceram muito "casinha de boneca" para o público masculino, mas Berard e outros insistiram. "Eu disse: 'Não é uma casa de bonecas. É um sistema de prédios modulares e expansíveis.'"

Sentar e conversar com esse rapaz é ficar maravilhado com a capacidade do ser humano de se fascinar por coisas que, objetivamente falando, não têm lá muita importância. Surpreendentemente, a experiência não provoca sentimento de pena. Pelo contrário, por incrível que pareça, é inspiradora.

"Fui fã de Lego a vida inteira", Berard diz. "Muitos adultos redescobriram o Lego. Eu tive a sorte de nunca ter deixado o Lego."

O cara é franzino o bastante e obcecado por Lego o suficiente para levantar suposições sobre, digamos, seu nível de sociabilidade. Mas qualquer suspeita de nerdice incapacitante é logo desfeita. Ele é um jovem muito amável e extrovertido, de riso fácil e pronto para um abraço. Também tem um dos currículos mais ecléticos do mundo. Depois de se formar no Merrimack College, em 1999, foi topógrafo, técnico de computador, carpinteiro, editor de vídeo, atendente de doceria e piloto de monotrilho na Disneylândia – tudo para sustentar seu vício por Lego, diz ele. Setenta por cento de seus bens neste mundo são Lego. E só Deus sabe qual porcentagem do seu dia. A obra-prima de Berard: o projeto Millyard em Manchester, de 29m x 6m, elaborado no SEE Science Center de New Hampshire. Ele foi o líder do projeto, que usou 3 milhões de peças de Lego para recriar as tecelagens de Manchester como elas eram por volta de 1900.

Ele sabia que os próprios gerentes da Lego viam com desconfiança os participantes dos mutirões quadrimestrais – achavam que os lególatras tinham, digamos, algumas peças de Acrilonitrila Butadieno-Estireno a menos em sua constituição cerebral.

"Tinham a impressão de que os fãs eram um pouco exagerados e excêntricos", diz. "Não entendiam que há uma ligação emocional com o produto."

Note os verbos no passado.

Crime apetitoso

É mais fácil aproveitar o vínculo emocional que existe entre uma criança (ou adulto) e um brinquedo do que entre, digamos, um ambientalista e uma locomotiva? Talvez, mas não desconsidere o grau de comprometimento que os usuários – ou críticos ou espectadores – têm com os bens e serviços mais inócuos. A General Electric, ao desenvolver uma estratégia corporativa para seus motores e turbinas que usam a energia de modo mais eficiente, cativou os blogueiros ambientalistas para embarcarem na iniciativa. A Delta Airlines e a rede hoteleira Starwood criaram comunidades on-line para os viajantes, que avaliam tudo, desde o tamanho dos cobertores do avião até a tabela de preços das ligações telefônicas. A HP faz o mesmo no ramo da fotografia digital. A Frito-Lay, com os salgadinhos. A GlaxoSmithKline formou um conselho de mulheres para ajudar a criar uma estratégia de introdução (e, claro, de divulgação) de uma nova pílula de emagrecimento. Sem falar da Starbucks, que só passou a vender leite de soja quando a blogosfera o exigiu.

Há muitos exemplos como esses. Não esqueçamos, porém, o melhor deles: a Dell Computadores. Você já leu como foi embaraçoso e seriamente prejudicial à Dell quando um blogueiro divulgou na internet seu pesadelo como consumidor. Depois de reagir exatamente da maneira como Jeff Jarvis, do BuzzMachine.com, descreveu – com arrogância e fazendo ouvidos moucos – por fim a Dell aprendeu sua lição. Desde então, vem adotando a Listenomics com o entusiasmo dos neófitos. Em fevereiro de 2007, a empresa lançou o IdeaStorm (humm... "MindStorms", "IdeaStorm"? Enfim...) com a missão expressa de solicitar comentários, críticas e sugestões aos consumidores de seus produtos. Nos primeiros quatro meses, foram recebidos 24 mil comentários e 5.500 sugestões – 21 das quais foram aproveitadas em iniciativas internas para novos produtos. Entre eles, o Ubuntu pré-instalado em todos os computadores com Linux da Dell. Mas o IdeaStorm não é apenas um grupo de discussão on-line ou uma caixa virtual de sugestões: é uma comunidade, em que os membros podem votar "sim" ou "não" nas ideias uns dos outros. Foi como disse o vice-presidente de comunicação Bob Pearson a meu colega Matt Creamer, da *Ad Age*: "Com um grupo de discussão normal, você gasta uma ou duas horas, leva uns sanduíches e vai embora. Com o on-line, há discussões que duram dois meses ou mais."

Lembra como a chefia intermediária da Lego deu acesso irrestrito aos Jamie Berards do mundo? Pearson disse à *Ad Age* que o IdeaStorm foi criado para "abrir os corredores da Dell aos clientes".

Abrir os corredores e promover as vendas – que delícia, a convivência harmoniosa dando lugar à completa intimidade. Um dos meus exemplos favoritos é o do CafePress.com, um empório on-line de produtos impressos – cartões, pôsteres, livros e especialmente camisetas – que também funciona como site de entretenimento (algumas das camisetas são hilárias: "Carne é crime. Um crime apetitoso"), além de ser uma comunidade on-line para escritores e designers. O CafePress parece, de certa forma, com o eBay. Pessoas comuns podem usá-lo como canal de promoção e distribuição de seus produtos, e ninguém precisa convencer as lojas de novidades ou acessórios ou os fabricantes de camisetas de que uma ideia é válida; você publica o seu *design* ou projeto e espera para ver no que dá. Mas o CafePress também parece o Flickr, o site de compartilhamento de fotos. Quando um *design* ou projeto fica entre os melhores, ele pode ser visualizado – e reproduzido – por qualquer pessoa. Ao criador é destinada uma fatia de qualquer venda, mas para isso é preciso abrir mão de sua propriedade intelectual, assim como o cofundador do site Fred Durham abre mão de controlar as mercadorias que vende. Recusando apenas pornografia e discursos de ódio, ele exibe todas as criações em consignação e as impressões são feitas sob encomenda, deixando a comunidade decidir o que é que vale a pena. Isso produziu alguns sucessos inesperados.

"Uma faculdade tinha um time de basquete", conta Durham. "Todos eram descendentes de índios do Colorado e criaram um time amador chamado 'The Fighting Whities' [algo como "Os Branquelos Brigões"], para tirar sarro dos famosos slogans 'Fighting Indians' ['Índios Brigões'] que vemos nos Estados Unidos. E fizeram uma espécie de arte na camiseta com um homem branco dos anos 1950, que causou furor na mídia. Todos tinham respeito pelo que eles criaram. Parecia que deveria ser controverso, mas era apenas engraçado, incrível, tocante e patriótico, tudo ao mesmo tempo. Não sei quem mais faria uma combinação tão boa quanto a dos Fighting Whities."

Os wikis brigões

Um exemplo de como explorar a Criatividade Coletiva: a capa deste livro. Este *design* foi um dos 128 enviados por mais de 100 artistas que inscreveram suas ideias num website chamado crowdSPRING.com. Normalmente, um editor jogaria o manuscrito nas mãos do *designer* da casa, ou nas de um *freelancer*, e teria que aceitar qualquer que fosse o resultado. Meu projeto, por outro lado, foi disponibilizado a toda a comunidade do crowdSPRING, formada por cerca de 16 mil artistas e *designers* experientes e inexperientes, amadores e profissionais. Os que leram minha síntese tiraram proveito não somente da minha orientação, mas dos esforços de seus colegas e de meus comentários para todos (no TheChaosScenario. net, fique à vontade para ver algumas das ideias enviadas, ou o portfólio completo em www.crowdspring.com/projects/graphic_design/illustration/the_chaos_scenario). As propostas foram tão boas e a escolha final tão difícil, que selecionei três delas – deixando a decisão derradeira para os visitantes do TheChaosScenario.net. A capa deste livro foi terceirizada para um grupo e selecionada por outro. Isso foi possível não somente porque a liberdade total expandiu meu leque de opções mas também porque, por sua própria natureza, a competição entre os fornecedores faz os preços caírem. Ofereci US$ 500 por uma capa de livro. Mesmo tendo decidido dar a soma a cada um dos três artistas, meu gasto foi uma pequena fração do que eu teria pagado para um estabelecimento tradicional com despesas, folha de pagamento e mobília italiana desconfortável. Como você verá no próximo capítulo, a democratização da oferta é uma faca de dois gumes. A economia envolvida na contratação de serviços além das quatro paredes de instituições bem estabelecidas tem o potencial de arruinar o modelo comercial de setores inteiros, isto é, de destrui-los. Esse é, porém, o preço da revolução. Talvez, nessas horas, as instituições que construíram as paredes tenham a tendência natural de procurar reforçá-las. Mas certamente não há proteção contra a violência que se avizinha. A sobrevivência depende de se aventurar lá fora, sendo este o primeiro passo para derrubar as paredes de uma vez por todas.

No último capítulo, você lerá sobre o Cinematch, o dispositivo de sugestões de filmes do Netflix. Como eu já disse, o Cinematch é muito, muito bom. Mas na opinião do Netflix, que reconhece que as recomendações são um modo de fazer os assinantes voltarem sempre, o sistema não é bom o bastante. Naturalmente, o Netflix pôs seus próprios matemáticos para tentar resolver o problema. Mas os resultados não poderiam ser melhores e mais rápidos se cada matemático do mundo tivesse o mesmo objetivo? Sendo assim, o Netflix ofereceu um prêmio de US$ 1 milhão para quem fosse capaz de aprimorar em 10% a confiabilidade de seu algoritmo de filtragem colaborativa.

(Vejam, conversei pessoalmente com Reed Hastings, do Netflix, sobre isso. Mas, para confirmar algumas informações básicas antes de escrever o parágrafo acima, consultei a Wikipedia, que talvez seja o produto mais multiterceirizado do mundo. De acordo com o site, "Os 12 milhões de artigos da Wikipedia (...) foram escritos de modo colaborativo por voluntários do mundo inteiro, e quase todos eles podem ser modificados por qualquer pessoa com acesso ao website. Lançada em janeiro de 2001 por Jimmy Wales e Larry Sanger, a Wikipedia é atualmente a obra geral de referência mais popular da internet". É também o sétimo website mais visitado do mundo. A *Enciclopédia Britânica* tinha paredes bem sólidas, há muito demolidas por uma turba extremamente bem informada. Nem mesmo a enciclopédia Encarta on-line, da Microsoft, foi páreo para a Wikipedia. Em março de 2009, reconhecendo com tristeza que a Wikipedia detinha uma fatia de 97% do mercado on-line, a Microsoft desligou as tomadas.)

Extração de petróleo

Não que a multiterceirização (*crowdsourcing*) só possa ser usada para agregar conhecimentos já existentes. Ela também é excelente para descobrir o que ainda não sabemos. Ter um grande departamento de pesquisa e desenvolvimento é muito bom. Mas se você quer resolver um problema, não faz mais sentido propor as perguntas não somente para a sua equipe de pesquisa, mas também, digamos, para todos os cérebros do mundo, sejam eles especialistas no assunto ou não? Claro que sim, e é por isso que uma instituição tão respeitável quanto o governo britânico adotou essa estratégia – em 1714.

O problema em questão era a longitude. Graças ao astrolábio, a maior potência marítima do século XVIII não tinha dificuldade alguma para determinar a latitude no mar. No entanto, o eixo leste-oeste era um osso muito mais duro de roer, e o parlamento ofereceu 20 mil libras – equivalentes a milhões de dólares atuais – para quem conseguisse criar uma solução aproveitável para os marinheiros. Um rapaz chamado John Harrison topou o desafio. Não era astrônomo, nem navegador, nem cartógrafo. Era um relojoeiro de 23 anos que produziu um aparelho preciso e resistente o suficiente para aguentar as condições severas do mar, por meio do qual os marinheiros pudessem comparar o horário local (baseado no nascer do sol) com o horário de Greenwich e, assim, determinar a posição leste-oeste. Levou um certo tempo para Harrison inventar um protótipo economicamente viável, e mais algum tempo para testá-lo no mar. Mas, meros 59 anos depois, o parlamento pagou a ele a quantia prometida.

Três séculos mais tarde, o GPS destituiu a tecnologia do relógio de Harrison. Porém, a própria estratégia de multiterceirizar as invenções foi redescoberta. Este é exatamente o princípio básico da InnoCentive, uma comunidade com mais de 165 mil almas ávidas pelo saber espalhadas em mais de 165 países, que competem, assim como os aspirantes ao prêmio do Netflix, para resolver desafios científicos e tecnológicos. É como o programa *O Aprendiz*, sem o apresentador mala. Em outras palavras: o que a Wikipedia faz ao catalogar todo o conhecimento humano acumulado até hoje, a InnoCentive faz para descobrir e inventar coisas novas.

"Os gênios podem estar em qualquer lugar", diz Dwayne Spradlin, CEO da InnoCentive. "Em vez de pedir a uma única pessoa para resolver seu problema, melhor é pedir a todo o mundo."

A InnoCentive nasceu como um experimento da Eli Lilly para ampliar suas pesquisas em química orgânica, e mais tarde se expandiu. A Eli Lilly continua fazendo uso constante da InnoCentive em matéria de química sintética, química geral e estatística. Brett Huff, diretor- executivo de pesquisa e desenvolvimento de produtos químicos da empresa, cita um exemplo recente: a busca por um solvente orgânico mais favorável ao meio ambiente do que o cloreto de metileno, amplamente utilizado.

"O cloreto de metileno é, em geral, um solvente muito útil para diversas reações químicas", afirma Huff. "No entanto, é consideravelmente tóxico e inaceitável para o meio ambiente. Por meio da InnoCentive, perguntamos sobre substitutos para o cloreto de metileno que oferecessem as vantagens do solvente sem as mesmas desvantagens."

E lá foi o projeto para a rede de 200 mil "resolvedores de problemas" da InnoCentive. "Recebemos cerca de 40 soluções potenciais. Todas elas foram avaliadas por membros da nossa equipe científica. Algumas soluções eram bem inovadoras, mas pouco práticas; outras eram nossas velhas conhecidas; e algumas eram interessantes o bastante para serem analisadas mais a fundo."

Uma delas – o 2-metil tetrahidrofurano – passou a substituir o cloreto de metileno num grande número de aplicações.

Durante a maior parte da história da indústria, a ideia de se abrir para o mundo era uma heresia, o oposto do segredo quase paranoico que se fazia em volta de cada iniciativa comercial. Se você perguntar a um funcionário da Procter & Gamble como está o tempo em Cincinnati, ele provavelmente responderá: "Desculpe, é informação confidencial." Mas a relação entre o custo de pesquisa e desenvolvimento e a receita geral ficou tão alta que até as organizações mais compulsivamente controladoras estão começando a explorar as oportunidades que a era digital oferece para ampliar as redes de resolução de problemas científicos e tecnológicos. A P&G foi uma das primeiras a adotarem, com entusiasmo, a rede de "resolvedores de problemas" da InnoCentive. Serviu-se dela, por exemplo, quando sua equipe não conseguiu aperfeiçoar um sabão líquido que deixasse azul a água da lavadora de louças quando adicionado em quantidade suficiente. A solução veio de uma química autodidata italiana, que criou um novo corante com essas especificações e ganhou US$ 30 mil por isso. Assim, essa empresa notoriamente reservada começou a se abrir aos poucos, como se fosse um molusco ou a China. (Mas não se abriu por completo. Quando lhe ofereci a oportunidade de se gabar sobre sua parceria com a InnoCentive, a P&G destacou um executivo para recusá-la educadamente.) De qualquer forma, foram passos dignos de nota. Quer na P&G, na Eli Lilly, na DuPont ou na Boeing, a cultura empresarial está mudando.

"Vivemos até agora numa cultura monolítica de comando e controle", Spradlin diz sobre o setor empresarial de pesquisa e o desenvolvimento – uma longa história que, segundo ele, se resume no seguinte: "Vou contratar os melhores Ph.Ds. de Stanford. Ponto."

Mas se os custos foram os catalisadores da busca por novas cabeças pensantes além do grupo habitual, a vantagem é que as soluções, muitas vezes, não surgem dos métodos de costume. O Oil Spill Recovery Institute, um dos clientes da InnoCentive, estava há 20 anos tentando limpar a Enseada do Príncipe Guilherme, no Alasca, afetada pelo desastre ambiental com o navio petroleiro *Exxon Valdez*. A água é tão gelada, e os 80 mil galões de petróleo cru são tão viscosos, que mesmo com o máximo esforço não foi possível recuperar o ecossistema. O problema resistiu até mesmo aos melhores engenheiros mecânicos, petrolíferos, hidráulicos e químicos destacados para a tarefa.

"A solução acabou sendo proposta por um engenheiro civil do Meio-Oeste americano", diz Spradlin. "Ele percebeu que manter o óleo líquido e fluido era bastante parecido com manter o concreto líquido ao despejá-lo numa fundação. A solução consistia em usar vibradores comuns de concreto para vibrar o óleo e fazê-lo entrar no dispositivo de bombeamento."

Os testes estão agendados para o futuro próximo.*

Que tal abrir uma cerveja?

Todos os casos anteriores são exemplos clássicos da Listenomics da era digital. Mas não há regras ditando que a maneira de ouvir deve ser sempre a mesma. Até o papo furado dos grupos de discussão, com seus sanduichinhos – se não for confundido com os dados reais, como vere-

---

* A solução surgiu apenas em janeiro de 2008, quase duas décadas depois, de um engenheiro civil que nunca esteve em uma plataforma de petróleo e muito menos no Alaska. Ele fez uma associação com a betoneira, máquina que mantém o cimento em movimento para não enrijecer. Daí surgiu a ideia: por que não fazer o mesmo com o petróleo? O mais impressionante é que o engenheiro e os executivos da Exxon nunca se falaram. A troca de ideias surgiu no site InnoCentive, uma companhia on-line que desafia seus usuários a resolver problemas reais de organizações em troca de prêmios que variam de US$ 5 mil a US$ 1 milhão. O engenheiro que criou a máquina, por exemplo, ganhou US$ 25 mil.

mos daqui a pouco – pode ser uma ferramenta útil. Também não há regra dizendo que a Listenomics deva ser feita em todas as etapas do ciclo de vida do produto. Como prova, leia a história a seguir.

Os antigos comerciais da cerveja australiana Foster's Lager traziam algumas ideias bem estereotipadas da Austrália. Para o espectador, parecia que os australianos estavam constantemente lutando com tubarões e crocodilos, jogando bumerangue ou estacionando o Land Rover no acostamento de uma estrada de terra, afugentando os cangurus com seus motores. Exagero. Na verdade, 95% da população moram no litoral sul, em Sydney, Melbourne, Brisbane, Adelaide ou Perth, cidades onde geralmente não se vê nenhum crocodilo ou canguru. Não apenas os australianos são urbanos e não andam com um rifle a tiracolo como também a Foster's não chega a ser uma cerveja tipicamente australiana, como anuncia. É uma marca de exportação que pouco se projeta no mercado nacional, a não ser para provocar um irônico desdém. A Toohey's, da Lion Nathan Ltd., é tipicamente australiana – pelo menos em Nova Gales do Sul. Em Melbourne, a Victoria Bitter, da Carlton & United, é tipicamente vitoriana. Em Adelaide, a West End, da Lion Nathan, é tipicamente sul--australiana. As cervejarias da Lion Nathan e da Carlton & United dominam o mercado, usando seu forte poder de distribuição para controlar praticamente todas as torres de cerveja em todos os pubs do país. Elas obstruíram o mercado de tal maneira que só estando louco, ou bêbado, para entrar na briga.

Ahá! Bem-vindo à "única empresa de cerveja criada pelo povo para o povo". Bem-vindo à Brewtopia – tipicamente maluca.

Isso se você conseguir encontrá-la. A sede mundial da Brewtopia é a unidade nº 3 de um pequeno conjunto de prédios comerciais em Gladesville, subúrbio de Sydney. O conjunto é formado por 110 m^2 de escritórios sobre um estacionamento de concreto de mais 110 m^2. A microcervejaria e o armazém ficam um pouco mais longe da cidade, mas os nºs 46-48 da Buffalo Road são o centro nevrálgico da empresa e, durante a minha visita, fervilhavam com seus cerca de 9 funcionários. No piso de baixo, entre engradados empilhados de longnecks verdes, três trabalhadores rotulam as garrafas numa velocidade que não podemos chamar de vertiginosa. No piso de cima, num escritório amarelo e azul, agradável mas bem comum, o ambiente também é sossegado. Já vi algumas casas de ópio em que a atmosfera de urgência era mais intensa. Aqui, em sua sala sem janelas e decorada com camisetas de rugby autografadas, o CEO Liam Mulhall relembra a experiência audaciosa de 2002, quando ele entrou de supetão no ramo de cervejas.

Não foi nenhum conto de fadas.

"Eu e uns caras", conta, "decidimos, por muitos motivos, lançar uma cerveja no mercado. Os 'muitos motivos' eram que estávamos caindo de bêbados num campo de golfe." E o plano de negócios deles não era exatamente uma ideia empresarial, mas sim uma piada suja que foi crescendo e acabou resultando numa obra de arte conceitual. Eles tramaram criar a cerveja Blowfly, nome australiano da mosca-varejeira, para que todos os homens da Austrália pudessem gritar para as garçonetes: "Me dá uma Blowie", resultando num "apelido carinhoso" para o sexo oral. Tocados por uma boa dose de Toohey's, a ideia os fez rolar de rir, o que não chega a ser nenhuma surpresa. A surpresa é o que se deu a seguir.

A ideia tinha apenas cinco obstáculos: 1) o duopólio intransponível de cervejas da Austrália, 2) nenhum deles sabia como fabricar cerveja, 3) tampouco sabiam como administrar uma empresa de bebidas, 4) não tinham um centavo e 5) aparentemente, tentar desenvolver uma marca com base num trocadilho hipotético era pura idiotice. Mas Liam Mulhall e seus colegas não eram quaisquer jogadores de golfe. Eram jogadores de golfe bêbados com uma ideia fixa e muita inspiração. Como o esquema que bolaram não previa nenhum tipo particular de cerveja – lager, pilsen, escura, ale – nem qualquer outra característica para a marca, a não ser o nome infame, ocorreu-lhes a ideia de tirar vantagem de sua imensa inépcia e falta de conhecimento.

Mulhall, vendedor da Red Hat Linux, ganhava a vida vendendo aplicativos para softwares de código aberto. Por que não comercializar a Blowfly como uma cerveja de código aberto? Mas, em vez de começar com uma empresa já consolidada e incorporar a Listenomics à antiga cultura corporativa vertical e conservadora, os caras criaram a cervatopia, desenvolvendo a empresa do zero com a sabedoria das massas. Num período de 13 semanas, eles abriram seu produto para discussão pública e recompensaram com uma participação nas ações a quem quer que se dispusesse a dar sua opinião nas decisões entre lager x pilsen, garrafa verde x marrom e assim por diante. Na verdade, o exercício era mais um golpe publicitário do que um modelo de negócios ("Eu sentava lá e pensava: 'E agora? O que vou perguntar esta semana?'", lembra Mulhall), mas foi esse golpe publicitário que deu poder ao povo. "A comunidade continuou a votar. No final de 3 meses, tínhamos 15 mil membros." Sim, sem saber da maluquice adolescente para a qual tinham sido atraídos, 15 mil cervejeiros do mundo todo se uniram a serviço da Blowfly.

A receita final:

Estilo da cerveja: *Lager Europeia*
Cor: *amarela-clara*
Lúpulo: *Saaz e Super Alpha (importados da Alemanha)*
Malte: *Malte claro australiano (Geelong)*
Aroma: *aromas terrosos e frutados*
Paladar: *baixo amargor, suave na fase de evolução do sabor*
Teor alcoólico: *4,5%*

O nome final: Blowfly. Prenunciando o que estava por vir, essa decisão não foi tomada com a ajuda dos cervejeiros.

Ouça! É a oportunidade batendo à sua porta?

Embora os sócios fossem novatos no ramo de bebidas, tinham um instinto apurado para a autopromoção. Conseguiram transformar uma comédia de erros numa espécie de *reality show* que atraiu muita publicidade e, por um breve período, conquistou a imaginação dos consumidores de cerveja de Sydney. Mas, coitada: quando se viu efetivamente às voltas com a concorrência, a Blowie não durou muito. Em pouco tempo, a distribuição insignificante e os custos de terceirização da fabricação da bebida propriamente dita conspiraram para sufocar os lucros. O nobre experimento, para falar em termos de golfe, estava indo pro buraco. Foi então que o telefone tocou. Um sujeito chamado Reg, que por acaso tinha o apelido de "Blowfly", iria fazer aniversário. Será que os garotos não poderiam preparar um engradado de Blowies com rótulos personalizados para dar como lembrancinhas?

É pra já, responderam. Além de ficar animadíssimo, Reg contou o acontecido a seus colegas do escritório – por acaso, uma agência de publicidade. Logo um dos clientes da agência pediu algumas cervejas com rótulos personalizados: dez mil engradados. Em pouquíssimo tempo, a Brewtopia estava produzindo entre 5 e 9 mil engradados por mês, não de Blowfly, mas de Cerveja do Larry, Cerva do Bullseye Rocks, Cerveja do Casamento da Michele e do Lewis e quaisquer outro rótulos que os consumidores pagantes quisessem personalizar – incluindo nomes de calão muito mais baixo do que Blowfly. A Brewtopia ainda vende um engradado de Blowfly aqui e acolá, mas hoje faz quase exclusivamente personalizações de garrafas de cerveja, vinho e água para pessoas físicas, promoções empresariais (Citibank, Amex, Yahoo!, Paramount Pictures, Foo Fighters) e rótulos especiais para restaurantes.

Além disso, a gerência agora é quem decide tudo. Os cervejeiros perderam a voz.

Mulhall dá de ombros: "Usamos o povão até certo ponto. Gostaria de implementar algumas sugestões, mas nem sempre elas interessam aos acionistas. 'Colaboração' é diferente de 'ganhar dinheiro'. Se você deixar nas mãos das pessoas, vai distribuir cerveja de graça."

Observação anotada; pode ser que os princípios da Listenomics não precisem ser empregados quando um produto acabado e praticamente imutável chega ao mercado. Por outro lado, pode-se argumentar que uma empresa de cervejas personalizadas, em que cada pedido é baseado específica e inteiramente nas vontades de um determinado cliente, é a expressão máxima do poder nas mãos do consumidor. Mas, como eu dizia algumas páginas antes, há mais de uma maneira de envolver os consumidores. E a internet não é o único meio. Senhoras e senhores, conheçam o Ostomy Roadshow 2003.

Carregue o cliente no cólon

Certo, não era nenhuma turnê de rock. Mas era um exemplo esplêndido de Listenomics, patrocinada pela empresa dinamarquesa de materiais médicos Coloplast (a Lego também é dinamarquesa, o que não apenas cria uma simetria bacana para este capítulo, mas também faz a gente se perguntar se os escandinavos são melhores ouvintes do que o resto. Por outro lado, foi irritante como a Volvo ficou uma década atrás dos americanos com relação aos porta-copos, e Torvald, personagem de *Casa de Bonecas*, nunca deu ouvidos a uma só palavra que a pobre Nora dizia). O Ostomy Roadshow era uma espécie de grupo de discussão itinerante – um ônibus que viajava por todo o Reino Unido para ficar mais perto daqueles pacientes que, como Peter Cook e Dudley Moore diriam em seu quadro cômico, têm um cólon a menos. A ideia era compreender melhor seus problemas e necessidades.

Certamente, não é fácil ser ostomizado. É estranho, constrangedor em alguns momentos e não poucas vezes há complicações desagradáveis. Uma delas é a hérnia, efeito colateral de cirurgias que envolvem a ruptura da parede abdominal, a qual os intestinos podem atravessar. Raramente a cirurgia é uma opção para esses pacientes; por isso, durante décadas, o tratamento padrão para essas hérnias – na verdade, o único – foi a funda, um cinto com sistema de mola que comprime a protuberância abdominal. Não é preciso dizer que a desconfortável contração piora ainda mais o quadro. Segundo Soren Merit, consultor de marketing de Copenhagen, o que a Coloplast percebeu durante o Ostomy Roadshow foi que os pacientes sonhavam com outra solução.

Provavelmente, a hérnia não povoa seus sonhos. Talvez nem faça parte do seu imaginário. A Coloplast também não pensava nela. A empresa ia bem no ramo de bolsas para colostomia, mas não atuava na área de hérnias. Assim, as visitas aos pacientes foram reveladoras. Merit observa que ter uma hérnia ostomal é pensar nela "24 horas por dia por uns 20 anos, talvez. Para eles, essa área é prioritária".

Dois anos depois, o resultado foi o lançamento de um novo produto da Coloplast: o Corsinel, um tipo de roupa de baixo extraforte que controla a hérnia e substitui a funda. "Eles sempre dão um jeito de dar continuidade ao diálogo", diz Merit. "Além disso, realmente escutam. Os pacientes foram envolvidos no próprio processo de desenvolvimento do produto."

Você deve estar se perguntando: "Era uma unidade móvel de pesquisa de mercado. Um grupo de discussão sobre rodas. Qual a grande novidade?" Não é uma má pergunta. Mas, com ela, chega-se involuntariamente ao cerne de tudo o que estava errado antigamente e de tudo o que é promissor nesse Admirável Mundo Novo.

Em primeiro lugar, os participantes não responderam apenas a umas poucas perguntas, ganharam um dinheirinho cada e foram despachados. Foi uma ação conjunta para entender os desafios do dia a dia, as frustrações e os anseios do consumidor. Quando tomou ciência de que a hérnia é um incômodo constante, a equipe poderia ter simplesmente agradecido e assumido as rédeas a partir dali. Mas não. Ela envolveu os mesmos consumidores em cada etapa do desenvolvimento do produto. E, acima de tudo, realmente compreendeu para que serve um grupo de discussão. Diferentemente de quase todos os que fazem uso desse recurso.

Não importa o cuidado que se tenha para selecionar as 6 ou 8 pessoas que integrarão a mesa de reunião, nem as habilidades do moderador. O que se obtém no grupo de discussão não são dados reais. Repito: os resultados obtidos num grupo de discussão não são dados reais. É tudo falatório. Não há um único resultado ali obtido que se possa projetar sobre uma população maior que a da própria sala de reunião (e talvez nem aí, pois a dinâmica de grupo pressupõe que as pessoas reunidas em tal circunstância não dizem necessariamente – talvez nem mesmo saibam – o que pensam sobre o assunto em questão).

A técnica é popular e a prática é amplamente adotada, mas não porque é confiável. Pelo contrário, estatisticamente é tão provável que os "resultados" reflitam o oposto da realidade quanto que reflitam a realidade mesma. Oito pessoas não constituem uma amostra. Elas mal constituem uma festinha entre amigos. Mas os grupos de discussão prosperam por duas razões.

Primeiro, custam quase nada em comparação com as pesquisas conduzidas em particular com uma amostra estatisticamente significativa e uma margem estreita de erro.

Segundo, fazem você se sentir muuuuuuuito bem. Você, o cliente, se senta diante daquele vidro espelhado e alimenta a gostosa ilusão de que está entrando em contato com o consumidor, o eleitorado ou seja lá quem for. Quando a conversa parece validar as decisões que você provavelmente já tomou, o sentimento é mais esplêndido ainda: "Veja, Frank, essas pessoas realmente querem uma reforma do direito de responsabilidade civil/ um xampu de iogurte!"

É pena que essa imbecilidade desperdice o verdadeiro potencial do grupo de discussão. Ele é bom, mesmo, para produzir ideias. É para isso que ele serve: para revelar algo em que ninguém ainda tinha pensado. É por isso que se deve, por exemplo, testar comerciais de televisão com grupos de discussão: não para gerar uma pseudopontuação que supostamente mostre se as principais características do produto estão sendo passadas, mas para que alguém diga: "Não acho que vocês deveriam fazer piadas homofóbicas num comercial de chocolate durante o Super Bowl, porque não quero ter de explicar isso aos meus filhos. Além disso, é uma piada infeliz, que no fundo me enoja." Às vezes o mundo empresarial ignora aquilo que é mais óbvio. Numa sala privativa do *shopping center*, com a ajuda de um bando de desocupados arrebanhados no corredor em frente à joalheria, pode acontecer de o óbvio acertar você bem no meio da fuça.

Veja o exemplo do sargento Joe Friday, da série americana de televisão *Dragnet*. Em todos os episódios, ele e seu parceiro Bill Gannon interrogavam cidadãos sobre um crime, mas não chegavam a lugar algum. Até que, invariavelmente, logo antes de ir embora, o cidadão fazia um comentário totalmente espontâneo.

– Ah, Sargento, provavelmente isso não importa, mas vi um homem fugindo da cena do crime.

– Ele disse alguma coisa, senhora?

– Bem, nada que fizesse sentido, Sargento. Eu estava um pouco longe, mas parece que ele reclamou da sua funda.

Capítulo 9

ADEUS, MADISON

ESTE CAPÍTULO, COMO O ANTERIOR, fala de abrir as portas. Repensa a noção da propriedade intelectual e do conhecimento especializado. Propõe a ideia de ampliar os horizontes em busca de soluções para problemas que, tradicionalmente, eram resolvidos somente por uns poucos funcionários especializados e por uma panelinha de consultores terceirizados, amarrados a contratos exclusivos e ao pavor de perder o cliente.

Resumindo, o capítulo fala de como tirar vantagem dos recursos da Multidão.

Porém, fique atento: não como um fim em si mesmo.

Com tantos meios de comunicação e empresas de marketing ruindo diante dos nossos olhos, é natural supor que esses mesmos recursos possam ser recriados no universo on-line usando praticamente as mesmas ferramentas digitais. Mas nem a disponibilidade da tecnologia nem o entusiasmo dos participantes são garantias de sucesso. Falarei daqui a pouco sobre uma empresa chamada XLNTads.com, que bolou um plano audacioso para multiterceirizar a produção de comerciais televisivos a um imenso plantel de amadores talentosos, ou não tão talentosos assim, equipados com ferramentas vendidas por uma ninharia no Best Buy. Para os investidores, parece uma barbada.

Bem, por que não? Tirando um ou outro detalhe, isso já foi feito antes.

Um exemplo, cortesia de Jeff Howe – criador do termo *crowdsourcing* ("multiterceirização") e autor do excelente livro de mesmo título –, é uma empresa chamada iStockphoto, que tem usado a tecnologia exatamente para "democratizar" um universo de produção visual que era fechado até agora. Na verdade, "plano" não é a palavra mais adequada para descrever o que aconteceu, pois sugere premeditação. Ao contrário, a iStockphoto começou como uma comunidade on-line de compartilhamento de fotos, em que os visitantes que colocassem lá suas fotografias (ou vídeos, ou animações) poderiam fazer o download do mesmo número de fotos sem custo algum. Somente quando a popularidade do site tornou sua hospedagem mais cara é que um valor simbólico passou a ser cobrado pelas imagens. Mais tarde, essa quantia simbólica aumentou um pouco. Hoje, com um acervo de 12 milhões de arquivos, os preços variam de U$ 1 por uma fotografia básica a US$ 86 por um arquivo de vídeo HD – valores que, ainda assim, são muitíssimo menores que as taxas de licenciamento impostas pelos bancos de imagens tradicionais. Isso inclui o Getty Images, o gorila da indústria, que reagiu à ameaça da iStockphoto adquirindo-a por US$ 50 milhões. A lógica: se o mercado está mudando de marcha, é melhor estar com a mão no câmbio.

Uma das lições da iStockphoto é a de que, ao mesmo tempo em que as ferramentas digitais de produção têm o poder de dizimar setores econômicos bem estabelecidos, também têm o poder de criar setores novos. Foi justamente esse o pensamento de Ross Kimbarovsky, um advogado inquieto especializado em direitos de propriedade intelectual, e Michael Samson, um inquieto ex-executivo de Hollywood. Em 2006, eles tiveram a ideia de terceirizar a produção de vídeos digitais no sul da Ásia, onde os editores de vídeo – assim como os operadores de máquinas de costura e os funcionários de call centers – custam 2/3 a menos do que seus equivalentes americanos. Ao sondar o mercado, relembra Samson, eles encontraram um fórum on-line para estudantes de *design* gráfico da Malásia.

"Eles competiam entre si – mas não por dinheiro. Era uma espécie de clube. E o trabalho era fenomenal. Mal podíamos acreditar. Eu disse: 'Isso poderia estampar a lateral de um ônibus em Nova York.'"

E os *designers* gráficos caríssimos de Nova York poderiam ser jogados embaixo desse mesmo ônibus. Cientes do sucesso da iStockphoto, Samson e

Kimbarovsky começaram a pensar em como usar a internet para abrir o mercado de *design* para "um grupo enorme de fornecedores" e fazer com que se enfrentassem em cada projeto. Os estudantes malasianos competiam por orgulho, mas e se os trabalhos vencedores fossem remunerados com dinheiro?

Assim nascia o crowdSPRING.com.

Eu disse que o assunto aqui é explorar a revolução digital, não disse?

Adquiri a capa do meu livro no crowdSPRING.com por US$ 500. Um dentista de Walla Walla, Washington, comprou um logotipo por US$ 900. A Amazon Foundation, por US$ 333. E, mais ou menos na mesma época em que esses projetos foram finalizados, como relatou meu colega Rupal Parekh, da *Advertising Age,* a Pepsi atualizou seu logotipo. O preço: US$ 1 milhão.

A pequena disparidade entre o Velho Modelo e o novo modelo do crowdSPRING – nesse caso, de US$ 999.667 – está na raiz do que Mike Samson chama de "reação da comunidade tradicional de *design*". Obviamente, não é nada agradável para eles ver estudantes, amadores, diletantes, *freelancers* mortos de fome e imigrantes ilegais trabalhando por migalhas, e ainda por cima sem garantias de que vão ganhar o contrato – uma prática que na melhor das hipóteses é autossabotadora e, na pior, equivale à escravidão. Quando a *Forbes* publicou um artigo elogioso sobre o crowdSPRING, os comentários on-line foram mordazes, semelhantes às queixas dos artesãos do início do século XIX substituídos pelas máquinas a vapor.

Isso que é incrível na internet. Conhecimento, experiência, pesquisa e perícia não importam mais. Tudo o que você precisa é de uma infinidade de pessoas com capacidade medíocre, famintas o bastante para brigar por restos de comida, arregimentadas por ignorantes gananciosos como o crowdSPRING.

Outra pessoa tentou explicar por que o trabalho superficialmente bonito de um amador sem preparo não pode ser comparado ao trabalho de um profissional qualificado:

A questão é a pesquisa e a estratégia, seu palhaço. A crowdSPRING ludibria o pessoal mal saído da escola e que sabe "desenhar" para que sejam explorados e trabalhem de graça. Sei usar o Excel, mas nem por isso sou um contador. O logotipo de uma empresa deve refletir a marca. Não pode ser um rabisco qualquer (...) Senão, o design fica reduzido a uma simples decoração de vitrine.

É verdade que os grandes escritórios de *design* fazem pesquisas e testes para potencializar a força das cores e o poder de comunicação dos mais variados logotipos e esquemas de identidade visual. Mas nada disso é mágico e muita coisa é besteira – em alguns casos, besteiras que valem US$ 999.667. No fim das contas, um *design* é bom ou não é, independentemente de sua procedência. Os irmãos Wright consertavam bicicletas. Benjamin Franklin tinha uma gráfica. Alexander Borodin era químico. Acham que ele era um charlatão? Digam isso das Danças Polovetsianas e da Sinfonia n⁰ 1 em mi bemol maior.

A questão principal é se esse método de democratizar um setor da economia é intrinsecamente antiético. Num projeto comum do crowdSPRING, um ganhador é remunerado – sem extravagâncias, digamos – e 67 outros trabalham de graça. Ainda que aceitemos ser esse um aspecto inevitável da revolução digital, não parece meio *Oliver Twist*?* Será que não estou explorando o *designer* da capa deste livro e, principalmente, os outros 100 ou mais que enviaram seus trabalhos e não foram escolhidos?

Não é de surpreender que Samson não enxergue as coisas por esse prisma.

"Nossa posição é de que realmente acreditamos que estamos expandindo o mercado", diz ele. "[Esses compradores] são pessoas que nunca tiveram acesso ao *design* gráfico. Eles poderiam desenhar seu próprio logotipo, poderiam contratar a sobrinha do amigo ou poderiam ir até a OfficeMax e escolher alguma arte ridícula de um catálogo."

Ou então, poderiam procurar profissionais altamente qualificados num escritório de *design* bem estabelecido e deixar uma boa grana como

---

* *Oliver Twist* é um romance de Charles Dickens que relata as aventuras e desventuras de um rapaz órfão. Nesse romance o autor trata do fenômeno da delinquência provocada pelas condições precárias da sociedade inglesa da época adiantamento, confiando a sorte de seu logotipo a uma única pessoa que, apesar de sua alta qualificação, pode não se inspirar pelo projeto ou quem sabe até não ser tão boa assim. É verdade, muitos trabalhos que recebi para a capa do livro não eram nada de mais, e uns poucos eram realmente ruins. Mesmo assim, foi difícil escolher entre os 20 ou 30 que eram – na minha opinião profissional de crítico de publicidade – bons pra caramba. Você pode ver 3 deles no TheChaosScenario.net.

Quanto ao transtorno causado à economia, nesse ponto Samson não pode discordar. Mas pode dar de ombros. Gastos com tecnologia e mão de obra sempre impuseram contratempos, e isso não vai mudar.

Sem falar da Revolução Industrial. "Se você trabalhasse numa tecelagem da Nova Inglaterra no século XIX, época em que a indústria têxtil estava de mudança para a Carolina do Norte, se sentiria ameaçado. Se trabalhasse numa tecelagem da Carolina do Norte nos anos 1980 e a indústria estivesse de mudança para o Vietnã, se sentiria ameaçado. Sabemos que estamos assustando muita gente."

Porque, no fim das contas, as revoluções assustam mesmo.

O que nos leva, enfim, à XLNTads.com.

Bebida quente, mercado frio

A primeira vez que visitei essa empresa foi no primeiro semestre de 2007, mais uma etapa da minha Jornada pelas Metáforas Quase Muito Boas Para Serem Verdade. Afinal, onde mais essa *startup* estaria situada se não em Conshohocken, Pensilvânia, um exemplo da vida pós-deslocamento econômico? No passado, Conshohocken também fora uma próspera cidade industrial. Mas suas indústrias, uma a uma, sumiram (literalmente) na poeira. Ao longo dos últimos 40 anos, a cidade vem se desmanchando em ruínas a oeste da Filadélfia, notabilizando-se por suas fábricas abandonadas, trilhos de trem encobertos por vegetação e caixas d'água enferrujadas. Atualmente, continua sendo uma ex-cidade industrial, repleta de artefatos oxidados da economia manufatureira há muito extinta, mas também repentinamente coberta por edifícios de escritórios, cadeias de hotéis baratos e pequenos parques industriais de baixo impacto. Não é aquela economia com fumaça saindo pelas chaminés das indústrias de outrora, mas aos poucos tem se adaptado. A maior riqueza de Conshohocken é estar próxima do cruzamento da rodovia interestadual I-476 com a via expressa Schuylkill, a 1,5 km do qual – num centrinho empresarial nada marcante – encontrei os escritórios da XLNTads.com.

As paredes eram beges e os carpetes, industriais. Os bibelôs contemporâneos não eram da Sotheby's, mas da Marshall's, e a doca de carga e descarga era ali mesmo na porta da frente. Algumas semanas depois da mudança, caixas de papelão com papel sulfite estavam empilhadas bem onde deveria haver um vaso de plantas.

Em compensação, observou o CEO Neil Perry, "nem todas as empresas que estão começando têm não só uma cafeteira como também uma garrafa térmica, então..."

Brincando. O rapaz estava brincando. Ele não estava realmente se gabando de ter café quentinho. Estava tirando sarro de si mesmo, porque é um cara engraçado. O que é bom. Ele precisava mesmo de bom senso de humor para tentar fazer a XLNTads.com decolar. Como veremos adiante, a empresa não era lá essas coisas. Por outro lado, Perry e seu sócio majoritário, o empresário Rick Parkhill, encontraram uma oportunidade que estava promovendo um incrível boca a boca – e essa oportunidade era a propaganda gerada pelo consumidor.

E por que não ganhar um troco com esse tipo de propaganda? Sem dúvida era a bola da vez, exaustivamente discutida durante nada mais, nada menos, que o Super Bowl de 2007. No evento de maior visibilidade para a publicidade, foram exibidos três comerciais inspirados, escritos ou totalmente produzidos por consumidores. O melhor do lote, por acaso, foi o comercial com menor influência do consumidor – uma simples e agridoce elegia em ritmo de *blues* dedicada ao fim da temporada de futebol americano. Nele, ouvíamos ao fundo o choro lamurioso do trompete de Louis Armostrong ao fundo e os fãs – representantes de todas as raças, credos e cores dos Estados Unidos – apareciam em luto pelo final da temporada antes do tempo. Era o retrato de uma verdade humana simples, ao mesmo tempo emocionante e embaraçosa: nos importamos além da conta com um jogo idiota. O spot foi filmado por Joe Pytka, o diretor mais notável da história da publicidade televisiva, mas foi inspirado por um simples fã, que enviou a ideia como parte de uma promoção da NFL.

Outro spot também foi produzido por profissionais, dessa vez pela Campbell-Ewald, agência de publicidade da Chevrolet, para o multifuncional Chevrolet HHR. O texto e o roteiro visual foram feitos por alunos da Universidade de Wisconsin-Milwaukee. É difícil dizer quem errou – a faculdade ou a agência – mas a cena dos homens tirando a camisa e atacando libidinosamente um HHR que passava foi incompreensível. E custou incompreensíveis US$ 2 milhões.

O melhor dos três poderia e deveria ter sido um anúncio do Doritos todo criado pelos consumidores. E falando em incompreensão, os participantes do concurso da Frito-Lay escolheram os finalistas, mas não elegeram o melhor dos cinco finalistas, nem o segundo melhor, nem o terceiro. O ganhador, satisfatório mas sem graça, mostrava como o destino uniu um casal de desajeitados, descritos ao longo do comercial com palavras que também descreviam os atributos do Doritos. Não era horrível, mas nem de longe se comparava a um dos outros finalistas, chamado "Ratoeira". O comercial mostrava um rapaz deixando uma ratoeira com um Dorito sabor queijo nacho em frente à toca de um rato para apanhar o irritante roedor. O rapaz aproveita para comer o resto do pacotinho enquanto senta e espera. No momento seguinte, um rato gigante, do tamanho de um homem, arrebenta a parede e soca o rapaz até não poder mais, para pegar seu Doritos. Hilário. Merecia ganhar disparado.

Mas encaremos os fatos: nenhum desses anúncios tinha o objetivo de ser o próximo "1984" da Apple. O objetivo era fazer uma boa promoção dos produtos para os consumidores. A parte boa é que – com exceção do que houve com o Chevrolet HHR, que, bem, não rolou – o material não estava tão ruim assim. Ao mesmo tempo, o conceito de "gerado pelo consumidor" atiçava o interesse dos próprios consumidores e produzia ainda mais publicidade. Talvez isso tenha estimulado outros anunciantes a seguir a maré de diversas formas. Apesar do fiasco do HHR, anunciantes como o MasterCard, a JetBlue, a Converse, a Heinz e a General Electric parecem ter entendido o que o YouTube significa, ter abraçado o teorema dos milhões de macacos e ter recalculado o modo mais eficiente de produzir um conceito útil – a saber: não necessariamente bancando profissionais de criação caros de agências famosas. O cálculo, claro, era a *raison d'être* da XLNTads.com.

"Que mal tem?", perguntou Perry, veterano em gerenciamento de marca do McDonald's, que deixou a consultoria para entrar nessa onda. "E se, com essas tentativas, a gente encontrar uma ideia brilhante?"

Lógico, a resposta é que quase todas as tentativas valem a pena se resultarem numa ideia brilhante como recompensa. Mas Perry não fez a pergunta certa. Daqui a pouco, vou propor uma melhor. Na verdade, vou sugerir mais de uma. Mas, por enquanto, é fácil perceber por que a propaganda gerada pelo consumidor era e continua sendo um grande atrativo. Para os iniciantes, como o SuperBowl demonstrou claramente, é uma iniciativa que reflete fielmente o *zeitgeist*. Blogueiros, vlogueiros e criadores de vídeos curtos estão modificando o mundo do conteúdo ao encher os canais digitais de informação com seus próprios trabalhos. É como o guru Rishad Tobaccowala disse no Capítulo 3: "Quem não posta não existe. As pessoas dizem: 'Posto, logo existo.'"

De novo, Rishad não está errado. Cada vez mais, os e-cidadãos estão levando a sério o lema do YouTube. O slogan "Broadcast Yourself" [Divulgue a você mesmo" ou "Você no ar"] pegou e, no universo "abreviado" do YouTube, o spot de 30 segundos é um gênero convidativo. Eles assistiram a comerciais bons e ruins a vida inteira. E (acham que) sabem como os anúncios são construídos. Trinta ou 60 segundos são pequenas porções feitas sob medida para a brevidade desse universo.

O custo é outro benefício. Em comparação a, digamos, US$ 350 mil por um spot comum para uma rede de televisão, uma propaganda gerada pelo consumidor custa uma ninharia. Isso tem muito a ver com os valores de produção (é impossível não notar a diferença entre a arte benfeita, embora superficial, das agências famosas e a rusticidade das propagandas geradas pelo consumidor). Mas também tem a ver com a natureza da remuneração e com o que exatamente os geradores estão procurando.

"Esse pessoal é fantástico", Perry diz com entusiasmo. "Constantemente os sondamos para ver se querem alguma compensação. Eles dizem: 'A questão não é essa. É ver o vídeo ser postado e quantas vezes é acessado.' São criadores ávidos, mas de um jeito diferente. São ávidos por reconhecimento."

E reconhecimento sai de graça. Só isso já deve dar o que pensar às agências de publicidade. Como observei antes, é difícil competir com o que é de graça.

Além disso, nem mesmo para a agência mais dedicada é fácil reproduzir tal entusiasmo. A principal razão por que os publicitários têm feito experimentos com a propaganda gerada pelo consumidor é justamente poder cultivar esse entusiasmo, transformando os publicitários amadores em embaixadores das marcas, ou vetores virais, ou ainda pássaros e abelhas polinizando os campos do mercado. Escolha a metáfora de sua preferência. Nenhuma mensagem de marketing gerada por uma empresa oferece a credibilidade daquela vinda de um cidadão (financeiramente) desinteressado.

Faço propaganda de iPod

Pense em George Masters, um dos pioneiros.

Em 1990, a banda galesa Darling Buds lançou uma música chamada "Tiny Machine" ["Máquina Minúscula"]. Depois de 700 semanas, não tinha tocado nas rádios ainda, mas tudo bem. George Masters a tinha no seu iPod Mini.

Num belo dia em junho de 2004, na Califórnia, Masters estava indo para o trabalho, ouvindo "Tiny Machine" em sua máquina minúscula, quando bateu a inspiração.

"Achei que seria um ótimo ponto de partida para criar um anúncio", lembra.

Sua avaliação estava correta, mas tinha um probleminha. Masters não trabalhava na Apple, em Cupertino, nem na TBWA/Chiat/Day, em Playa del Rey. Basta dizer que trabalhava numa escola técnica em Orange County que não tinha nem registro no iPod. No entanto, Masters não se deixou intimidar. Videoartista por formação, sentou-se em seu Mac e começou a esboçar um comercial para o iPod. Levou cinco meses para terminá-lo, mas quando o fez, colocou o vídeo na internet. Caleidoscópico e carregado de tons pastéis, não parece em nada com as silhuetas dançantes do Day Glo da TBWA. Mas a obra de Masters era uma jogada de mestre e rapidamente se tornou viral. Muito viral. Milhões de pessoas viram um anúncio de iPod pelo qual ninguém pagou, porque, nas palavras do escritor J. D. Lasica, "algo genuíno, verdadeiro e autêntico, mesmo com uma mensagem comercial, terá repercussão".

E essa autenticidade inata está lá, como o petróleo do Ártico, só esperando para ser explorada. Por mais lastimável que pareça, há pessoas por todo o país que gastam um tempo enorme pensando em eletrônica de consumo, por exemplo. Não estão nessa pelo dinheiro. É uma preocupação legítima.

"Lucrar nunca foi minha intenção", Masters me disse. "Ainda não ganhei um centavo com isso. Ao contrário, gastei dinheiro."

Então, por que um homem de 37 anos investe metade de seu tempo livre fazendo propaganda do produto alheio? Masters responde com outra pergunta: por que uma pessoa dedica seu tempo a fazer coisas pelas quais tem paixão?

"Neste momento, em alguma garagem, há um rapaz trabalhando há três anos para montar um carro envenenado. Andy Warhol pintava latinhas de sopa, não é? O cara adorava sopa."

Talvez a motivação de Warhol fosse um pouco mais irônica, mas George Masters estava indubitavelmente enamorado por seu iPod, e seu vídeo foi mais uma carta de amor do que um anúncio em si. De novo, o que poderia ser mais comovente e genuíno do que uma carta de amor? (Dica: nada gerado pela Omnicom).

Siga o mestre

Lógico que nem todo consumidor que cria uma propaganda é George Masters, e claro que nem toda propaganda gerada pelo consumidor é uma "Tiny Machine". A MasterCard entendeu isso muito bem em 2007, depois de lançar uma promoção. Nela, pedia aos consumidores para formar uma frase com as palavras "não tem preço". Para a empresa, que havia discutido publicamente a decisão de reduzir os custos com produção de anúncios como coeficiente de seu orçamento geral de publicidade, o sucesso desse experimento também não teria preço. Além do grande valor que há em aproveitar o espírito evangelizador dos consumidores, um spot que custa US$ 350 mil é US$ 350 mil mais caro do que um que não custa nada. Infelizmente, a empresa não teve essa sorte. Num discurso feito em junho de 2007 para o Internet Advertising Bureau, Cheryl Guerin, vice-presidente de promoção e interatividade da MasterCard International, relatou que "foi muito difícil encontrar algum anúncio bom".

Quem diria. Mesmo em 2009, a maioria das propagandas geradas pelos consumidores não é produzida por gênios desconhecidos que vasculham suas experiências pessoais mais íntimas em busca de obras-primas como a "Tiny Machine". Pelo contrário, a maioria dessas propagandas é feita por talentos minúsculos, com orçamentos minúsculos, desenvolvendo ideias minúsculas. É triste, mas esses "criadores" tendem a ser simplesmente a versão amadora dos profissionais. Em vez de surgirem com soluções publicitárias que levem a direções completamente novas, eles copiam vagamente as técnicas, convenções e clichês das agências famosas.

Esse fenômeno ficou muito evidente em 2006, quando a Current TV, um canal a cabo digital que veicula conteúdo criado por consumidores, convenceu a Sony, a L'Oreal e a Toyota a participarem de um concurso de propaganda gerada pelo consumidor. Deram-lhe o nome de "V-CAM", Viewer-Created Advertising Messages [Mensagens Publicitárias Criadas por Espectadores]. Poderiam tê-lo chamado de V-CHINFRIM. Meu Deus, como os vídeos eram ruins. A maioria era tentativa barata de usar efeitos digitais caseiros. O restante eram vinhetas estreladas pela própria pessoa, junto com seus amigos e familiares. Perto deles, as Vídeocassetadas mais pareciam *Asas do Desejo*. Não era surpresa nenhuma que faltasse, principalmente, sofisticação técnica nas produções. Espantoso mesmo era a ausência total de ideias essenciais. É encorajador para os amantes do *status quo*, porque até mesmo o pior dos anúncios produzidos por agências do mundo todo normalmente tem um objetivo. Quase sempre bobo, mas tem. No V-CAM, parece não ter ocorrido a nenhum dos participantes que o vídeo deveria deixar o espectador com vontade de adquirir o produto. Parece que a única coisa que passava pela cabeça deles era poder dizer "Olha eu aqui!". É como diz o outro: "Você no Ar."

Não muito tempo atrás, recebi um e-mail de uma amiga, que escrevia não porque eu era um crítico de publicidade, mas porque eu fazia parte das duas ou três trilhões de pessoas da sua lista de contatos. Veja o que ela tinha a dizer:

Olá, todo mundo que me conhece! Para resumir, o ketchup Heinz está fazendo um concurso de comerciais e meus filhos estão participando de um deles. Está no youtube e é muito engraçado. Os criadores do comercial são jovens, cheios de energia e muito criativos. Se tiverem um tempinho, aqui está o link. Deem uma olhada e, se gostarem, podem dar uma nota e fazer um comentário. Os 15 escolhidos pela Heinz serão votados por vocês, o público, e reduzidos a 5. Esses 5 serão transmitidos em rede nacional e votados de novo por vocês, o público. O comercial finalista ganha 57 mil pratas. De qualquer modo, foi um projeto divertido de participar e quero fazer de tudo para apoiar os rapazes. Obrigada por assistirem!!!!!

Lá fui eu assistir. A cena era uma festa infantil, com três músicos bregas cantando para crianças sonolentas num quintal, quando o "Homem Ketchup" – um tubo de ketchup do tamanho de um ser humano – irrompe pela cerca e salva o dia. Ele muda o trio cafona em astros de rock, substitui as garotinhas na piscina rasa por meninas recém-chegadas à adolescência (para a alegria do menino pré-adolescente entre elas) e transforma o papai-churrasqueiro num diabo vermelho como o próprio ketchup.

Ketchup apimentado

Legal, já entendemos: o ketchup Heinz faz uma festa chata ficar divertida. Não se pode ignorar a mensagem de venda – embora essa mensagem não seja lá tão verdadeira. Pelo menos os criadores do vídeo se deram ao trabalho de definir uma premissa. O único problema, sob a perspectiva de imagem da marca, são os pormenores: a diversão é cortesia de Satanás. O Homem Ketchup tem cara vermelha e olhos diabólicos. Faz suas mágicas atirando na cara dos adversários um jato de ketchup semelhante à teia do Homem Aranha. E quando a festa acaba, presume-se que o papai continue no papel de Lúcifer.

Sem querer ser implicante nem nada, você consegue perceber como esse comercial, caso integrasse a campanha publicitária da empresa, poderia causar um revertério? Muitas pessoas nos Estados Unidos acreditam literalmente no diabo, e meu palpite é que elas consomem uma quantidade desproporcional de ketchup. Elas nem deixam seus filhos se fantasiarem para o Halloween, por achá-lo uma festa satânica. Quanto tempo você acha que levariam para boicotar o Heinz? (Não vou nem falar do que o palhaço estava fazendo antes da chegada do Homem Ketchup, só digo que envolvia encher uma bexiga perto da região da virilha enquanto uma garotinha fugia aos berros. Mas quem não adora um pouco de humor pedófilo num comercial de ketchup?)

É verdade que isso também existe no universo das agências. Livros inteiros foram escritos sobre o assunto (*And Now a Few Words From Me*, de Bob Garfield, McGraw-Hill, 2003. O Natal está aí, adquira já o seu!). Mas vá por mim – e sei que estarei criticando indiretamente as agências profissionais –, a futilidade profissional é melhor que a futilidade amadora. E mesmo se o trabalho amador se aproximar do profissional em termos de produção, se isso for tudo que tiver a oferecer, qual a vantagem?

Pense no spot vencedor do V-CAM, chamado "Transformação", feito por Tyson Ibele, animador de 19 anos residente em Minneapolis. Usando logotipos e fotografias fornecidas pelo anunciante, Ibele retratou produtos transformando-se uns nos outros, num estilo Transformers: um som portátil numa TV de plasma, esta num notebook, este numa câmera, este num tocador de Mp3 e este, por fim, num logotipo da Sony. Ao mesmo tempo, palavras na tela pontuavam as imagens: "Inovação. *Design* compacto. Experiência. Visão. Aventura. Avanço. Arrojado. Revolucionário."

Na época, Ibele fazia animações para uma pequena empresa de *design* digital em Twin Cities, por isso não é de surpreender que o anúncio tenha sido bem construído e os efeitos sejam perfeitos. Também não é surpresa alguma que ele tenha tido essa ideia; é algo que já tinha sido feito antes, inclusive num spot supervalorizado da Renault e muito premiado internacionalmente, e que vendeu (tenho quase certeza) nenhum Renault. Assim como essa dispendiosa tentativa anterior de contemplar "criativamente" o próprio umbigo, "Transformação" transforma por transformar, não para afirmar positivamente a marca.

E, pensando bem, isso não sugere muita transformação. Qual o objetivo de uma revolução se os revolucionários apenas imitam a velha ordem?

De fato, essa é uma das perguntas que Neil Perry, da XLNTads.com, deve ter feito a si mesmo em 2007. Aqui vão algumas outras: por que contrariar sua agência ou agências – ou humilhá-las publicamente – ao pedir ideias publicitárias a amadores que podem ser meros estudantes, ou ainda imbecis ou pervertidos? (Sim, às vezes vale a pena enviar um sinal de alerta para acordar a velha guarda, mas é bom lembrar que certas pessoas não gostam de ser acordadas abruptamente. Lembra-se da ira dos *designers* gráficos profissionais pela audácia de terem sido ignorados pela CrowdSpring?)

Esse é um dos pontos. O outro é a possibilidade mais do que real de dar um tiro no próprio pé. Quem consegue esquecer quando a Chevrolet, em 2006, usou um episódio de *The Apprentice* [*O Aprendiz*] para promover o site chevyapprentice.com e o concurso que envolvia criar um comercial para o Chevy Tahoe com o material fornecido no site? Sem dúvida, a General Motors teria preferido receber um monte de hinos em louvor à resistência, ao estilo e à capacidade *off-road* e de carga do Tahoe. Houve alguns comerciais assim. Mas a atenção de toda a blogosfera e da mídia se voltou para aqueles materiais que mostravam o gigantesco Tahoe se arrastando em ambientes frágeis, com frases como as seguintes na tela:

> *Estou me lixando; é meu estilo de vida (...) Pois enquanto o gelo derrete, eu tenho meu suporte para copos e vivo num mundo de fantasia (...) enquanto os esquimós se afogam e morrem, tenho tecnologia de isolamento acústico. Ou melhor, (...) tenho tecnologia de isolamento da realidade (...) Sangue do Iraque: US$3 por galão. Tô dentro.*

Tem mais, mas não vou repetir porque é um pouco mais negativo. Mesmo assim, deu para pegar a ideia. Pelo menos a GM deixou até os vídeos mais mordazes no site, apostando (com razão) que ganharia mais confiança e boa vontade se acolhesse o debate em vez de suprimi-lo. Mas, convenhamos, a promoção não rendeu o volume de relações públicas que se esperava.

Portanto, se você estiver buscando razões para não colocar a mensagem de sua marca nas mãos do público, o fiasco do Tahoe certamente ficará entre as primeiras da lista. Mas não no topo. A razão principal é que a propaganda gerada pelo consumidor ainda é... como se chama mesmo?... propaganda. Acredito ter ficado bastante claro no Capítulo 2 que a propaganda não é o futuro do marketing. Não, ela não vai desaparecer por completo e vai continuar tendo sua função. Mas o minifilme de 30 segundos não é uma indústria que cresce. As ferramentas digitais e o marketing baseado na categorização de bancos de dados abrirão os canais da comunicação e os reservatórios da informação, relegando a propaganda como a conhecemos a um papel secundário. É bem provável que ela sirva como uma série de placas – logotipos e mensagens simples indicando o caminho para os websites, onde a coisa realmente pega fogo. Isso pode acontecer dentro de 5 anos, talvez; dentro de 25, com certeza. Diferentemente do *design* gráfico, que nunca ficará obsoleto, o setor da propaganda gerada pelo consumidor – se algum dia se tornar um setor autônomo – será, no máximo, um empreendimento de curto prazo. A XLNTads.com, a ugenmedia.com, a Filmaka, a GeniusRocket, a Zooppa, entre outras, gritam: "Pode pular, a água está quentinha!" Mas se você for publicitário, será perdoado se não mergulhar de cabeça numa piscina que está sendo esvaziada.

Três razões para ignorar o Homem Ketchup

Vamos recapitular. Os anúncios amadores são, em sua maioria, cópias baratas dos profissionais. Sua agência de publicidade ficará furiosa com você. As ideias que solicitar ao público podem fazer sua marca cair no ridículo, ou pior. E, o mais alarmante de tudo, o spot de 30 segundos é uma espécie em extinção. Nada disso parece depor a favor da propaganda gerada pelo consumidor. Como disse, não sei se Neil Perry fez as perguntas mais importantes – nem contra esse tipo de propaganda, nem a favor. Acontece que há alguns motivos perfeitamente razoáveis pelos quais a XLNTads.com e outros concorrentes novatos poderiam brigar pelo mercado em curto prazo. Na verdade, há três:

Por exemplo, o mesmo ceticismo poderia ter sido demonstrado (como muitos fizeram) com relação à transação da Blockbuster. Quando a Viacom pagou US$ 8,4 bilhões a Wayne Huizenga por seu império de videolocadoras em 1994, o código binário já estava nas telas. A distribuição de vídeos por meio de fitas VHS, e depois DVDs, estava com os dias contados. O sistema de vídeo sob demanda já tinha surgido. Era como se Sumner Redstone tivesse lido sobre os irmãos Wright e corrido para comprar uma via férrea. É claro que a Blockbuster afundou no novo milênio (embora mais graças à Netflix e seu envio de DVDs pelo correio do que aos vídeos sob demanda da internet). Contudo, nesse meio-tempo, a empresa faturou mais de US$ 60 bilhões em vendas. Em outras palavras, só porque uma empresa não vai durar para sempre, não significa que ela não gere dinheiro no momento presente. Nesse ponto, acredite, sou especialista. Ganho a vida criticando comerciais de TV de 30 segundos.

Portanto, pelos próximos 5 ou 10 anos, talvez dê para ganhar algum dinheiro. Isso é uma coisa. A segunda é que o mundo digital expandiu muito o potencial do mercado para os anúncios de 30 segundos. Enquanto Neil Perry se concentra nos maiores anunciantes dos Estados Unidos, há um leque cada vez maior de empresas que, de repente, não têm apenas a capacidade física, mas também os meios de aproveitar a mais poderosa arma de marketing jamais criada: o spot de 30 segundos. Se a XLNTads voltar seus esforços para essa direção algum dia, as oportunidades serão muito mais ricas. Vale lembrar que os comerciais não estarão inteiramente ausentes da era pós-publicitária e que, paradoxalmente, eles terão maior sucesso entre aquele leque. Porém, mesmo essa não é a razão pela qual os publicitários sagazes fariam bem em utilizar a propaganda gerada pelo consumidor. É verdade que a melhor maneira de gerar uma Grande Ideia é lançar a rede no mar o mais longe possível. Mas considerando os primeiros resultados – de que até mesmo as maiores redes estão voltando vazias – esse argumento perde toda a validade. O estímulo à produção de spots ajuda, na verdade, a criar condições para que a empresa possa ouvir. A melhor razão para pedir aos consumidores que pensem profundamente sobre sua marca é dar aos publicitários a experiência de pedir aos consumidores que pensem sobre a marca. É uma questão de mentalidade, de estabelecer um modelo para que os publicitários aprendam a abrir mão do controle absoluto e aproveitem a sabedoria das massas.

O milagre de Cupertino

Essa experiência é útil. Aliás, é inestimável. Mais ainda: na Nova Ordem Mundial, é obrigatória. Deve ser por isso que George Masters nunca precisou contratar um advogado. Não sei o que se passou pela cabeça da Apple para não processar Masters por sua adorável serenata ao iPod Mini. Mas acredito que o episódio foi um momento de virada na história da indústria nos Estados Unidos. Não por causa do spot charmoso em si, mas pelo que a Apple fez em resposta:

Nada.

Foi o Milagre de Cupertino. Nenhuma liminar obrigando Masters a tirar o filme do ar. Nenhum processo por violação de marca comercial. Nem mesmo um comunicado à imprensa para se distanciar desse tiete – uma não reação sobre a qual a Apple se recusou a conversar comigo, mas que sem dúvida deixou perplexos os advogados da empresa, pois todos sabem que as coisas não funcionam assim. Desde tempos imemoriais, as empresas seguem um protocolo universal para lidar com ideias não solicitadas, e esse protocolo não prescreve o consentimento pelo silêncio.

"Quando abrem uma carta, alguém começa a ler e diz: 'Ah, temos que enviá-la para o jurídico'", conta Carla Michelotti, vice-presidente sênior do conselho geral da Leo Burnett Co. "E o departamento jurídico a devolve com toda a cortesia."

Sempre foi assim: ninguém quer ser acusado de roubar uma ideia não solicitada, pois nem mesmo a pessoa que a teve pode garantir a propriedade dela; porque o departamento jurídico está ocupadíssimo lidando com as ações judiciais por defeito nos produtos, os direitos dos artistas e outras exigências legais da própria agência; e porque os nomes de marcas e as marcas comerciais são bens inestimáveis que devem ser protegidos contra violações de terceiros, por mais que estes sejam bem-intencionados.

Teve uma ideia genial em que o tigre da Kellogg's ataca um mágico austríaco excêntrico? A experiência mostra: nem tente.

"Não posso me mudar para seu quintal e simplesmente decidir o que fazer com as plantas", diz Michelotti. "É violação, é tomar posse da propriedade de outra pessoa."

Por mais esquisita que essa perspectiva possa parecer na era da internet, em que os cidadãos munidos de computadores pessoais entendem como "uso não comercial" a utilização de todo parágrafo, música ou imagem que copiam e colam, Michelotti resume a lei com exatidão. Quando a Viacom exigiu U$S 1 bilhão do YouTube por uso indevido de propriedade intelectual, pode ser que estivesse testando os limites da New Millenium Copyright Act, lei de direitos autorais dos Estados Unidos, mas de acordo com toda a legislação e a jurisprudência anterior, a causa já estava ganha. Milhões de donos de computadores por aí estão fazendo "desmanche" digital, e o YouTube serve como vitrine para os bens roubados.

Por isso a atuação da Apple – que se notabilizou por não fazer absolutamente nada – foi um divisor de águas. Demonstrou um novo método de cálculo para a era digital. Desistindo descaradamente de exercer vigilância cerrada sobre sua marca comercial, a empresa deu a entender que o enorme valor de uma marca escrupulosamente protegida pode ser excedido pelo valor de uma marca aberta. É verdade que as tentativas subsequentes de coibir judicialmente os infratores serão mais difíceis, mas o público mundial da Apple, hoje mais *cult* do que mercadológico, recebeu repentinamente os privilégios dos sócios da empresa. Se fidelidade à marca é importante para você, esse é o maior e melhor de todos os ativos. Nos balancetes, ele é chamado "boa vontade". Com o episódio Masters, a Apple, para si mesma e para outras empresas, liberou uma quantia de boa vontade que pode chegar a trilhões de dólares.

"O modelo centralizado funciona essencialmente de dentro para fora." É o que afirma James Cherkoff, consultor de marketing de Londres que redigiu um manifesto on-line sobre marketing aberto. "A empresa cria e envia todas as mensagens. Já o novo modelo funciona de fora para dentro: a empresa recebe todas as informações possíveis de fora e as incorpora aos seus processos. Na prática, ela tem que abrir os próprios sistemas e a maneira como interage com o mundo."

Semiprofissional para viagem

Vamos supor, pelo menos por ora, que o XLNTads.com tivesse condições de pegar os profissionais de marketing pioneiros pelas mãos e ajudá-los a dar os primeiros passos no mundo da Listenomics. A primeira vez que falei com o então CEO Neil Perry foi três meses antes do lançamento oficial do site para clientes pagantes. Sessenta dias depois – 5 semanas após o lançamento – ele tinha assinado acordos com pouquíssimos pioneiros.

"Sabe", ele conta, "ainda temos uma boa ideia, mas ainda temos pouquíssimos clientes. O desafio é que, por nosso site não ser um site de verdade ainda, todos estão esperando para ver quem mais entrou na jogada para poder mergulhar de cabeça. Ninguém está reclamando do preço (US$ 25 mil por mês, com carência de 3 meses) nem do formato. Mas estamos falando de grandes empresas e de uma boa soma de dinheiro. Nas grandes empresas, ninguém pode gastar uma boa soma de dinheiro com uma mercadoria totalmente desconhecida sem ser alvo de olhares desconfiados da gerência."

É difícil a vida de quem está começando. Cinco semanas e alguns dias depois da inauguração, o único acordo já assinado é com a X-Box Live, mas não para propaganda gerada pelo consumidor, e sim para conteúdo da web gerado pelo consumidor. "Estamos bastante satisfeitos com nossas ações de vendas, só falta o arremate. Acho que a próxima será a General Motors."

Todavia – apenas suponho – não para o Chevy Tahoe. Nem, diga-se de passagem, para qualquer outro modelo famoso.

"Parece que nossos alvos devem ser as marcas de pequeno ou médio porte", diz Perry. "Começamos indo atrás da Coca e da Pepsi Diet. Agora está mais para Fanta Laranja e água mineral Dasani."

Também parece que está mais para outro modelo de negócio, diferente do previsto. Embora o XLNTads.com ainda oferecesse aos publicitários uma situação diferenciada em concursos de propaganda gerada pelo consumidor, sem risco de esquisitices – como pornografia ou violência – esse consumidor poderia não ser exatamente o Zé da Silva de Piraporinha da Serra. É mais provável que seja, por exemplo, Kevin Nalty, de Doylestown, Pensilvânia, Estados Unidos. Veterano do YouTube e com muitos seguidores por conta de seus curtas engraçados, Nalty é uma nova espécie de semiprofissional. Por exemplo, seu vídeo original "Farting in Public" ["Peidando em público"] tornou-se viral e recebeu mais de um milhão de visualizações.

Sim, "Peidando em público", o próprio. Mas Nalty já fez quase 400 outros vídeos, muitos hilários, inclusive, e faz parte do Creator Ad Board do XLNTads.com, um grupo de diretores de vídeo on-line que se consideram a fina flor da segunda divisão da publicidade. Na verdade eles ainda não chegaram lá, mas são claramente mais talentosos do que os amadores que fazem a maioria das propagandas geradas pelo consumidor em concursos mundo afora.

"O nível dos vídeos inscritos é baixo demais, tem muito lixo", diz Nalty, conhecido na internet como Kevin Nalts. Ele deve usar o semipseudônimo para proteger sua empregadora, a Merck, onde é gerente de marketing. "Faço marketing de dia e vídeos à noite", diz, garantindo para si mais legitimidade do que têm os "espectadores passivos de anúncios que não sabem como passar uma mensagem de marketing". Ele e seus partidários convenceram Neil Perry a modificar sua estratégia: ou seja, a se dedicar aos semiprofissionais.

"Não é preciso muitos deles para se ter sucesso", Nalty afirma. "Se conseguir achar algumas dezenas que saibam fazer marketing e conheçam as regras do jogo, dá para obter algo de valor. Há muita gente escondida por aí com bastante imaginação."

Talvez. Nalty já fez vídeos nos moldes de anúncios para clientes pagantes. Num deles, para a Mentos, é pego tentando entrar no cinema com um pacotinho de balas escondido. O problema é que o pacotinho de Mentos tem 1,5m se projeta claramente para fora de seu casaco. A primeira versão do anúncio era muito grande e não tinha conclusão, acabava de repente. Mas era uma ideia inteligente – e ficou mais bem definida na versão reduzida, finalizada depois que o vídeo apareceu no meu blog. Nalty fez outro vídeo para um website chamado GPSManiac.com, no qual ouvimos o monólogo interior da voz feminina do GPS no carro do próprio Nalty. Como você pode imaginar, ela não o acha muito esperto. O vídeo não é lá muito engraçado, mas o cliente gostou o suficiente para postá-lo em seu site, sob um título bem de acordo com o espírito da época: "Bombou no YouTube."

O pagamento que recebeu: algo entre US$1 mil e US$5 mil.

A estratégia de Neil Perry para o XLNTads.com era recrutar 500 Kevin Naltys, não apenas para garantir a pronta inscrição de concorrentes e dar um empurrão nos concursos promovidos pelo site, mas também para criar uma central de talentos semiprofissionais para marcas que se assustam tanto com os preços de butique que preferem comprar em lojas de departamento. Se 2 cabeças pensam melhor que 1, que dirá 500.

Cantarolando ideias

Não se trata exatamente de uma imensa mudança de paradigma, já que aproveitar a Engenhosidade das Massas não é, de forma alguma, uma ideia nova para a publicidade. Em 1999, um diretor de criação da DDB, em Chicago, viu a produção amadora de um jovem produtor cujo esquete cômico sobre as relações masculinas era ótimo. O curta de Charles Stone III e seus amigos chamava-se "Whassup" ["E aí?"]. A DDB inseriu umas Budweisers no enredo e ele ganhou o Grand Prix do festival de Cannes, sem falar que se tornou a melhor campanha de cerveja de todos os tempos. A verdade é que as agências de publicidade estão sempre fazendo empréstimos. Foi assim que Bob & Ray se tornaram os Piels Brothers nos anos 1960; que Max Headroom se tornou uma personagem da Diet Coke nos anos 1980; e que o parkour, enigmático esporte praticado por acrobatas urbanos, passou a aparecer aqui e ali (sem falar das 30 mil ou mais homenagens/imitações de *Contatos Imediatos de Terceiro Grau* que têm aparecido em comerciais nos últimos 25 anos). O que o YouTube faz, no entanto, é simplificar muito o processo de descoberta. Equipes de criação podem pescar ideias simplesmente digitando palavras-chave – ou ficando de olho nos vídeos que entram para as listas dos mais visualizados. Com ou sem intermediários como o XLNTads.com, o YouTube é um show de calouros virtual para equipes de criação sem ideias e com banda larga.

Pense, por exemplo, no spot do McDonald's transmitido para a área metropolitana de Nova York no verão de 2007. São dois caras numa esquina, um fazendo percussão vocal e o outro cantando um rap sobre frango frito:

> *Sou louco por nuggets, galera. Sou louco por nuggets, galera.*
> *Sou louco por nuggets, galera. Sou louco por nuggets, galera.*
> *McNuggets, McNuggets o quê,*
> *McNuggets, McNuggets o quê, McNuggets, McNuggets o quê*
> *Ketchup e maionese. Ketchup e maionese.*
> *Mergulhe no molho de churrasco. Mergulhe no molho de churrasco.*

As raízes desse comovente tributo remontam a Chicago, um ano antes, quando os alunos do programa de treinamento da Second City, companhia teatral de improvisação, estavam se preparando para encenar um esquete cômico no palco. Um deles era Thomas Middleditch e o outro, Fernando Sosa. "Estávamos nos bastidores, 10 minutos antes de ir ao palco, fazendo um desafio de hip-hop", conta Sosa, "só de brincadeira." Foi quando, em reconhecimento à famosa capacidade do rap de documentar as minúcias da vida urbana, Middleditch começou a cantar um rap sobre os McNuggets de frango. Eles mesmos acharam engraçado e, ao entrar no palco, apresentaram rapidamente o que tinham planejado e logo partiram para o McRap. Bela jogada.

"Foi incrível", diz Sosa. "O público adorou."

Matt Malinski, amigo deles, concordou então em fazer um vídeo da *performance*, convenientemente colocado no YouTube "sem nenhuma expectativa", segundo ele. Talvez ele não tivesse expectativas, mas sem dúvida tinha muita esperança. Lembra como os figurantes Andy Samberg e Chris Parnell, do programa de televisão *Saturday Night Live,* foram lançados à fama quando seu rap "Lazy Sunday", sobre garotos brancos e nerds, virou sensação no YouTube? No fim das contas, o rap de 40 segundos sobre o McNugget não foi tão baixado quanto o "Lazy Sunday", mas nos dois anos seguintes gerou quase 2 milhões de visualizações. Um dos visualizadores foi Chris Edwards.

"Me matei de rir", diz o diretor de criação da agência Arnold, de Boston, responsável pelas promoções de vendas do McDonald's na cidade Nova York, "e achei que tinha que fazer alguma coisa. Era muito bom para deixar pra lá. Então fiz o download para o iMovie e trabalhei nele no fim de semana."

Claro que ele deu um jeito de cortar algumas coisas, substituí-las por textos e jogar um logotipo no final, deixando tudo com 30 segundos. Ou seja, a duração de um comercial. Depois, foi só achar os rapazes e perguntar se gostariam de aparecer nas televisões de Nova York cantando um rap sobre *fast-food*.

"Ficamos com medo de que eles dissessem: 'Não, não queremos parecer vendidos'", conta Edwards. "Mas eles ficaram animados, muito animados de aparecer na televisão. Ficaram loucos com a divulgação." Talvez seja um jeito discreto de dizer o que aconteceu. O próprio Sosa é bem menos comedido: "Isso é maluco pra cacete! Toda essa atenção é incrível. Que doideira!"

É difícil dizer o que torna o vídeo tão atraente. Talvez seja porque ninguém faria um rap sobre McNuggets. Ou por que já deveriam ter feito um rap sobre McNuggets há muito tempo, pois os McNuggets representam exatamente o que o rap deve explorar: as texturas do subúrbio. Verdade seja dita, os próprios rapazes não entendem. Afinal, como poderiam? Uma vez, quando estavam se preparando para o SketchFest de Chicago, passaram horas para aprimorar uma apresentação sobre um garoto que chega em casa com seu amigo e pega o pai assistindo um filme pornô. Rolavam de rir toda vez que ensaiavam, mas no dia da apresentação ninguém da plateia esboçou um sorriso sequer.

"Eles simplesmente não riram", lembra Sosa.

Dessa vez o público gargalhou. O vídeo já era um minifenômeno *cult* quando Edwards cruzou com ele. Ainda por cima, o assunto era perfeito para uma promoção de verão que seria lançada em Nova York, onde a Arnold era a responsável regional.

"Foi um acaso", diz, "e um tremendo golpe de sorte."

Então, qual será o resultado de tantas coincidências para a empresa de sanduíches que quis explorá-la? Edwards acredita que haverá uma avalanche espontânea de propagandas geradas pelos consumidores no YouTube e em outros ambientes – a maioria, provavelmente, feita por rappers "com esperança de lançar suas músicas na TV". Até aí, tudo bem. O ponto mais importante é que os fenômenos, por sua própria natureza, não podem ser previstos. Para cada "Ronaldinho" da Nike e "Evolution" da Dove, que se tornaram virais, milhares de outros vídeos postados por agências com a intenção de torná-los virais nunca infectaram a imaginação de ninguém fora da sala de reuniões da própria agência. Certamente, o simples tamanho da esfera do YouTube aumenta exponencialmente a pequena chance de virulência. Mas "pequena" é a palavra mais importante dessa frase.

Aonde você quer chegar?

Voltemos a Conshohocken, em agosto de 2007. Como resquício de uma tempestade tropical, chovia torrencialmente, deixando o estacionamento cheio de poças e com aspecto deprimente. Essa era a vista que Neil Perry tinha da janela de seu escritório, mas tudo bem. Estava cada vez mais acostumado com coisas deprimentes. Fazia quase 5 meses que ele e sua equipe de vendas "subiam no palanque", fazendo campanha para os profissionais de marketing sobre as infindáveis promessas da propaganda gerada pelo consumidor. Na verdade, já fazia um mês desde o lançamento do site. Mesmo assim, se você entrasse no XLNTads.com, encontraria apenas amostras de propagandas, em diversas categorias de produtos, de marcas que não existiam: doces ChocoBana, celulares XCell etc.. Na época, nenhuma marca de verdade havia fechado negócio com eles.

"A dificuldade estava aí", Perry diz. "Até termos alguém no site, a parte de vendas é uma luta." É a típica situação do ovo e da galinha, em que os clientes potenciais dão para trás porque nenhum outro cliente potencial se manifestou. Perry descreve o tipo de intercâmbio que acontece nas ligações de vendas:

Cliente potencial: "Que tipo de anúncios vou obter?"

Representante da XLNT: "Hum... não sei... anúncios engraçados?"

Pelo menos, o site já estava no ar. Os anúncios inventados de marcas inventadas ajudavam os consumidores a visualizar o que a propaganda gerada pelo consumidor tinha a oferecer. "Até então", Perry suspira, "não tínhamos nada para mostrar."

Que diferença uns comerciais ruins inventados podem fazer. Depois de apenas 4 meses, as caixas de papelão com papel sulfite na entrada foram substituídas por duas belas poltronas de couro. Duas salas do conjunto, antes ociosas, estavam agora fervilhando, e com a promessa de Perry de que até o outono o site hospedaria de 2 a 6 marcas verdadeiras. Uma delas era a True.com, um serviço de encontros on-line. Outra era a marca Bomba, um energético italiano. Outras quatro empresas – majoritariamente da segunda divisão da Leading National Advertisers, mas todas importantes – já estavam com seus contratos em diversas etapas do processo de aprovação.

"Estamos chegando lá", diz Perry.

Estão chegando lá com a evolução constante de sua estratégia, com base nos conselhos dos membros "criadores" como Kevin Nalty e nos resultados muitas vezes críticos que a XLNTads testemunhou envolvendo os pioneiros da propaganda gerada pelo consumidor na vida real. Inclui-se aí a Heinz, cujo concurso atraiu a participação do Homem Ketchup/Príncipe das Trevas, além de um homem se barbeando com ketchup.

"A Heinz botou a boca no mundo, publicou anúncios no *USA Today*, fez um pacote completo. Como resultado, logo recebeu mais de 2 mil vídeos. E de 50 a 60% deles eram porcaria – mas alguém tinha de assistir a um por um. Queremos evitar essa armadilha."

Evitar – em propagandas geradas pelo consumidor – inconveniências, como... os consumidores.

A XLNT também contratou coordenadores para vasculhar os quatro cantos do universo do vídeo amador em busca dos 500 melhores colaboradores. Assim, as marcas que usassem o site para promover concursos não seriam inundadas com besteiras como as do Heinz, vindas de pessoas totalmente sem noção, mas teriam uma pronta oferta de materiais apropriados e confiáveis. Sem dúvida, os concursos poderiam ser realizados com muito mais tranquilidade e com resultados bem mais satisfatórios. Mas será que essa estratégia não fazia cair por terra todo o objetivo da propaganda gerada pelo consumidor? Se os concursos forem dominados por meia dúzia de escolhidos, não se frustra assim o propósito de uma promoção voltada ao consumidor – que é difundir o entrosamento com a marca? Além do mais, dificilmente será possível aproveitar a sabedoria do público se sua primeira atitude for restringi-la. Se o conceito é ampliar e aprofundar o grupo de geradores de ideias, cultivar uma Elite Diletante parece antiético diante de tal objetivo. Certo, Neil?

"Nem tanto, meu caro amigo."

Perry fez os cálculos de um jeito um pouco diferente. Se, em qualquer momento, a XLNTads.com estiver promovendo entre 10 e 15 concursos de propaganda gerada pelo consumidor, os 500 escolhidos se dividirão com certa igualdade entre eles. Sua presença, diz ele, servirá somente para garantir uma certa liquidez de conteúdo. Eles existem pela mesma razão que os pedintes e artistas de rua colocam suas próprias moedas no chapéu antes de iniciar suas atividades. Os transeuntes, acreditando que outros deram esmola antes deles, ficam mais dispostos a colaborar.

Mas não era apenas a dinâmica do comportamento daqueles cujo hobby é fazer vídeos que ele estava tentando capturar. Era também a autenticidade essencial do meio.

"A propaganda gerada pelo consumidor também tem a ver com o estilo da propaganda. Tem a ver com a câmera manual, a produção barata, as ideias e execuções simples. É isso que a torna tão relevante e que a faz parecer tão diferente do que as agências famosas fazem."

Mas espere um pouco, Neil... Você tem certeza de que quer dizer "autenticidade" e não "amadorismo"?

"Essa é minha versão", diz ele, "e vou mantê-la."

Mas não indefinidamente

Avancemos quase 2 anos. Um comercial gerado por consumidores – novamente para o Doritos – ganhou o concurso Super Bowl Ad Meter, do *USA Today*. Dave e Joe Herbert, dois cineastas desempregados, ganharam US$ 1 milhão por vencerem os profissionais do ramo. Não foi pouca coisa. Para tanto, os irmãos tiveram que destronar a Anheuser-Busch, cujos anúncios para o Super Bowl dominaram o Ad Meter durante anos com um humor sutil e sofisticado – piadas de cunho sexual e flatulências explosivas de cavalos. Mas aí surgiu a propaganda do Doritos gerada pelo consumidor, em que um cara usa um globo de neve "mágico" para quebrar o vidro de uma máquina de venda automática e depois o lança bem nas bolas do chefe vociferante, nos ensinando que:

1) a propaganda gerada pelo consumidor atingira a maioridade;
2) os americanos não se cansam de ver caras levando chute no meio das pernas;
3) muito menos de cavalos soltando pum.

Esse triunfo histórico parecia ser, à primeira vista, uma grande notícia para a XLNTads: a validação genuína e de grande visibilidade de sua premissa inicial, ainda que no contexto de uma promoção com a qual nada tinham a ver. Quatro meses depois, no entanto, eles ainda não tinham sentido nenhuma melhora no ambiente. A aversão ao risco foi o principal obstáculo deles desde o primeiro dia.

"Com certeza, o problema que enfrentamos hoje é o mesmo daquela época", Neil Perry me contou em maio de 2009. "As grandes marcas ainda relutam em pular no barco." Sem falar das agências, que Perry acredita poderiam se beneficiar com os serviços da XLNT em projetos pequenos e pouco lucrativos. Para Perry, elas se sentem ameaçadas pela propaganda gerada pelo consumidor.

Muita coisa também havia mudado nesse meio-tempo. A XLNTads não estava mais sediada na Conshohocken pós-industrial. Operava, agora, em Wynnewood, subúrbio bem arborizado e abastado da Filadélfia, que abrigou por anos o filantropo Walter Annenberg, o jogador de basquete Kobe Bryant e minha mãe. A nova sede era uma casa de madeira de 80 anos, fixada entre uma videolocadora e uma agência bancária, a um passo do serviço ferroviário de Paoli Local – muito conhecido como Main Line. Nenhum sinal de Grace Kelly ou Katherine Hepburn, mas não parece em nada com Conshohocken.

Outra grande diferença era o portfólio, agora diversificado. Apesar do receio, muitos profissionais de marketing importantes colocaram o pé na água. "Estamos fazendo um comercial para o SmartScoop, uma caixa automática de areia para gatos da Our Pets", diz Perry. "Acabamos de finalizar o segundo programa para a Nestlé e já começaremos o terceiro. Começamos com o chocolate 100 Grand. Depois fizemos as comidas prontas Stouffers Corner Bistro Stromboli e Flat Melts (ponha-os no freezer, são uma delícia!).

"Para a Anheuser-Busch, fizemos quatro programas. Um para a Bud Light. Em seguida, outro para a Natural Light. E fizemos dois projetos separados para seu programa de motorista da rodada. E ainda haverá mais um, se não dois.

"Outro cliente recorrente é a Callaway Golf. Acabamos de finalizar um anúncio para o taco de golfe Diablo. No momento estamos conversando com eles sobre seu segundo programa."

Do ponto de vista criativo e estratégico, os anúncios resultantes não foram necessariamente um grande triunfo. Por exemplo, não foram transmitidos na televisão, apenas na internet, e, mesmo on-line, apenas alguns marcaram presença. De fato, com exceção de um spot bem inovador e atraente para o taco Diablo, da Callaway Golf, todos os outros eram (vejamos como colocar isso sem ferir o sentimento dos envolvidos) extraordinariamente comuns. Quando Perry se refere a seus criadores como "o time dos segundo melhores, que produz os segundos melhores materiais criativos", há um pouco de presunção. Contudo, os spots foram produzidos, comprados e transmitidos sem modificações. Não são sucessos irrelevantes. Quando visitei o site pela última vez, por exemplo, os principais trabalhos eram para marcas que não existiam. O progresso também não para por aí. No outono de 2008, a XLNTads lançou um site paralelo chamado Poptent.net, uma comunidade on-line para criadores de anúncios e o centro da nova estratégia da empresa. Em vez de usar a propaganda gerada pelo consumidor somente para fomentar os concursos, os fundadores decidiram reformular a empresa como uma central de informações – à moda do crowdSPRING – para multiterceirizar spots televisivos.

"Nós nos afastamos totalmente do modelo de concursos", diz Perry. "E nos afastamos também de frases feitas como 'envolva seu cliente'. Evoluímos para uma rede semiprofissional e profissional de contatos de criadores de vídeo de baixo custo e alta qualidade. É basicamente a melhor forma de multiterceirização. Conseguimos elevar o número de criadores para 9.200, e começamos a tentar melhorar especificamente a qualidade dos nossos criadores. Agora vemos uma quantidade menor de amadores e maior de profissionais e semiprofissionais. Hoje, cerca de 30% da comunidade são pequenas agências. São grupos de 2, 3, 4 pessoas lutando por uma oportunidade. Eles podem mandar suas criações para a General Mills e receber de volta um envelope marrom com os dizeres 'Não aceitamos materiais não solicitados'. Ou podem fazer um serviço no Poptent e saber que pelo menos algumas marcas nacionais estão vendo seu trabalho."

Por exemplo, Perry ficou muito satisfeito quando a Callaway pediu permissão para entrar diretamente em contato com os autores por trás do excelente anúncio da XLNTads. A empresa gostou tanto do trabalho que queria negociar um acordo. Foi ótimo para o criador e – apesar de não ter participação em nada disso – para Perry também.

"As vantagens são enormes quando comunicamos esse tipo de acontecimento à comunidade de criadores", explica, "e isso provavelmente dobrará o número de criadores que temos." Não é um raciocínio maluco. Um exemplo é o rap dos McNuggets: quando ainda era só uma brincadeira, teve 50 mil visualizações no YouTube. Depois que o McDonald's o televisionou para toda a região em torno de Nova York, os acessos on-line se multiplicaram 50 vezes. Aspirantes a comediantes, rappers e produtores de anúncios precisam de visibilidade assim como os vampiros precisam de sangue e assim como, aparentemente, todas as pessoas precisam dos produtos da Polishop.

O desenvolvimento mais importante, no entanto, é a considerável automação do site. O baixo custo de se comprar um spot televisivo fica ainda mais baixo com o XLNTDirect, que publica e mantém o controle de anúncios de serviços de maneira muito semelhante à que o crowdSPRING faz com os projetos de *design* gráfico. O custo de participação cai de US$ 25 mil (mais US$ 7500 para cada spot escolhido) para US$ 9.500 (mais US$ 7.500 cada spot). O profissional de marketing faz o upload do briefing do material e dos "acessórios" exigidos – logotipo, fotos do produto, tema musical – e a comunidade faz o resto.

"Não revisamos os anúncios que vão entrando", Perry afirma. "Não recomendamos ganhadores. Nosso único envolvimento é dar acesso aos criadores e ajudar com a papelada no final. Damos até o modelo para fazer o briefing do material. Os contratos e acordos são padronizados. É bem simples e fácil. Conseguimos para os clientes um anúncio por US$ 17 mil."

Ele ainda acredita que isso vai atrair profissionais de marketing importantes que também possuem um portfólio de marcas menores, e não um grande número de empresas pequenas que poderiam ter seus próprios comerciais de TV. Mesmo assim, por enquanto a pergunta não é qual segmento será o maior cliente dele. A pergunta é: haverá, afinal, *algum* cliente?

"Acreditamos que, dentro de 12 a 15 meses, há um potencial para 50 serviços por mês."

Partindo dos 2 atuais. Ou, às vezes, 3. A empresa, diz ele, "está perto de ficar no azul, bem próxima", mas muito carecida de um investimento de US$3,5 milhões para lançar seu programa *self-service* para atender aos profissionais de marketing que mais precisam. Ele está cogitando pôr no ar uma campanha publicitária, quem sabe até na minha publicação, a *Advertising Age*.

"Nós 'construímos' esta empresa", suspira Perry, "mas o velho ditado de que 'os clientes virão' não é necessariamente verdadeiro. Temos que correr atrás deles e fazer marketing."

Ele não diz se vai contratar uma agência para isso ou publicar o briefing de sua campanha no Poptent.

Capítulo 10

OS PODERES INSTITUÍDOS 2.0

COM CERTEZA HÁ UM GURU POR AÍ TIRANDO SARRO. Ou revirando os olhos. Ou sentindo que, caramba!, o Bob Garfield ainda não deu a menor atenção ao que há de _mais importante_ na Web 2.0. Afinal, a esta altura do campeonato, escrevi páginas e mais páginas sobre widgets, anúncios gerados pelo consumidor, filtragem colaborativa, gestão de relacionamento com o cliente e propaganda boca a boca, mas nem uma página sequer deste livro foi explicitamente dedicada às redes sociais. Como posso ser tão descuidado? O que pode justificar essa omissão tão berrante?

É uma ótima pergunta!

Mas nem tanto!

A verdade é que não é preciso dedicar um capítulo específico às redes sociais, pois cada partícula da arte e da ciência da Listenomics _pressupõe_ o uso das redes sociais. Facebook, MySpace, Digg, Twitter, Bebo, LinkedIn, FarmersOnly, redes como a HamsterSter para amantes de hamsters (!), ou como a SocialAnxietyFriends para pessoas com fobia social (!!!), ou qualquer outra que se possa imaginar. A conectividade digital e a redistribuição do poder inerentes às redes sociais são, decerto, o âmago da Nova Ordem Mundial. Dedicar um capítulo a elas seria como um livro sobre a história dos jornais dedicar um capítulo à tinta para a impressão. É óbvio demais.

Além do mais, não é óbvio somente para a Procter & Gamble e para a Pepsi. É fácil examinar o cenário digital como fizemos ao longo de 237 páginas e imaginar que esse caos só pode ser desvendado por inteligentíssimos especialistas em marketing ou em mídia. Essa visão tira o foco da questão principal, a de que *tudo* está de cabeça para baixo. Por muito tempo, as grandes instituições mandaram e a massa – o consumidor, o espectador, o leitor, o eleitor, o contribuinte – tinha que se satisfazer com o que O Chefe decidia distribuir. Hoje, a redistribuição do poder ocorre em todas as partes da sociedade, nos mais obscuros recessos econômicos, em todos os quais os princípios da Listenomics se aplicam.

Governo. Educação. Arte. Inteligência. Escolaridade. Medicina. Ciência. Religião. Jornalismo. Política. Em cada um desses pilares sociais, o que até agora eram Poderes Instituídos tornaram-se Poderes Destituídos, com os princípios organizacionais do mundo analógico perdendo cada vez mais seu domínio – e sua aplicabilidade – no mundo digital. Falarei de alguns desses pilares aqui, finalizando com a manifestação mais tumultuosa de todas: o efeito da revolução digital na revolução em si.

É a esses assuntos que, infelizmente, não vou poder dar a devida atenção – não porque sejam irrelevantes, mas porque cada um deles teria material para um livro inteiro. Além disso, paradoxalmente, não suporto insistir em mudanças revolucionárias já tão amplamente registradas e discutidas. Veja a política, por exemplo. É mais do que óbvio que o site MyBarackObama.com foi a apoteose da intersecção das redes sociais com a campanha presidencial. É o modelo para todos os candidatos em todos os níveis de governo. Como disse o conselheiro de Bush, Mark McKinnon, para o *The New York Times*, 2008 foi "o ano em que as campanhas tiraram proveito da internet de maneiras antes inimagináveis. Foi o ano em que conseguimos viajar mais rápido que a luz, o ano em que os paradigmas viraram de ponta-cabeça e passamos a abordar os problemas de baixo para cima, e não de cima para baixo".

Mas você já sabe disso. Sabe também que o MyBarackObama.com ajudou a angariar US$ 500 milhões, conseguiu coletar 13 milhões de endereços de e-mail e coordenou 200 mil eventos pelo país afora. Conhece as ferramentas que o site forneceu e o movimento que desencadeou. Por isso, vou rever os três divisores de água que *possibilitaram* a ação fenomenal de Obama para construir uma comunidade – os momentos que mudaram para sempre o relacionamento entre o eleitorado e os candidatos.

A grande conspiração da esquerda

Lembra que, em 1998, quando a questão do *impeachment* de Bill Clinton fervilhava, a primeira dama Hillary Clinton foi ao matutino *Today* e reclamou para o jornalista Matt Lauer que uma "grande conspiração da direita" estava combatendo contra seu marido já havia 7 anos? Não era paranoia. Mais tarde, alguns participantes confirmaram – e o ataque em uníssono do canal Fox News, de Rush Limbaugh e do Partido Republicano evidenciou – que o presidente Clinton foi mesmo atormentado por uma campanha partidária organizada, que agiu com uma crueldade de cair o queixo. Essa campanha foi em grande parte produto da velha mídia (os programas de opinião no rádio) e da velha política (os boatos maliciosos sobre o suicídio supostamente suspeito de Vince Foster, assistente da Casa Branca). Eis o que os democratas fizeram:

1) Ficaram se lamuriando.
2) Perderam a maioria no congresso e na câmara dos deputados, além da presidência.
3) Por fim, decidiram iniciar uma conspiração da esquerda. E das grandes.

O que a esquerda política fez foi tirar vantagem do crescente descontentamento e do conjunto de novas ferramentas: a mídia digital. Em parte por acaso, em parte por planejamento, forças vindas de vários pontos do espectro da esquerda política cultivaram um círculo de eleitores na internet e uniram-se para ajudar o partido democrata bem a tempo das eleições de 2008. A vitória de Barack Obama, porém, foi mera culminação da constituição de uma comunidade, e de uma angariação de fundos, sem precedentes na história política. E isso começou em 1998, cerca de 9 meses depois da participação rancorosa de Hillary Clinton no *Today*. Foi no outono daquele ano que a MoveOn.org se formou.

Na década seguinte, o MoveOn tornou-se o principal motor da organização progressista. Na época, todavia, representava um gesto isolado do casal Joan Blades e Wes Boyd, de centro-esquerda, que estavam cansados do circo formado em torno do *impeachment* e de como ele desviava de outros assuntos importantes as atenções da Casa Branca e do Congresso. O objetivo único de sua petição on-line: o Congresso "deve censurar o presidente Clinton e seguir em frente". Essa proposta nada radical angariou rapidamente 100 mil assinaturas, incentivando os organizadores a passarem à etapa seguinte, já na companhia de uma comunidade formada de repente: transformar um movimento espontâneo em ativismo político. Os simpatizantes foram incitados a contatar membros republicanos do Congresso e a ligar para programas de rádio direitistas (geralmente fingindo serem republicanos) e ameaçar nunca mais votarem no Partido Republicano caso conseguissem chutar Clinton para fora do gabinete. No final, Clinton foi absolvido pelo Senado, embora apenas 5 dos 55 senadores republicanos tenham votado por sua inocência em ambas as acusações que pesavam contra ele. Nenhum democrata votou contra seu partido, uma vez que era necessário obter maioria de 2/3.

O vaivém da balança política depois disso foi difícil de avaliar. Clinton sobreviveu e manteve altas taxas de aprovação nas pesquisas. Nove dos 13 líderes do processo contra ele no Congresso se aposentaram ou perderam as eleições ao longo dos 4 anos seguintes. O vice-presidente Al Gore, embora (ou por isso mesmo) tenha se distanciado de Clinton na campanha presidencial de 2000, perdeu (ou não) para George W. Bush, que durante 4 anos teve a maioria tanto do Senado quanto da Câmara. O único que indubitavelmente saiu ganhando com tudo isso foi o MoveOn.org, que acumulou experiência tática e uma lista de e-mails de valor incalculável. O site usou ambos para apoiar os democratas nos distritos mais importantes, estratégia que em 2004 finalmente mostrou-se útil.

Na época, o site engajou-se em outro assunto: a guerra do Iraque. Antes da invasão de 2003, o MoveOn.org fez circular uma petição com uma exigência relativamente modesta: "Deixem as inspeções [em busca de armas de destruição em massa] seguirem seu curso." Como me disse Christopher Hayes, da revista *The Nation*, após sua retrospectiva dos 10 anos da MoveOn.org, "eles não estavam dizendo 'Não derramem sangue por petróleo' nem 'Abaixo o imperialismo militarista'. Diziam apenas: 'Deixem as inspeções seguirem seu curso'. Seguiram um caminho de moderação."

Poucos anos depois, quando a guerra recrudesceu, o caminho da moderação já era coisa do passado – tanto no discurso político americano em geral quanto, especialmente, na política do MoveOn.org. A voz moderada de outrora, seguindo o exemplo dos Estados Unidos como um todo, tornou-se radical diante da ausência de armas de destruição em massa, do alarme falso de "missão cumprida", do antiamericanismo endêmico, da perda de vidas e de dinheiro, da violência sectária intratável, do desperdício e da corrupção, de Guantánamo, de Abu Ghraib e da escassa esperança de uma resolução satisfatória. Enquanto isso, a lista de e-mails, a capacidade de angariar fundos e a influência política do MoveOn.org só aumentavam. Embora tenha protagonizado alguns tropeços grosseiros – o mais infame foi rimar o nome do Gen. David Petraeus com *betray us*" [trair-nos] num anúncio de jornal, tiro que saiu pela culatra em 2007 – o site conseguiu reunir 4,2 milhões de inscritos e tornou-se uma força de peso.

O MoveOn.org pode dividir com certos canais noticiosos da nova mídia (como o TheDailyKos.com e o *The Huffington Post*, sem falar de toda a MSNBC) o crédito pela ressurreição de uma esquerda fragilizada e impotente desde a administração Lyndon Johnson. Ao mesmo tempo, outro "conspirador", um catalisador de ideias chamado Center for American Progress, de Washington, foi explicitamente designado para conter o impacto de aliados fiéis dos conservadores, como a Heritage Foundation, o Competitive Enterprise Institute, o Cato Institute e a Hoover Institution. Fundou a Media Matters for America em 2004 para contradizer as mentiras e a propaganda panfletária (bem como as verdades inconvenientes) reverberadas pela mídia direitista. Enquanto a direita marchava – e espalhava calúnias – em total sintonia, diz Eric Boehlert, da Media Matters, "os liberais e progressistas não tinham nada nas mãos". Isso naquela época. Agora a coisa mudou.

Se você quiser ficar boquiaberto diante da intersecção da organização política com as ferramentas da internet, visite o MediaMatters.org e verifique as últimas atualizações. Depois, faça uma busca no Google Blogs e veja como elas se dispersaram ampla e rapidamente na esquerdosfera.

Enquanto escrevo aqui, copiei e busquei no Google o fragmento de uma chamada do Media Matters ("DHS Freak-Out") – sobre a reação do Partido Republicano ao relatório do Departamento de Segurança Nacional sobre a volta dos veteranos de guerra – e encontrei 200 ocorrências. Isso num espaço de 3 horas e meia.

Antes da gritaria

Antes de ser posto abaixo pela velha mídia, Howard Dean foi posto no alto pela nova.

Em 2003, em parte por causa de suas críticas inequívocas à guerra do Iraque, o então governador de Vermont saiu da obscuridade para os holofotes e se destacou entre os 12 pré-candidatos presidenciais democratas. No entanto, o que fez a imprensa nacional se interessar o bastante por ele para fazê-lo sobressair não foram suas posições políticas, mas sua situação financeira. Por exemplo, no terceiro trimestre de 2003 – 3 meses antes das eleições primárias – ele angariou quase US$ 15 milhões. Ou seja, ultrapassou o recorde democrata batido por Bill Clinton em 1996, quando naquele período foram levantados pouco mais de US$ 10 milhões. Mais ainda, o "tesouro de guerra" de Dean não estava repleto de cheques gordos passados por gente endinheirada e coletados por financiadores de campanhas que visavam a cargos em embaixadas e gabinetes. Estava transbordando de cheques de US$ 25 solicitados na internet. E era reforçado por "encontros" organizados on-line. Nascia o fenômeno *netroots**, termo criado pelo blogueiro Jerome D. Armstrong.

Os especialistas ficaram maravilhados com a capacidade da campanha de, com umas poucas postagens na rede, reunir 3.200 partidários em Austin, no Texas (na grande região de Crawford), em questão de dias. Mas grandioso mesmo foi o comício virtual contínuo que acontecia no site Dean2004, uma protocomunidade – talvez não dotada dos mesmos recursos que o MyBarackObama.com 4 anos depois, mas certamente palco e ponto de

---

* A palavra *netroots* se refere ao ativismo político organizado na internet, em blogs e outras mídias. Deriva do termo *grassroots*, que designa os movimentos políticos populares espontâneos, conduzidos pelos cidadãos comuns. (N. T.)

encontro para os seguidores. Eis o que Doc Sealers – coautor de *The Cluetrain Manifesto* – tinha a dizer sobre o site de Dean na época:

> *O que faz um bom poliblog? Seres humanos falando com vozes humanas (...) Justificar o fim pelos meios. Abundância de links. Dar os devidos créditos. Permalinks. RSS. Envolvimento. É bom ver tudo isso, independentemente das políticas envolvidas.*

Na época das convenções de Iowa, o primeiro grande evento das eleições primárias, Dean tinha sido alçado à condição de favorito. Então, duas coisas ruins lhe aconteceram. Primeiro, descobriu que nem o dinheiro vivo, nem as pesquisas nem a bênção dos bem-falantes constituíam votos reais. Ficou em terceiro, perdendo para John Kerry e John Edwards nas convenções. Depois, discursando para seus voluntários de madrugada, na tentativa de levantar o moral deles para as próximas primárias em New Hampshire, deixou escapar um grito agudo, uma espécie de guincho. Parecia o líder indígena americano Cavalo Louco, a caminho da carnificina na guerra contra o exército dos Estados Unidos.

Por acaso eu vi o episódio ao vivo na CNN, e juntando o contexto da situação com a multidão e a energia quase histérica que pulsava no ambiente, não pareceu nada demais. Mas quando os noticiários isolaram a cena e a transmitiram fora de contexto cerca de 12 milhões de vezes, convocando especialistas para especular sobre a dignidade e a estabilidade emocional do candidato, nem todos os comícios e nem todo o dinheiro do governador conseguiram impedir que a campanha fosse por água abaixo. Um mês depois, Dean se retirou da corrida presidencial. Mas as campanhas populares on-line continuaram a reinventar a política americana – não de cima para baixo, mas de baixo para cima.

Tour de Farsa

Sempre viajo para Washington de avião, por isso acabo esbarrando com muita gente. No outono de 2008, pouco antes da eleição presidencial, uma dessas pessoas foi o senador John Kerry, que apenas 4 anos antes fora vencido por Bush numa corrida em que o malquisto presidente poderia ter perdido até mesmo para um vendedor de carros usados, um trotskista encolerizado e/ou um cadáver.

Há muitas explicações para a derrota de Kerry: seu alheamento, sua opulência, sua esposa nada tímida, a campanha grotesca de difamação promovida pelos Swiftboat Veterans for Truth, a relutância histórica do eleitorado em destituir um comandante das forças armadas em tempos de guerra. Mas tão boa quanto qualquer outra explicação é a dos dois pés esquerdos de Kerry: sua estranha aptidão a dizer e fazer a coisa errada no momento errado. Como, por exemplo, tentar desfazer a imagem de riquinho desinteressado praticando windsurf em Nantucket, ou explicar sua mudança de opinião sobre o financiamento da guerra do Iraque dizendo: "Na verdade, eu votei a favor dos US$ 87 bilhões antes de votar contra." Ou abrir sua candidatura oficial na convenção dos democratas desenterrando sua saudação naval e declarando, como um veterano triste num balcão de bar: "Sou John Kerry e estou me apresentando para o serviço."

Os democratas ficaram horrorizados.

A bordo do Delta Shuttle, perguntei a Kerry o que há anos gostaria de perguntar a um candidato a presidente: "Como você se sente tendo que medir cada palavra, sabendo que qualquer erro de pronúncia ou erro factual, qualquer piada considerada de mau gosto e qualquer rompante de sinceridade aguda poderia se voltar contra você? Não é uma tortura estar de guarda constantemente?" Admito que foi quase uma pergunta injusta, na mesma linha de "Você ainda bate na sua mulher?" Se ele fosse me responder com toda a sinceridade e franqueza ("Bob, é um inferno. Não posso contar piada suja. Nunca. Não posso nem rir de uma. Também nunca posso ter raiva. Se eu martelar o dedo, preciso medir minha reação. Nunca posso me contradizer. Nem mudar de ideia. É um pacto com o diabo; ganho 4 anos de mandato em troca da minha liberdade de expressão. Deveria haver um alerta obrigatório para os políticos: 'Tudo o que disser poderá ser e efetivamente será usado contra você no tribunal da opinião pública.' Sinceramente, é um saco."), eu, como jornalista, tornaria pública a sua resposta e ele passaria o resto da carreira tentando explicar por que se ressente de sua excelente posição de político eleito e dos eleitores tão trabalhadores que depositaram nele sua confiança, blá, blá, blá. Não é de admirar que Kerry tenha ficado injuriado e evitado responder.

"É uma questão de disciplina", disse.

Fico envergonhado de dizer, mas acabei abrindo um sorrisão. Queria parecer cortês, mas ficou óbvio que era um sorriso triunfal. "Bem, você não acabou de concordar comigo?", eu disse. "Perguntei o que toda essa disciplina pode causar a uma pessoa." Nesse ponto, testemunhei algo doloroso e hilário: um político tentando desesperadamente formular uma resposta que não admitisse nenhuma de minhas hipóteses – pois seria admitir a falsidade – e tentando fazê-lo rapidamente, ou então o próprio processo de ser cuidadoso na escolha das palavras confirmaria a premissa que acabara de negar. Talvez ele estivesse lembrando da piada infame e desastrada que fez na Califórnia, em 2006, quando sua disciplina o deixou na mão e ele aconselhou alguns alunos a estudar bastante para não "ficar presos no Iraque", o que foi considerado um insulto ao intelecto dos corajosos homens e mulheres de uniforme. O cérebro do senador chiou e chiou. Por fim, ele respondeu, praticamente mudando de assunto: "Acho que se pode falar franca e honestamente sobre assuntos delicados, e acredito que assim o fiz." Depois, olhou fixamente para a comissária de bordo, que correu em seu socorro.

Digo tudo isso somente para observar o seguinte: John Kerry é bem inteligente e na época não estava sequer em campanha. Mas e se a pessoa estiver no palanque, aspirando a um alto cargo, e for um imbecil?

Senhoras e senhores, conheçam George Allen.

Em 2006, Allen era senador da Virgínia e estava na corrida pela reeleição contra o democrata conservador Jim Webb. A eleição era crucial por várias razões. Para os democratas, a vitória de Webb oferecia um vislumbre de esperança por uma maioria no senado. Para Allen, era um treino para as eleições de 2008. A situação do Partido Republicano na época – assim como hoje – era tão desoladora e caótica que Allen era considerado favorito à candidatura presidencial republicana. Hoje isso parece inimaginável, já que o cara é um idiota completo. Bem, em 11 de agosto, Allen estava em campanha no sudoeste da Virgínia, numa cidade chamada Breaks. Era uma parada no que ele chamou de "Turnê para Ouvir" [*Listening Tour*] – que deveria servir para ouvir as preocupações do eleitor comum, mas no caso de Allen era apenas uma oportunidade para falar mal de Webb e identificá-lo (geralmente sem razão) com a elite liberal. Eis o que ele disse:

"Meus amigos, faremos essa campanha com ideias positivas e construtivas. E é importante motivar e inspirar as pessoas."

Sabemos que essas foram suas palavras exatas porque todo o discurso está gravado em fita. Mas a fita não foi gravada por um jornalista (tal qual a fita de 1988, quando o ainda indisciplinado senador John Kerry hilariamente observou: "Alguém me disse outro dia que o Serviço Secreto tem ordens para, se George [H.W.] Bush levar um tiro, atirar em Quayle também (...) Não há ninguém da imprensa aqui, né?"). No caso de Allen, o vídeo foi feito por um voluntário da campanha de Webb. Por causa do que eles chamam de "pesquisa de oposição", um aluno da Universidade de Virgínia chamado Shekar Sidarth estava gravando todo o discurso, e mal sabia que as próximas palavras que sairiam da boca de Allen seriam sobre ele.

"Este rapaz aqui, de blusa amarela, o Macaca, ou seja lá qual for seu nome, está com o meu adversário. Está nos seguindo por todo canto. Isso é ótimo! Estamos rodando por toda a Virginia e ele está filmando tudo, é ótimo tê-lo aqui. Mostre tudo ao seu adversário [*sic*] porque ele nunca veio até aqui e provavelmente nunca virá, então seja bem-vindo (...) vamos dar as boas-vindas ao Macaca aqui. Bem-vindo aos Estados Unidos e bem-vindo ao mundo real da Virgínia."

Alguns fatos pertinentes: 1) Sidarth, sul-asiático por descendência e de pele escura, nasceu e foi criado na Virgínia. 2) *Macaca*, um tipo de macaco africano, é um insulto racial na África do Norte, terra natal, por acaso, da mãe de Allen. 3) George Allen, um candidato popular, perdeu as eleições e deixou o Partido Republicano com uma cadeira a menos no Senado, perdendo também qualquer chance de se candidatar à presidência. E isso não apenas porque a campanha de Webb rapidamente notificou o *Washington Post*, o que era natural, mas porque 700 mil pessoas viram o episódio no YouTube. É como Jeff Jarvis, do BuzzMachine, resumiu mais tarde: "Candidatos, fiquem alertas: vocês vão engasgar com seu próprio veneno."

Em outras palavras: John Kerry estava errado. Nenhum político pode ousar proferir uma palavra sem medi-la, muito menos dizer algo desabonador. Pois as campanhas não precisam mais ter medo de que haja jornalistas infiltrados para registrar a gafe; devem ter, antes, a absoluta certeza de que um voluntário com uma câmera, ou um membro da multidão com um celular, irão captar o momento e distribuir a gravação para o mundo inteiro. Num mundo conectado, cada pessoa em cada comício é um jornalista (lembra quando o Obama foi pego falando uma verdade incômoda sobre o eleitorado branco da classe trabalhadora, que seria "apegado a armas e religião"?), e as coisas nunca mais serão as mesmas.

Nem mesmo para o jornalismo

Como ficou bastante claro nos primeiros dois capítulos deste livro, o setor dos jornais, tanto de papel quanto on-line, chegou ao fim. Não há um modelo de negócios capaz de assegurar o número de funcionários necessários para produzir o jornal diário com o qual nos acostumamos nos últimos séculos. Essa é a notícia ruim. A boa é que, graças à própria revolução digital que vem matando o setor noticioso, surgiu outra colmeia de abelhas trabalhadoras da qual se pode tirar proveito: todo mundo. De blogueiros a testemunhas de notícias instantâneas a leitores que escrevem reportagens básicas na internet, o mundo da distribuição oferece aos recursos humanos algo que nenhuma editora teve até hoje, e nem poderia, na folha de pagamento. Esse pessoal pode não ter estudado nas universidades de Columbia, Missouri ou Medill, mas valem por infinitos funcionários a um custo zero por hora, sem contar a onipresença. A BBC, o *The New York Times* e a CNN juntas possuem muitos repórteres e correspondentes – milhares – mas milhares são menos que centenas de milhões. Todos os modelos futuros de jornalismo contam com essa sala de redação infinita. E isso não é mera teoria. Na internet ou fora dela, existe há muito tempo uma mobilização deles – ou seja, nossa.

Os casos mais famosos são os primeiros relatos e fotos do tsunami no Oceano Índico, em dezembro de 2004; das bombas no metrô de Londres, em 2005; e do atentado terrorista em Mumbai, em 2008. Esses relatos e fotos foram rapidamente divulgados para um mundo horrorizado por meio de mensagens de texto e fotos de celular feitos por cidadãos comuns que testemunharam os ocorridos. Outro caso parecido foi quando policiais de trânsito dispararam contra um homem desarmado e algemado numa plataforma de metrô em Oakland, Califórnia. A cena foi filmada por transeuntes e colocada no YouTube, finalmente recebendo a atenção da mídia local e obrigando o governo a abrir um inquérito. Esses episódios deixam claro que, de agora em diante, todos somos correspondentes de guerra – não da guerra do Iraque, mas da guerra da vida cotidiana. Acontece que quase todos nós carregamos ferramentas que podem documentar notícias em tempo real. Foi assim que, depois da explosão das bombas em Londres, a BBC se saiu bem mas a Wikipedia se saiu melhor, colhendo e resumindo as informações mais recentes tanto de testemunhas oculares quanto de todo tipo de fontes informadas.

Fenômeno semelhante ocorreu durante o tsunami de sete meses antes – com uma infraestrutura de auxílio formada espontaneamente e em poucas horas após o desastre, nos moldes da campanha de Howard Dean. Na época, falei com Esther Dyson, gurua da internet e investidora, que imediatamente percebeu como a tecnologia dava aos indivíduos um poder que antes era privilégio de grandes instituições – o poder de "fazer transmissões, encontrar informações, pesquisar, ser ouvido (...) em toda a internet. E quando um evento dessa magnitude acontece, isso se torna ainda mais aparente". Porque a divulgação pela internet – diferente do que ocorre com as redes de TV, por exemplo – é capaz de multiplicar exponencialmente a informação de forma quase instantânea. No entanto, as catástrofes em tempo real são um elemento relativamente menor do portfólio jornalístico. Afinal, há muitas outras coisas que nós, ímpios parasitas da mídia, fazemos para conservar-nos ligados, ainda que por um vínculo tênue, com o conjunto da sociedade. Uma delas é divulgar o que está acontecendo no governo em todos os níveis. Outra é analisar e emitir opinião. Há também o jornalismo de serviço, também conhecido como jornalismo de utilidade pública. E existe a categoria que chamamos de "jornalismo empreendedor", que nos permite falar sobre qualquer coisa que captar nossa imaginação.

Assuntos como: "Será que há amianto nas paredes das escolas?"; "Por que o novo trevo da rodovia interestadual foi redirecionado para onde o irmão do governador tem uma propriedade de 160 hectares e um hotel enorme?"; "A Câmara de Comércio está sempre se gabando da nossa orquestra sinfônica. Quantas pessoas será que foram a um concerto nos últimos 10 anos?"; "Com as taxas de financiamento cada vez mais baixas, os refinanciamentos estão beneficiando quem está enforcado com os juros altíssimos ou pessoas abastadas que querem aumentar seu patrimônio?"

Por motivos óbvios, muitas reportagens empreendedoras tendem a cair na subcategoria investigativa. O que não é nada óbvio é que as investigações jornalísticas nem sempre envolvem encontros clandestinos em estacionamentos com informantes misteriosos ou vazamento de informações sobre as prisões secretas da CIA no Leste Europeu; normalmente, envolvem a leitura atenta de pilhas e mais pilhas de documentos públicos na tentativa de desvendar a verdade escondida neles. Essa atividade tem o mesmo glamour que escrever uma monografia. Além disso, leva tanto tempo que muitas investigações valiosas são descontinuadas ou prematuramente abortadas devido à ausência de recursos jornalísticos. Com as agências tradicionais de notícias cada vez mais perto do esquecimento, o problema piorou drasticamente. Fica difícil justificar o envio do seu melhor repórter para uma consulta sem fim nos registros do tribunal quando você mal consegue cobrir os atos cotidianos da prefeitura. É aí que entra a sala de redação infinita. O público tem curiosidade, inteligência e tempo de sobra.

Ele também pega atalhos que os famosos jornalistas investigativos Woodward e Bernstein poucas vezes pegaram. Não houve muita publicidade quanto a isso, mas um dos exemplos mais precoces e puros de reportagens multiterceirizadas começou em 2001, quando o blogueiro Robert Niles, do ThemeParkInsider.com, lançou a seção "Accident Watch" (algo como "De olho nos acidentes"), que é justamente o que parece: notícias sobre acidentes em parques temáticos do mundo todo. Mais de 100 foram registrados e verificados desde que Niles pediu aos leitores para noticiarem incidentes que tivessem presenciado ou de que tivessem ouvido falar. Enquanto escrevo este livro, o mais recente foi em março de 2009, na atração "The Eighth Voyage of Sinbad", no parque Adventure Islands, da Universal, em Orlando, Flórida.

(...) no show das 15h30. Bem no comecinho do show sobre as aventuras de Sinbad, o ator que, supomos, fazia o papel de Sinbad entrou deslizando por um fio alto em direção a uma plataforma, e caiu na plateia e numa parte dos

objetos cenográficos que estavam no meio da plateia também (...) a corda em que ele estava pendurado arrebentou e ele caiu de uma altura de pelo menos um andar e meio. Quando isso aconteceu, a plateia foi retirada imediatamente e ninguém disse nada depois (...) fui verificar na internet e no noticiário, mas não tinha nenhuma notícia (...) Vi um helicóptero pouco depois do incidente, mas não sei se era relativo ao acidente ou não.

Uma vergonha DANada

Não que seja o furo jornalístico do século, mas vale notar que o Accident Watch registrou a história antes mesmo do Orlando Sentinel. Provavelmente, o primeiro grande furo da blogosfera foi a invalidação das supostas provas apresentadas pelo programa *60 Minutes*, da CBS, numa reportagem sobre a época em que o presidente George W. Bush prestara serviço militar para a Guarda Aérea Nacional do Texas, durante a guerra do Vietnã. Com base em memorandos obtidos por seus produtores, Dan Rather concluiu que o jovem ultraconectado George Bush recebera tratamento preferencial e proteção política, tanto para entrar quanto para permanecer ativo na Guarda. Cada vez mais desconfiados da "mídia liberal", e principalmente de Dan Rather, os blogueiros conservadores se puseram a trabalhar para desativar essa bomba.

Não demorou muito. Em poucas horas, o FreeRepublic, website de direita, estava questionando a suposta autenticidade dos memorandos. Logo, um blogueiro sob o pseudônimo de "buckhead" afirmou que o tipo de fonte dos documentos era anacronicamente moderno. No dia seguinte, o blog Powerline chegou à conclusão de que a fonte era a versão do Microsoft Word para a Times News Roman, incluindo aquele "o" pequeno, como em "187º Grupo Tático de Reconhecimento". Nem é preciso dizer que não havia nada parecido numa máquina de escrever Smith-Corona por volta de 1972 – bem, talvez fosse preciso dizê-lo, sim, visto que os produtores da CBS não pensaram no assunto. Tudo isso, em si, não chegou a refutar a premissa da reportagem do *60 Minutes*, mas sem dúvida fez caírem por terra não só as supostas provas documentais como também a carreira de quatro produtores da CBS e do próprio Dan Rather. Não ajudou em nada o fato de Jonathan Klein, ex-presidente da CBS News, tratar a controvérsia como uma tentativa por parte de emergentes pretensiosos de atacar a toda poderosa gigante da mídia. "Não há comparação possível entre os inúmeros esquemas de verificação de notícias [na CBS News] e um cara sentado em sua sala, escrevendo de pijamas", declarou Klein.

Será que não? Com observou Kathleen Parker, do FreeRepublic, na época: "Os blogueiros se divertem com a insinuação de que são meros preguiçosos que vivem de pijama e não saem de casa. Entre os melhores blogueiros encontram-se advogados, professores, cientistas, técnicos e jornalistas renegados de todos os tipos, como os irmãos Johnson (Charles e Michael) do LittleGreenFootballs[.com], cujos anos de experiência com artes gráficas e web design de ponta os qualificou para reproduzir os memorandos da CBS e demonstrar que eles foram provavelmente produzidos num computador muito moderno." Pois é. Dois meses depois, mesmo com a história da CBS ainda não desmentida, o presidente Bush ganhou a reeleição.

Atirei no xerife, mas...

Nesse caso, a vigilância dos blogueiros beneficiou o presidente. Três anos depois, sua administração não teria a mesma sorte. Era março de 2007 quando Josh Marshall, do blog TalkingPoints-Memo, quis descobrir se a Casa Branca coagira o Ministério da Justiça a despedir procuradores da república cujas opiniões políticas eram destoantes. Sob pressão do congresso e da mídia, o governo liberou mais de 20 mil e-mails da Casa Branca e do Ministério da Justiça – uma montanha de documentos inúteis que sufocaria qualquer funcionário de agência de notícias ou do congresso que precisasse compulsá-los. No Talking Points Memo, o funcionário Paul Kiel direcionou os leitores para os e-mails e estimulou-os a verificá-los, explicando: "Josh e eu estávamos nos perguntando como conseguiríamos ler 3.000 páginas quando nos demos conta de que não precisávamos. Nossos leitores podiam ajudar."

E ajudaram. Não demorou para que os seguidores do TPM conseguissem achar falhas nos registros e buracos na versão do governo, revelações que originaram mais audiências no congresso e que, por sua vez, levaram à "renúncia" do procurador-geral Alberto Gonzales. Foi uma demonstração de tirar o fôlego de como a multidão podia fazer, em questão de dias, o que uma equipe de jornalistas não faria em meses. Também foi um exemplo extremamente raro de jornalismo cidadão não ligado a agências de notícias tradicionais. Muito embora elas também estejam cada vez mais produtivas.

No verão de 2007, por exemplo, os moradores de Cape Coral, na Flórida, receberam algumas notícias desagradáveis. As tributações sobre o novo sistema de água e esgoto estavam subindo de US$ 12 mil por casa para, em alguns casos, US$ 40 mil.

O jornal local *Fort Meyers News-Press*, claro, agarrou a história. Mas não se limitou a destacar alguns repórteres. Com versão on-line e impressa, também pediu o envolvimento dos leitores. Dentro de algumas horas, conta a editora-executiva Kate Marymount, conseguiram uma enxurrada de informações, desde as cartas comunicando as avaliações até análises de plantas de casa.

"Sessenta e cinco indivíduos da comunidade contribuíram com informações", Marymount me contou. "No segundo dia desse projeto, recebemos um e-mail de alguém de um estado distante, que viu nosso website e perguntou se sabíamos que uma auditoria havia sido feita, mas não publicada. Perguntou se não queríamos uma cópia."

Uma cópia de uma auditoria do governo, não divulgada anteriormente, sobre os custos excessivos de um projeto? Hum, tudo bem. O jornal publicou a auditoria, causando agitação imediata – que continua até hoje. É uma reportagem investigativa em andamento, uma colaboração entre os profissionais do jornalismo e os cidadãos, que documenta um descuido de grandes proporções.

"Sozinhos, nós teríamos conseguido apenas partes da história", Marymount explica. "Mas acho que não a história toda. É impossível estar em todos os bairros ou ter acesso a todos os documentos."

De novo o paradoxo. Embora a internet tenha fragmentado a audiência e dizimado o alcance da publicidade, ela consegue oferecer às agências de notícias um alcance jornalístico muito maior do que elas usufruíam no passado. Veja o que meu colega Brian Lehrer, da rádio WNYC, disse em 2008 ao público do *The Brian Lehrer Show*, quando iniciava um projeto para investigar se os habitantes de Nova York sofriam com preços acima da média nacional:

Disparidades nos preços de alimentos básicos na região de Nova York. A tarefa é a seguinte: vá a uma mercearia local, qualquer uma, e verifique os preços de três produtos – leite, alface e cerveja. Daqui a pouquinho diremos de que tipo. Quando tiver os preços, vá à nossa página na internet e relate na nossa seção de comentários o que encontrou. Bem simples, não é?

"Esse é o futuro do jornalismo multiterceirizado" – diz Jeff Howe, que cunhou o termo – pois não significa que as pessoas se tornarão jornalistas. Pede-se apenas que coletem algumas informações básicas. "As pessoas não querem escrever uma grande reportagem sobre mudanças na lei de zoneamento, assim como não querem reescrever a monografia da faculdade. Mas vão querer saber se estão pagando demais por uma simples alface americana."

Aliás, a resposta para essa pergunta é: em Glen Rock, NJ, não (US$ 0,88); mas na Food Emporium, em Manhattan, sim (US$ 2,49) – disparidade devida em parte à falta de escrúpulos e em parte à lei da oferta e da procura, como acontece com qualquer produto superfaturado. Levanto essa questão apenas para observar, com todo respeito a Jeff Howe, que usar o público para coletar dados é apenas parte do futuro do jornalismo multiterceirizado – é o lado da oferta, para ser mais específico.

O outro lado é o da procura, em que os cidadãos dizem às agências de notícias o que *eles próprios* querem saber ou o que já sabem. Isso foi ilustrado de forma simples em abril de 2009, na entrevista do site de notícias Digg com o músico Trent Reznor, da banda Nine Inch Nails. Foi usado um modelo de perguntas e respostas em que as perguntas foram sugeridas e votadas pelos leitores do Digg (o mais engraçado foi a pergunta que ficou em primeiro lugar ter sido: "Seu modelo de negócios ainda envolve basicamente vender as músicas, quer digital, quer fisicamente. Por que você não adotou a publicidade como modelo de negócio?").

A procura foi atendida de maneira ainda mais ampla numa iniciativa chamada Public Insight Journalism, tomada pela American Public Media e sua rádio Minnesota Public Radio (iniciativa abraçada também pela

WYNC e outras organizações de mais 8 estados). Nesse modelo, a busca de novas fontes para obter dicas de notícias, ideias de matérias e conhecimento especializado é feita anteriormente, e tudo é utilizado no decorrer normal do serviço. A vantagem é tanto a de expandir as opções de fontes muito além do habitual como também a de abrir o processo editorial para o público – de modo que as notícias do dia reflitam não só o que os repórteres de rua conseguiram desencavar ou o que se passou pela cabeça da editora enquanto escovava os dentes, mas as observações e preocupações da comunidade em si.

"Cremos que o público, com experiência e conhecimento de primeira mão, seja capaz de passar informações à equipe de reportagem", diz Chris Worthington, diretor de notícias da MPR. "Basta ter um sistema para se conectar com os leitores e o público."

O sistema é reunir voluntários – há mais de 30 mil até agora em Minnesota, e 90 mil em todo o país – que queiram ocasionalmente responder a perguntas sobre acontecimentos grandes e pequenos. Eles dão informações sobre si mesmos, que aumentam a cada contato feito posteriormente e são acrescentadas a um dossiê virtual. Por exemplo, em outubro de 2006, quando o monomotor pilotado pelo jogador de beisebol Cory Lidle, dos Yankees, se chocou contra um prédio em East Side, logo se especulou sobre uma possível falha no projeto do avião – fabricado pela Cirrus Aircraft em Duluth, Minnesota.

"Procuramos por pilotos de avião no banco de dados", Worthington relembra. "Depois filtramos a busca por pessoas que pilotassem esse modelo especificamente. Juro por Deus que, em uma hora e meia, conseguimos escrever dois parágrafos muito consistentes, que derrubaram as especulações sobre o avião, com o relato de 8 ou 9 pilotos que disseram ser aquele um ótimo avião, com condições perfeitas para voo, e que o pilotavam há anos."

O inquérito subsequente, conduzido pelo Conselho Nacional de Segurança nos Transportes dos Estados Unidos, de fato concluiu que o impacto fatal fora causado por erro do piloto. Mesmo assim, Worthington prefere não se concentrar tanto na capacidade do sistema de reagir às notícias, mas sim de antecipá-las – "estar à frente das novidades e das tendências e reconhecer as problemáticas atuais".

Num dos casos, uma pergunta de rotina feita à comunidade, sobre como lidar com os preços elevados da gasolina, resultou numa reportagem sobre a crescente lacuna de serviços em domicílio para deficientes, pois os fornecedores não estavam conseguindo arcar com os custos de visitar cliente por cliente. Outra pergunta, sobre o elevado número de escolas de Minnesota que não conseguiam alcançar os padrões nacionais de qualidade, revelou um problema no sistema de registro de resultados de provas. As notícias normalmente são reativas. O jornalismo público é, por definição, proativo.

Mas não confunda nada disso com um modelo de negócios sustentável. À parte algumas experiências acadêmicas interessantes, como o projeto Assignment Zero, da Universidade de Nova York, ninguém descobriu ainda um jeito de praticar o "jornalismo amador" senão em pequena escala, e certamente não visando o lucro. Mark Potts, consultor de novas mídias, faz uma afirmação franca sobre a realidade econômica: "A verdade que todos tentam ignorar é que não existe um modelo de negócios. Ainda estamos naquela fase de 'Vamos montar um espetáculo!', tentando criar um jornalismo hiperlocal feito pelo cidadão. 'Venham, crianças, vamos montar um espetáculo! Eu faço o Mickey! Eu faço a Minnie!' Precisamos achar um jeito de montar um negócio que se sustente. Senão, isso não passa de um hobby."

Mickey Rooney previne a malária

Potts não está de todo errado, mas talvez esqueça que, ao longo da história da humanidade, há momentos em que o progresso não depende somente de resultados econômicos. Nem todo mundo faz tudo visando o lucro. Uma coisa que sabemos sobre o mundo distribuído é que nele não há uma distinção clara entre trabalho e passatempo, profissionais e amadores, monetização e bem comum. Por exemplo, uma viagem para o oeste da Filadélfia revelou um exemplo interessantíssimo da arte e da ciência (especialmente da ciência) da Listenomics, que ninguém conhecia embora estivesse à vista de todos. Não falo de nenhum lugar exótico dessa vez. O cenário é o campus de uma faculdade, a Drexel University, onde o professor de química Jean-Claude Bradley exibe seu laboratório. Sinceramente, fiquei impressionado. Se a última vez em que você esteve num laboratório foi no ensino médio, ficaria surpreso ao colocar os pés num mais moderno, situado num importante instituto de pesquisa.

É exatamente igual.

O mesmo odor leve de enxofre. O mesmo piso de linóleo. As mesmas luminárias com lâmpadas fluorescentes. As mesmas fileiras de bancadas escuras, com bocais de gás para o bico de Bunsen. Os mesmos recipientes de produtos químicos. Se não fosse por alguns dispositivos eletrônicos caros – um evaporador rotativo Rotavap, um sonicador Branson 1510, um agitador Vortex-Genie 2 – e o zunido da coifa industrial, daria até para imaginar uma professora rabugenta entrando pela porta para aplicar uma prova-surpresa sobre benzeno.

Porém, há uma grande diferença. Aqui, a professora reprovaria os alunos a torto e a direito, já que nesse laboratório todo mundo olha a prova de todo mundo.

"O que fazemos é o seguinte: o processo todo é completamente aberto", explica Bradley, 40 anos e cara de menino, vestido de jeans e camiseta, ostentando um topete e baixinho como Mickey Rooney. Ele foi um dos pioneiros do movimento da "ciência aberta". Em seu laboratório, e entre seus confrades, o lema é um por todos e todos por um.

Tradicionalmente, a ciência é praticada em segredo. É fato que cada descoberta gera novas descobertas, mas – até que as pesquisas sejam realmente publicadas – o trabalho progressivo de experimentação e observação, tentativa e erro, hipótese e resultado, tende a ser feito ocultamente, ignorado pelo mundo lá fora até ser apresentado numa conferência ou revista especializada. E pobre daquele cuja pesquisa de anos for publicada primeiro por um colega, em alguns casos do outro lado do mundo, que estudava um tema idêntico ou similar, com ou sem conhecimento da concorrência. Porque o "primeiro" é o primeiro, e o segundo chega, muitas vezes, tarde demais.

A ciência confere grande importância à realização individual, pelos motivos profissionais e de ego mais óbvios, e quem sabe até pelos menos óbvios – como a propriedade de patentes de descobertas laboratoriais.

Até mesmo a ciência multiterceirizada desbravada pela InnoCentive, discutida no Capítulo 8, é protegida a sete chaves por acordos de confidencialidade; as inovações pertencem ao patrocinador e não precisam ser obrigatoriamente divulgadas. Mas e se o modelo competitivo fosse substituído por um modelo cooperativo, ou se este viesse se somar àquele? E se a ciência não fosse patenteável? Os softwares de código aberto, como o Linux, são a prova de que muitas cabeças pensam melhor e mais rápido do que uma. A única coisa que se perde com a colaboração é a propriedade incontestável – e Bradley naturalmente sabe ser essa uma questão importante. O dinheiro e a reputação profissional, mesmo a fama, motivam os cientistas tanto quanto motivam o restante das pessoas. E o prêmio Nobel não é concedido para redes de colaboração. Mas esses fatos não são igualmente importantes para todas as pessoas e não necessariamente promovem a eficiência.

"É uma questão de valores", diz Bradley. "Um grupo relevante de pessoas acredita que estar à frente dos colegas não é mais importante do que as oportunidades que estamos perdendo. Não estamos interessados na propriedade intelectual."

Eles estão interessados é na agregação intelectual. Daí o projeto de Bradley: o The Open Notebook Science Challenge. É um concurso como o do Netflix, mas sem a bolada de US$ 1 milhão. No lugar, o concurso dá um prêmio de US$ 500 para cada contribuição científica vinda da comunidade, considerada de qualidade e passível de levar a uma descoberta maior. O objetivo último é produzir compostos antimaláricos mais baratos, mas as pesquisas prévias implicam as técnicas científicas básicas – e normalmente tediosas – de medir a solubilidade de diversos compostos (por exemplo, o nitrobenzaldeído) em diferentes solventes (como o metanol ou a acetonitrila). O processo envolve o uso da ressonância magnética para quantificar a dissolução conforme o aumento de temperatura.

O próprio Bradley poderia fazer isso junto com seus alunos; mas o trabalho também pode ser dividido entre seus vários colaboradores acadêmicos – nesse caso, os professores de química da Universidade Oral Roberts, da Universidade de Indiana e da Universidade de Southampton, na Inglaterra, e seus respectivos alunos. Enquanto conversamos, ele abre seu laptop numa página colaborativa na internet, onde consulta a última inserção feita por um aluno chamado Matt.

"Há 8 minutos", diz, "Matt fez uma alteração no experimento número 77. Hum... o que ele fez?"

O aluno colocou uma amostra de ácido difenilacético no metanol, dissolveu e submeteu certa quantidade de solução a um campo eletromagnético. Então, contou as moléculas para chegar a um valor de solubilidade. Ou algo assim. Tecnicamente, não consegui acompanhar muito do que Bradley disse depois de "Prazer em conhecê-lo". Mas a questão é que ele conseguiu acompanhar o progresso de Matt e fazer um comentário – algo que ele pode fazer em cada evento inserido por um colaborador, tanto de pesquisas básicas como de experimentos mais ambiciosos, pois cada passo fica registrado on-line, num fórum aberto. E não apenas no fórum do Open Notebook. Os valores de solubilidade são imediatamente publicados nas páginas da Wikipedia que detalham as propriedades químicas de vários componentes, e ficam disponíveis para toda a comunidade científica. Independentemente de haver antimaláricos a caminho ou não.

"É isso que me motiva", explica Bradley. "As pessoas podem usar essas informações."

Mais essa, meu Deus?

Minha nossa, veja as coisas que se podem fazer na internet: registrar a solubilidade do ácido difenilacético no metanol; examinar milhares de e-mails para provar que o procurador-geral está mentindo; jogar Halo; perder o dinheiro da faculdade dos filhos no Party-Poker.com; livrar-se daquele sofá horroroso no Craigslist; encontrar solteiros atraentes da sua cidade; ou chorar de rir lendo o Failblog.org. (Nem vou descrever aqui. Dê uma passadinha no site, você não vai se arrepender!)

Ou, na época certa do ano, tem sempre um Sêder de Pessach cibernético, em que você pode se congregar com judeus de verdade numa mesa virtual e participar da agridoce rememoração do êxodo sem precisar comer bolinho de peixe. Ou, ainda, se o judaísmo não for sua praia teológica, talvez seu avatar queira fazer um hajj virtual no Second Life, onde milhares de muçulmanos colocam suas vestes rituais feitas de pixels e beijam a Pedra Negra digital, numa representação gráfica da grande mesquita Al-Haram.

Também é possível adorar a Jesus Cristo – ou estudar a Bíblia, fazer trabalho voluntário, conduzir uma missão de fé – no LifeChurch.tv, onde o estacionamento não fica lotado após a cerimônia, já que é on-line.

"Desde o advento da imprensa escrita, as pessoas religiosas sempre adotaram as últimas tecnologias", diz Heidi Campbell, professora-assistente de estudos da mídia na Texas A&M University e autora do livro *When Religion Meets New Media*. "Quando olho meus alunos, vejo que o entendimento deles do que significa reunir-se em comunidade, ter uma identidade, cumprir um rito e até mesmo ter uma religião está mudando por causa de sua relação com a tecnologia. Eles têm uma ideia diferente de como construir seu círculo social."

Por isso, eles nem sempre acham maluquice algumas cerimônias religiosas serem feitas, e em certos casos melhoradas, pela internet. Para começo de conversa, as congregações virtuais não estão limitadas pela geografia, o que não se pode dizer da Igreja Pentagonal da Assembleia da Cidade Perdida, ou sei lá o quê. Tais congregações também podem ser organizadas de acordo com a demografia e as afinidades – em linhas verticais de redes de contato – em contraposição à distribuição relativamente aleatória determinada por restrições de região e denominação. Além do mais, não é necessário ter um espaço físico. Nem bancos, utilitários, cozinha, ônibus e zelador. De repente, nem mesmo um pastor. Tudo o que é preciso é uma comunidade de pessoas com pensamentos parecidos (ou não), que se reúnam pessoal ou virtualmente.

Se pararmos para pensar, isso tudo seria tão "prejudicial" para os vendedores de Deus quanto o crowdSPRING (Capítulo 8) seria para o design gráfico.

"Tudo o que sabemos sobre a era digital com relação à publicidade, à mídia e ao jornalismo, de certa forma preenche as lacunas da religião", afirma Andrea Useem, autora de um relatório de 30 mil palavras chamado "The Networked Congregation" ["A Congregação Ligada em Rede"].

"Há uma série de funções diferentes, mas cumpridas todas ao mesmo tempo: adoração, contato social, vida em comunidade, instrução, fazer alguma coisa no domingo de manhã, desenvolver uma identidade para seus filhos. Se quiséssemos fazer isso [do modo tradicional], teríamos que achar uma igreja, mas agora há outras opções."

Uma delas deixou Useem deslumbrada: o site Meetup.com, que arrola associações dedicadas a interesses que vão desde animais e hobbies até esportes, cuidados parentais e espiritualidade, e que promovem encontros fora do mundo virtual. "O incrível do Meetup.com é que você pode descobrir pessoas parecidas com você na sua região e encontrá-las ao vivo e em cores", ela diz. No caso específico, ela se encontrou com a Gathering of the Beloved [Assembleia dos Amados] de Alexandria (na Virgínia, Estados Unidos), grupo de 83 cristãos que se encontram semanalmente nas casas dos membros, com um programa nada revolucionário:

> *Somos um grupo de pessoas que desejam conhecer nosso Senhor com mais profundidade, tanto individual quanto coletivamente. O objetivo de nos reunirmos é enunciar nosso Senhor da maneira como procuramos vê-Lo, como nossa Cabeça. Os encontros são oportunidades de compartilhar, cantar, rezar e congregar as partes de Cristo presentes em cada pessoa para edificarmos uns aos outros no amor e na unidade do Espírito. Cristo é nossa unidade, nada mais e nada menos. Nós nos reunimos em casa, e muitas vezes fazemos refeições juntos, mas não é nosso desejo sermos apenas uma igreja doméstica ou tentar fazer uma "igreja" diferente. Desejamos ser uma expressão localizável e tangível do Corpo de Cristo.*

Useem encontrou-se com eles num fim de semana à tarde e ficou encantada com o afeto, a sinceridade, a diversidade étnica e a generosidade do grupo. A reunião, diz ela, "foi muito alegre, muito sincera" – qualidades que ela acredita terem sido sufocadas pelas preocupações mundanas em seu próprio local de adoração. "Nossa mesquita está sempre tentando arrecadar fundos para pagar o estacionamento, o que com certeza é a causa menos inspiradora que já vi." Mas, caso não tivesse achado a Assembleia dos Amados tão amável, Useem teria muitas alternativas de encontro na região de Washington DC: colegas muçulmanos, judeus, católicos, budistas, metodistas; o Grupo de Encontro Pagão do Condado de Montgomery; os Ateus Amantes da Diversão de Maryland; o Grupo de Encontro dos Humanistas Seculares de Washington; o Grupo de Busca por Atividadedes Paranormais de Gaithersburg; a Tribo dos Xamãs do Anel Viário; e a Ordem Jedi de Maryland.

Nenhum desses grupos, por si só, é capaz de abalar as estruturas do Vaticano, mas sua grande diversidade teográfica, capacidade de organização e facilidade de ingresso são presságios de certa erosão na categoria das congregações de alvenaria. Sua proliferação também levanta algumas questões interessantes sobre o que constitui um lugar de adoração, afinal. Como as práticas on-line, ou encontros em lugares não sagrados, podem oferecer sacramentos e garantir a autoridade clerical? Se o santuário é um meio fértil para a receptividade espiritual, o que pode comover o espírito através de um monitor de 17 polegadas? Quando um congregado está de luto ou doente, quem aparece com uma sopinha quente?

Claro que o principal não é exatamente o que a Religião 2.0 não pode reproduzir; a questão é o que ela pode acrescentar e, para um número cada vez maior de adoradores no mundo todo, ela acrescenta muitas coisas – entre elas, alcance global, recursos e, de maneira muito significativa, conveniência. Recentemente, numa tarde de primavera, participei de uma cerimônia (disse para minha esposa: "Vou à igreja." Ela: "Vestido *assim*?"). De shorts encardidos e camiseta, fiz o log-in bem a tempo de ouvir o "hino" de abertura, o rock sacro chamado "I Exalt Thee" ["Exalto a Ti"], de Pete Sanchez Jr., filmado com três câmeras e cantado por Chris Quilala.

> *Pois Tu, ó Senhor, te elevas sobre toda a Terra*
> *Tu és exaltado acima de todos os deuses*
> *Pois Tu, ó Senhor, te elevas sobre toda a Terra*
> *Tu és exaltado acima de todos os deuses*
> *E eu exalto a Ti, exalto a Ti*
> *Exalto a Ti, ó Senhor*
> *Exalto a Ti, exalto a Ti*
> *Exalto a Ti, ó Senhor*

A vantagem é que aqui você pode ler a letra da música. O efeito musical, acredite, é tal que você poderia ficar ouvindo a balada e a superguitarra de Quilala por um bom tempo sem se dar conta do cunho religioso da canção (se isso é bom ou ruim para o Cristianismo, não sei dizer).

Quando ele terminou, desapareceu qualquer sombra de dúvida de que se tratava de uma igreja. É "hora do ofertório" (hora de pagar o dízimo na internet, igualzinho ao BarackObama.com!); entra, então, Craig Groeschel, fundador da LifeChurch.tv. Bem apessoado, 41 anos, de Oklahoma, vestido com camisa de botão por fora do jeans desbotado, ele prega para 140 países de uma vez sobre o Evangelho Segundo João, capítulo 9 – "uma história que pode nos ajudar a ver Deus quando nos falta o real entendimento".

O pastor Groeschel prega, como muitos clérigos antes dele, sobre as provações da fé em momentos de calamidade, como guerras, desastres naturais, crimes ("Como pode um pai atirar em seus próprios filhos porque ficou bravo com a esposa? Onde está Deus nessas horas?"). Enquanto ele fala, aparecem na tela referências da Bíblia, links para explicações teológicas mais detalhadas e outras leituras sobre o assunto. À direita do vídeo, há uma janela de conversação com o título "fiquem à vontade", em que os congregados podem conversar sobre a pregação de Groeschel ou sobre outras coisas. Perguntei a eles por que estavam assistindo à LifeChurch.tv:

ChrisByers: "para fazer parte de uma experiência cristã mundial e ajudar os outros a encontrar Jesus."

Jeff Moore: "não pude ir à igreja neste fim de semana, mas não quis 'faltar'."

Triplatte: "para aqueles que não têm uma igreja por perto. Este lugar é legal."

Enquanto eu batia um papo com o pessoal, outros 3.100 adoradores do mundo todo estavam on-line – apenas uma parte das 16 mil pessoas que participam das 20 cerimônias on-line a cada semana. São menos que os 27 mil frequentadores da sede da igreja em Edmond, Oklahoma, e de mais 12 seguidores em seis estados. Mas, como diz o pastor/líder de inovação Bobby Gruenewald, essa é apenas uma fração das "centenas de milhares, ou até mesmo milhões, de pessoas que esperamos tocar com o evangelho". Ele rebate a ideia de que a junção dos 3.100 e-congregados já constitua uma megaigreja. "No contexto de 6,7 bilhões de pessoas?" Não, diz ele, a LifeChurch.tv é uma "microigreja com uma megavisão".

E não é a única. A congregação da Carolina do Sul chamada New-Spring é uma das muitas que usam a internet. Seu slogan: "Para tornar Jesus famoso, uma vida de cada vez." Em abril de 2009, o pastor da internet Nick Charalambous fez a seguinte observação em seu blog: "Acredito que a preocupação atual sobre a possibilidade de haver uma verdadeira comunidade sem reunião física é uma enorme distração dos nossos principais motivos. Temos que estar onde todos estão, usar as ferramentas de comunicação que todos usam e compartilhar o que Jesus tem a oferecer onde quer que as pessoas desejem encontrar 'conhecimento para a vida toda'. E, tanto quanto podemos prever, no futuro próximo a internet definirá tudo isso."

Não que as duas alternativas sejam mutuamente excludentes. Enquanto o clero se preocupa em perder fiéis – e renda – para as entidades on-line que não precisam pagar estacionamento, Andrea Useem vê, principalmente, a oportunidade para as congregações físicas de aumentar seu alcance, relevância e impacto. Em especial para as megaigrejas e outras grandes congregações, as ferramentas das redes sociais podem separar comunidades dentro de comunidades, como por exemplo, pais de crianças com Síndrome de Down, recém–divorciados, pessoas que precisam cuidar de idosos. Esses membros seriam agrupados para assistência ou amparo, e por sua vez promoveriam a participação na vida da congregação de modo geral. Useem destaca que certas pesquisas, inclusive a de Heidi Campbell, indicam que as pessoas que conduzem alguns aspectos de sua vida religiosa na internet tendem a dedicar mais tempo – não menos – para a adoração em espaços físicos.

"Para os pastores", diz ela, "essa é uma ótima notícia."

Certamente, na LifeChurch.tv, o pastor Gruenewald não quer saber se as cerimônias on-line vão destituir ou fortalecer a igreja tradicional; ele acredita que as duas coisas vão acontecer. Mas não teme nem um pouco a perda do contato pessoal, em carne e osso, no relacionamento pastoral tradicional. Primeiro, observa ele, nas megaigrejas de alvenaria o contato clerical já é uma via de mão única. Segundo, a LifeChurch.tv oferece orações on-line individualizadas e ao vivo. Terceiro, a LifeChurch.tv aproveita as oportunidades de alcançar os que têm sede do espírito com ferramentas digitais inigualáveis. Como a busca do Google, por exemplo. Fato: eles compram Adwords que são ativadas quando uma cerimônia está sendo transmitida. E as palavras não são "adoração", nem "Cristo", nem "evangelho".

"Compramos as palavras 'pornô', 'sexo ao vivo', '.xxx'", Gruenewald diz, "para encontrar pessoas que estejam sentindo um vazio. Duas semanas atrás, alguém nos escreveu e disse que estava procurando pornografia quando deparou com esse anúncio, e comentou: 'Sou muito grato. Foi um momento de fraqueza na minha vida, e na hora pensei que tinha encontrado o que procurava. Em vez disso, encontrei Deus.'"

Há congregações e congregações

Há de se concordar: as redes sociais podem ser o meio pelo qual as pessoas encontram a fé. Mas o oposto também acontece. A fé perdida pode encontrar na internet sua manifestação, além de uma comunidade em rápida formação. O fervor não se limita à adoração, e as ferramentas de organização não são exclusivas dos devotos.

Em 2002, em seu influente livro *Smart Mobs*, Howard Rheingold observou que, para o bem ou para o mal, "a comunicação e as tecnologias de computação intensificam os talentos humanos de cooperação. Os efeitos da tecnologia *smart mob** já se mostraram tanto benéficos quando destrutivos. Foram usados por alguns de seus primeiros entusiastas para apoiar a democracia e, por outros, para coordenar ataques terroristas."

Ele escreveu, por exemplo, sobre os protestos de 1999 contra o encontro da Organização Mundial do Comércio, em Seatle, em que forças antiglobalização usaram websites e telefones celulares para mobilizar mais de 40 mil manifestantes, alguns deles violentos. Também falou sobre os protestos estimulados por mensagens de texto em Manila, em 2001, quando milhares de pessoas tomaram as ruas por quatro dias para exigir – em meio a um escândalo de corrupção – o *impeachment* do presidente Joseph Estrada. A chamada Segunda Revolução pelo Poder do Povo acabou forçando a saída de Estrada. (Nunca soubemos se essa foi a expressão máxima da democracia na luta contra a corrupção enraizada ou simplesmente uma forma de oclocracia. Muito embora nos últimos estágios dos

---

* *Smart mob*: multidão inteligente. O termo designa as reuniões, protestos, passeatas e outras manifestações coletivas organizadas por meio do telefone celular e das redes sociais de internet. (N. T.)

protestos a Suprema Corte filipina tenha legitimado a ascensão da vice-presidente Gloria Macapagal-Arroyo à presidência, decretando que "o bem do povo é a lei suprema", muitos se arrependeram de terem participado do golpe de estado espontâneo. Entre eles, a Conferência Nacional dos Bispos das Filipinas. Arrependeram-se em parte pela falta do devido processo legal, em parte pela conduta subsequente da Presidente Arroyo, cujo autoritarismo e cujos próprios escândalos de corrupção a tornaram extremamente impopular durante seu mandato.)

Desde a publicação do livro de Rheigngold, houve muitos exemplos de agitações públicas provocadas ou alimentadas por redes sociais em tempo real. Em 2005, os distúrbios promovidos pela juventude árabe descontente e pobre dos subúrbios de Paris não foram totalmente espontâneos, de acordo com a polícia federal francesa, mas coordenados por meio de mensagens de texto, blogs e e-mails – que avisavam, por exemplo, onde os policiais estavam. Os zapatistas de Chiapas, no México, movimento substancialmente marxista que defende os interesses dos povos indígenas, adotaram a estratégia básica de usar as novas mídias para forjar alianças com socialistas, antiglobalistas, defensores dos direitos humanos e anarquistas do mundo todo. Antes revolucionários armados, os zapatistas há muito travam sua "guerra" contra o Estado mexicano exclusivamente pela internet. Em 2008, estudantes taiwaneses reuniram-se para protestar contra a lei que restringia o direito à liberdade de reunião e associação. Mobilizaram-se por meio de um fórum on-line e transmitiram o protesto ao vivo na internet, a partir de seus telefones celulares. Então, em abril de 2009, em Chisinau, Moldávia, outro truque foi usado.

Em protesto contra a vitória duvidosa do partido comunista nas eleições para o parlamento, milhares de manifestantes reuniram-se em frente aos prédios do governo. Confrontados pelas tropas de choque, os grupos reagiram com violência e atacaram a sede do parlamento e o palácio presidencial. No decorrer de quatro dias, os amotinados saquearam e queimaram partes desses edifícios. A culpa – ou o crédito – pela mobilização repentina logo recaiu sobre as novas mídias, como o Facebook, o LiveJournal e, principalmente, o Twitter. De fato, Evgeny Morozov, do Open Society Institute, escreveu em seu blog "Net Effect" que a rebelião de Chisinau foi a "Revolução do Twitter".

Alguns, baseando-se no que realmente aconteceu, discordaram do nome. As análises de "tweets" escritos sobre o assunto, conduzidas por Ethan Zuckerman, do Berkman Center for Internet and Society, da Harvard University indicaram que o Twitter pouco teve a ver com a mobilização da turba ou com a organização dos protestos no local. Até porque, na época, apenas uns poucos habitantes da Moldávia tinham conta no Twitter. No entanto, o Twitter ajudou a catalisar a reação, além de chamar atenção e obter apoio mundo afora.

"Acho que essas postagens foram extremamente importantes para ajudar as pessoas, principalmente os moldávios que moram em outros países, a acompanhar os acontecimentos em tempo real", Zuckerman me disse alguns dias depois, com as ruas já vazias. "Quando parei para analisar os feeds do Twitter, encontrei um moldávio nos Estados Unidos que postou mais de 1.000 mensagens no curso de cinco dias."

Para Howard Rheingold, pouco importa se os sublevados da Moldávia constituíram, ou não, uma Turba do Twitter. ("Recrutar o apoio de expatriados e outras pessoas pelo mundo afora – divulgando tudo ao vivo pelo Twitter – talvez tenha sido mais importante do que a função de organizar os protestos propriamente ditos.") O que importa é que há um único elemento unificador (sem contar a corrupção e a tirania enraizadas) que está na base de todas as lutas pela democracia no novo milênio. Esse elemento é a tecnologia nas mãos dos indivíduos.

No mundo da Listenomics, revolucionaram a revolução.

Capítulo 11

NINGUÉM ESTÁ A SALVO DE TODOS

CAOS. ALGUM DIA ELE VAI ACABAR, e quando acabar, quando tudo estiver organizado, quando a ordem estiver restaurada, na certa haverá margaridas e pássaros azuis e risos de crianças por toda parte, certo?

Errado. A própria natureza da Listenomics é tal que sempre haverá algum nível de caos.

Bem, considerando o quanto eu já falei das promessas utópicas, da magia e da maravilha da conectividade digital, talvez eu deva terminar onde comecei: no lado sombrio do progresso. Também isso entra na questão das infinitas conexões estabelecidas pelo mundo digital – conexões difíceis de romper e, no mais avançado mercado livre das ideias, impossíveis de controlar. O negócio é o seguinte: na Sociedade 2.0 você pode até correr, mas não pode se esconder. Quando todos escutam a todos, a ideia que você tinha de privacidade não é mais garantida. Nem mesmo pode ser considerada normal. A questão é o quanto você é vulnerável. Não "você" como parte da sociedade em geral. "Você" indivíduo.

Não estou falando de estar nas mãos do governo, da Procter & Gamble ou de algum outro Grande Irmão que possa ameaçá-lo, fazendo-lhe perder dados pessoais ou vendendo-os a agências de seguro e outros terceiros mal-intencionados, ou ainda obtendo acesso a seus hábitos de navegação na internet para se intrometer na sua vida – embora essas preocupações sejam, obviamente, legítimas. À medida que a sociedade tentar equilibrar a privacidade absoluta e as vantagens incalculáveis de um universo rico em dados, a proteção contra infrações, ilegalidades e o puro e simples infofascismo exigirá que as leis e as políticas públicas evoluam. Ninguém quer um futuro orwelliano. Por outro lado, embora essas questões sejam cruciais na teoria e na prática, a possibilidade de elas causarem dano a um indivíduo isolado é bem remota. Num mundo conectado, o problema não é o Grande Irmão. São os bilhões de irmãozinhos.

"No cenário literário orwelliano", diz Michael Fertik, fundador da empresa de software Reputation Defender, "imagina-se um universo em que o poder é concentrado numa figura central de autoridade. Somos todos satélites em torno dela. Está claro que o modelo do universo de informações mudou desde a época de Orwell. Vemos que no mundo de hoje há muitas figuras centrais, com seus próprios satélites." E muitos desses satélites não são necessariamente instruídos, cuidadosos, honestos, justos, bons, bem-educados ou mesmo benevolentes quando se sentam diante do teclado. Então, nada do que você vai ler agora tem a ver com a bisbilhotagem institucional ou hipotéticos vazamentos de informação. Tem a ver com seus amigos, familiares, vizinhos, colegas de trabalho ou de classe e mais alguns bilhões de desconhecidos que – graças ao milagre da internet – podem tornar sua vida um verdadeiro inferno. Você não precisa ter medo do que leu em *1984*, mas tem todos os motivos para tremer na base sobre o que leu em *O Senhor das Moscas*.

Neste capítulo veremos alguns casos, em diferentes níveis de terror, de pessoas vitimadas. A escala e as particularidades do problema variam, mas há algo em comum: a combinação devastadora da conectividade digital e de uma ilimitada reserva mundial de maldade. Neste último capítulo, vamos começar como fizemos no primeiro, com uma metáfora de viagem. Diferentemente de nossa visita ao litoral de Montenegro, desta vez não falaremos da música de um violoncelo solitário. Mas os ecos da Rússia Soviética são os mesmos. É um conto para servir de alerta, cujo cenário é, quem diria, a Estônia.

Com inimigos assim...

Como diria Larry King, se você procurar "tiny Baltic nation" ["minúsculo país báltico"] no dicionário, encontrará uma foto da Estônia. Sua população é de 1,3 milhão de habitantes, espalhados por um território do tamanho de Vermont e New Hampshire juntos, e metade do país é constituída de floresta. A Estônia tem uma rivalidade saudável com a vizinha Letônia, mas não assusta ninguém. O exército estoniano não tem tanques e a força aérea tem apenas dois aviões. Se invadida por outro país, a estratégia de defesa da nação é, literalmente, se esconder na floresta. Em 2007, no entanto, o país foi atacado – um ataque bem-sucedido que, embora brevemente, deixou a Estônia de joelhos. O invasor, pelo que se sabe, foi a Rússia. A arma, dígitos.

As hostilidades vieram em ondas: pequenas escaramuças seguidas de um ataque maior. O primeiro ataque ocorreu às 22h30 de 27 de abril, contra alguns sites do governo e da mídia e um provedor de internet. Foram os chamados ataques de negação de serviço, em que milhares de computadores do mundo todo – a maioria dos quais sequestrados por hackers por meio de vírus em downloads – inundaram os servidores com dados, sobrecarregando sua capacidade e fazendo-os cair. Em alguns lugares, isso poderia ser considerado um pequeno aborrecimento; afinal, os servidores caem o tempo todo. Acontece que a Estônia está entre os países mais conectados – e dependentes da internet – do mundo.

"Estaciono meu carro com o celular", diz Raul Rebane, um original consultor de ciberguerra (e, sem brincadeira, treinador de arremesso de discos), que conversou comigo durante um café em Tallin, na Estônia, sobre a segurança nacional e sobre o campeonato mundial de arremesso de discos. "Não vou ao banco há oito anos, pois não preciso. Votamos pela internet com o número da carteira de identidade. O país que tem uma infraestrutura sofisticada passa a ser um alvo. Em Kandahar, no Afeganistão, não há necessidade de fazer guerra pela internet."

Tudo bem, mas por que alguém – quanto mais a Rússia, que tem coisas mais importantes com que se preocupar – iria querer prejudicar a Estônia? Ninguém conseguiu responder de fato a essa pergunta, mas certamente há pistas circunstanciais bem suculentas. Uma delas é óbvia. A Rússia, sendo uma antiga superpotência derrotada e hoje inundada de dinheiro proveniente do petróleo, quer ser de novo uma força global competitiva. Mas, com exceção dos mísseis balísticos intercontinentais, seu exército consiste basicamente de tanques enferrujados e recrutas que já estão muito ocupados na Chechênia. A ciberguerra, por outro lado, não requer blindagem, e o assunto claramente fascina o complexo acadêmico-militar russo. Rebane diz que existem 700 livros publicados sobre o assunto na Rússia. Mas como passar da teoria à prática? Se um país estivesse desenvolvendo bombas nucleares, como fez recentemente a Coreia do Norte, ele faria testes. Se um país estivesse planejando prejudicar a internet de uma ou mais nações inimigas, porque não testaria sua habilidade também?

Mas espere um pouco... a Estônia? "Nação inimiga"?

Pode ser. Fica mais fácil entender quando se visita Tallin. De diversas maneiras, a charmosa cidade norte-europeia lembra Helsinque, que fica ali pertinho, do outro lado do Golfo da Finlândia. O idioma é parecido e a arquitetura, idêntica; mas as histórias são bem diferentes. A Estônia foi ocupada pela União Soviética antes da Segunda Guerra Mundial, tomada e governada pelos nazistas durante a guerra e anexada pela União Soviética durante toda a Guerra Fria. Embora 30% da população da Estônia fale russo, muitas dessas pessoas não têm direitos civis e fazem parte de uma classe marginalizada e descontente que vive entre uma maioria de falantes de estoniano, também amargurados pelas décadas de ocupação.

A animosidade mútua encontrou seu símbolo perfeito naquela primavera, quando a cidade de Tallin mudou o monumento em tributo à Segunda Guerra Mundial, conhecido como Soldado de Bronze, do centro da cidade para o cemitério militar, na periferia. A estátua homenageava os milhões de soldados soviéticos mortos durante a Segunda Guerra, ou, como é chamada na Rússia, a Grande Guerra Patriótica. Para os falantes de russo da Estônia, que estimavam o Soldado de Bronze como uma espécie de santuário, a mudança de local foi vista como uma ofensa, resultando em críticas mordazes e manifestações violentas nas ruas. Mas a mudança ocorreu conforme o previsto, em 26 de abril de 2007.

O primeiro ataque cibernético aconteceu no dia seguinte, seguido de diversos outros nos dias 28 e 29. O pior deles, porém, não se deu antes das 23 horas, horário de Tallin, do dia 8 de maio. Ele fechou os principais bancos por 90 minutos – um golpe breve, mas severo, para a economia da Estônia, que praticamente não usa dinheiro vivo. Como Raul Rebane afirma: "Sem transações. Sem leite, sem pão e sem gasolina."

Mais uma vez, ninguém sabe dizer ao certo se a Rússia estava por trás do ataque, mas o presidente estoniano Toomas Ilves afirmou não haver outro suspeito. Vale lembrar que às 23 horas do dia 8 de maio na Estônia era meia-noite do dia 9 de maio em Moscou. Nove de maio é o Dia da Vitória, a data mais sagrada do calendário russo, quando se comemora o fim da Grande Guerra Patriótica. Que ocasião mais conveniente para um ataque cibernético orquestrado. E que exemplo assustador de como o mundo conectado pode nos fazer cair na teia de forças ocultas, e talvez distantes.

Picareta

Bem, estávamos falando da vulnerabilidade individual. Vamos agora explorar nossa Estônia particular, tomando como primeiro exemplo uma das minhas personalidades prediletas, um homem a quem eu confiaria minha própria vida. Estou falando, claro, de mim mesmo.

Se você jogar "Bob Garfield" no Google (por que não faria isso? Eu mesmo faço todos os dias) vai obter entre 70 e 100 mil resultados de busca. O primeiro normalmente leva a meu blog. O quinto é minha biografia no npr.org. E o resto está espalhado por aí. Mas gostaria de chamar a atenção para um resultado que nos últimos sete anos ficou num ou em outro lugar entre os 20 primeiros. É uma série de insultos à minha pessoa, em que o mais lisonjeiro é "picareta chato e pretensioso". Oponho-me a essa caracterização, claro, porque em minha opinião não sou tão chato assim. Mas digamos que isso não passa de um risco inerente à minha profissão. O texto foi publicado por um sujeito frustrado – frustrado porque foi apenas um entre meia dúzia de entrevistados num programa de rádio de 10 minutos, e não o centro de uma radiobiografia dedicada extensa e exclusivamente à sua visão de mundo. Se tivesse tido, digamos, 9 minutos e meio de tempo no ar, provavelmente estaria bem menos frustrado. Vou lhe poupar dos detalhes da sua visão distorcida da realidade, paranoia e falta de noção generalizada. A questão principal aqui é que ele está entre os 20 primeiros no Google!

Talvez esteja nessa posição porque, ugh!, um monte de gente clica no link. Ou vai ver é porque meu estranho biógrafo dá um jeito de manipular os algoritmos para colocar sua página entre os primeiros resultados. De qualquer modo, sempre que um de meus adoradores mundo afora, ou um cliente querendo palestras, ou minha sogra me procurar no Google, encontrará uma tentativa clara de manchar minha reputação sob o título "Bob Garfield's Boiled Soul" [algo como "A Alma de Bob Garfield em Ebulição"]. Que agradável. Aliás, sabe qual a obsessão desse cara que invadiu meu querido espaço virtual? A ameaça que a tecnologia representa para a privacidade pessoal. A mim soa bastante irônico, mas não vou ficar reclamando, pois meus problemas são ínfimos.

Veja Bill Broydrick, por exemplo. Ele é um lobista poderoso de Wisconsin, que tem entre seus clientes a Aurora Health Care (uma organização sem fins lucrativos), as escolas públicas de Milwaukee, o Sistema Metropolitano de Tratamento de Água do Distrito de Milwaukee e a We Energies (companhia elétrica de Wisconsin). Embora seja bem conhecido no meio político e legislativo, era praticamente anônimo para o grande público. Pelo menos até 27 de agosto de 2007. Foi quando apareceu, no quarto lugar de sua primeira página do Google, o link "DC Madam's phone list linked to Wisconsin Political fugure [sic]" ["Político aparece na lista de telefones de cafetina de Washington"].

A Cafetina de Washington era Deborah Jeane Palfrey, declarada culpada por administrar um serviço de acompanhantes na capital federal americana com o qual, supostamente, vários figurões da região estavam envolvidos. Irritada por levar a culpa enquanto sua clientela escapava ilesa, ela tornou públicos os registros telefônicos de anos de atividade – registros esses que, se cuidadosamente analisados, poderiam revelar a identidade dos usuários do serviço. Um deles, Randall Tobias, ex-CEO da Eli Lilly, foi forçado a renunciar ao cargo que tinha no Departamento de Estado americano. Outro, o senador da Louisiana David Vitter, teve que reconhecer seus "pecados" publicamente.

Ambos eram alvos mais que legítimos. Vitter, republicano conservador, alardeava beatamente os valores da família enquanto pagava por companhias femininas extraconjugais. Tobias, o "Czar da AIDS" do presidente Bush, havia condenado vigorosamente a prostituição e, contradizendo o consenso da saúde pública por pura politicagem, pregava a abstinência em vez do uso de preservativo. Em outras palavras, os dois eram funcionários públicos cuja retórica foi desmentida por sua conduta pessoal. Indo mais além, eram hipócritas vivendo à nossa custa. Então, foi justo.

Mas e quanto a Bill Broydrick? Ele não é funcionário público, nem mesmo uma figura pública propriamente dita. É fato que os lobistas influenciam a política, mas também, mais ou menos por definição, atuam nos bastidores, na condição de cidadãos particulares. Em que medida a conduta pessoal de um lobista pode ser assunto de interesse público? Sem provas de que ele estava usando Palfrey para agendar serviços sexuais para os funcionários públicos com quem tentava fazer lobby – e nenhuma prova foi apresentada –, qual a novidade de um homem de negócios ter uma vida sexual duvidosa? Eu mesmo respondo: tirando o fato de atiçar a curiosidade ou o despeito, nenhuma.

Ligações perigosas

Isso não serve de consolo para Bill Broydrick, cuja história foi levada a público por um dinâmico repórter de uma TV local que usou uma ferramenta extraordinária na internet. O jornalista achou o DCPhonelist.com, site desenvolvido por uns nerds de Harvard que perceberam que os dados dos registros telefônicos de Palfrey – ou seja, milhares de números de telefones – poderiam ser rastreados se existisse um mecanismo específico de busca. Criaram esse mecanismo, permitindo a qualquer pessoa digitar um número de telefone para cruzar as informações. Se o número estivesse nos registros de Palfrey, apareceria um resultado, incluindo horários e datas. Infelizmente, Broydrick tinha muita coisa registrada. O repórter (da WTMJ, filiada da NBC) recebeu um indiferente "sem comentários" de Broydrick e correu para a internet com seu furo. Isso mesmo. Um cidadão não consegue manter o zíper fechado. Parem as máquinas!

A questão aqui não é o fato de uma emissora de Milwaukee não ter uma noção clara do que é um verdadeiro escândalo. A questão é que a mesma busca estava sendo feita muitas e muitas vezes, por esposas, namoradas, colegas de trabalho, rivais e talvez até por chantagistas, que só precisam entrar numa página da internet para encontrar a sujeira que procuram. Broydrick pode ter sido cuidadoso o suficiente para impedir que sua esposa ou sócios descobrissem o fato, mas ninguém está a salvo de todos. E no mundo digital, todos podem se meter na sua vida – seja ela de boa ou má reputação – e destruí-la de muitos modos.

"Era exatamente isso que esperávamos", disse-me Daniel Silverman, cocriador do DCPhonelist.com, depois que o nome de Broydrick veio à tona. Foi meio esquisito perceber esse tipo de deleite, porque ele parece ser um homem sério e zeloso. Mas não é difícil de entender. No Capítulo 10, falamos sobre o escândalo de mídia envolvendo Dan Rather e também sobre como Josh Marshal, com seu blog Talking Points, fez a mineração de dados fornecidos por cidadãos para examinar milhares de e-mails do Ministério da Justiça no escândalo dos procuradores demitidos. Claro que o DCPhonelist.com faz uso da internet de maneira muito semelhante: multiterceirizando uma função tradicionalmente dominada por poucos jornalistas. E esses poucos jornalistas tinham uma fração mínima do tempo e dos recursos usufruídos por toda a blogosfera.

Mas e quanto ao interesse público e ao senso das proporções? Perguntei a Silverman se o maior e melhor uso da multiterceirização jornalística seria o de revelar quem cometeu adultério. Ele parece pensar: por que não?

"Nesse caso", diz ele, "você pode achar que o que estamos fazendo não tem tanta consistência jornalística quanto os e-mails de Karl Rove [ex-chefe da casa civil dos Estados Unidos] ou os documentos da Enron [companhia elétrica americana], mas acho que é apenas o primeiro passo. E mostra que isso continuará acontecendo, e toda vez que novos dados forem publicados haverá maior quantidade e qualidade de ferramentas desenvolvidas para qualquer um analisá-los. Assim, embora esses dados não atinjam o grau de importância que algumas pessoas esperam, acho que a filosofia por trás disso e o que estamos tentando fazer aplica-se bem a um leque variado de assuntos." Não são os dados que ferem as pessoas, insiste ele; quem as fere são outras pessoas.

Essa desculpa não é tão esfarrapada assim. Silverman decidiu se concentrar no bem maior e não naquilo que, em essência, é análogo ao que se diz no debate sobre as armas – ou seja, não culpe as armas pelo mau uso delas. Na verdade, pode-se fazer um paralelo ainda melhor com a situação de Alfred Nobel. Em 1867, Nobel inventou a dinamite, o primeiro alto explosivo estável, que revolucionou a engenharia civil. A infraestrutura da era industrial, como as rodovias, as barragens e os túneis, seria primitiva e limitada sem a descoberta de Nobel. Assim como seriam a guerra e o terrorismo – os outros beneficiários de sua engenhosidade, fato que assombrou Nobel até o dia de sua morte. O DCPhonelist.com é como dinamite em mãos erradas – nesse caso, por causa da natureza privada do comportamento em investigação. A escala da internet, combinada ao anonimato e à sede cega de justiça que caracteriza esses detetives particulares da era digital, nos expõe não apenas à curiosidade das massas, mas também à maldade delas. E maldade é o que não falta. Basta clicar nas seções de comentários do YouTube ou de qualquer site esportivo ou político. O nível de cólera e violência é simplesmente fenomenal. Leia isso:

Sórdida, desprezível, vida fácil, escória, vadia, puta, vagabunda...

Estamos falando de Lucrécia Bórgia, Leni Riefenstahl, Medusa? Não. É de Sharon Stone, sumida diva do cinema. Eis aqui outro exemplo adorável de discurso comedido e respeitoso na internet: *Não gastaria um peido com você seu merdinha... Aliás, viadinho, pra que time azarado você está torcendo? O jogo é hoje, por que você não aproveita pra brincar de esconde--esconde e vai se foder?*

Saddam Hussein Está em Boa Companhia

Esse texto coberto de lirismo tampouco tem por alvo um neofascista, um estuprador de crianças, um canibal ou um senhor de escravos. Não: seu alvo é a suposta supremacia dos Dallas Cowboys. Mas o que o torna notável não é a possibilidade de uma pessoa ficar com tanta raiva e manifestar tanta maldade só por causa de um time de futebol americano. Não há novidade alguma no fato patético de que o esporte excita as paixões nem na ideia de que qualquer imbecil pode ter um computador. Mas o fato de a internet eliminar praticamente todas as barreiras aos discursos de ódio é, sim, uma novidade. Na ausência de fatores sociais de coibição – divulgação da identidade do agressor, expressões de reprovação, demandas judiciais, socos na cara –, o crítico on-line anônimo se sente completamente livre para render-se aos seus impulsos, dando vazão à raiva, à frustração e à impotência num ambiente onde sua voz angustiada pode ser ouvida. Se a internet é de fato a "super-rodovia da informação", esses caras são aqueles que trafegam em carros esporte antigos, cheios de manchas de massa de funileiro, costurando entre as faixas a 150 km por hora. E não parecem discriminar adequadamente os alvos de seu perene descontentamento. É o que se chama de "efeito de desinibição on-line". Adam Joinson, professor de psicologia da Universidade de Bath, na Inglaterra, nos conta por que os espaços para comentários e outros espaços de manifestação on-line são ambientes tão propícios à ação do Id.

"Fizemos algumas pesquisas no meu laboratório e concluímos que, quando as pessoas se comunicam pela internet, elas tendem a dar mais atenção a si mesmas, a suas próprias atitudes e emoções", diz ele. "Quando esse fato se associa à ausência de afeto pela pessoa com quem se fala e ao desconhecimento das reações dessa pessoa, o resultado é, muitas vezes, um barril de pólvora onde as pessoas tendem a dar vazão a seus maus sentimentos e a inflamar os outros."

Por exemplo: só para se divertir, pesquise no Google a expressão "is such an asshole" ["é um tremendo babaca"]. Você vai obter 34 mil respostas (quase 90 mil para a expressão em português, mais de 3 milhões e meio para "é um babaca"). Os alvos não são somente os óbvios (George W. Bush, Barry Bonds, Paris Hilton, Donald Trump, "meu chefe", "meu pai", Saddam, James Lipton), mas também os não tão óbvios (Deus, Papai Noel) e os completamente inesperados (o Sol, "meu filho de 3 anos"). E é claro que a lista inclui muitos Fulanos e Fulanas de Tal desconhecidos do grande público. O nome da pessoa pode não dizer nada a você; mas, se por acaso você estiver pesquisando sobre os pobres Fulano ou Fulana de Tal, vai obter informações que eles prefeririam que você não tivesse. E quando eles mesmos pesquisarem o próprio nome – posso lhe dizer por experiência pessoal que ficarão desanimados.

"Quase nunca é o conteúdo em si que é prejudicial", diz Michael Fertik, da Reputation Defender, que vende diversos pacotes mensais de serviços para indivíduos e empresas que querem monitorar e/ou melhorar sua ciber-reputação. "Na maioria das vezes, é o conteúdo e o lugar onde ele aparece no Google. Alguns estudos mostraram que os dois ou os cinco primeiros resultados no Google dominam a impressão que a pessoa guarda do tema que está pesquisando. E, em geral, as pessoas ficam só nos primeiros."

O estudo específico a que Fertik se refere foi feito pela Eyetools, de Sacramento, na Califórnia, uma empresa que analisa os movimentos dos olhos nas pessoas – no caso, daquelas que leem as páginas de busca do Google. O estudo revelou a existência de um "triângulo de ouro" de 100% de atenção nos três primeiros resultados de busca, porcentagem essa que cai para 85% no quarto, 60% no quinto e somente 20% no décimo. O estudo criou consternação nos círculos acadêmicos, temerosos de que o algoritmo do Google – longe de ampliar exponencialmente nossos horizontes de informação – acabe por tornar a população como um todo mais ignorante, reciclando sempre os mesmos resultados mais procurados e perpetuando, na prática, a superficialidade intelectual. Será mesmo? A resposta a essa indagação é provavelmente "sim e não", ambiguidade que não se aplica, porém, quando o assunto é a destruição de reputações on-line. Se a busca do Google retorna "picareta pretensioso" ou "putanheiro" ou "membro oculto da Al Qaeda" entre os primeiros três ou quatro resultados – sejam eles verdadeiros ou não –, azar. Fertik alerta: "Se alguém diz que você tem herpes, as pessoas que você convida para sair vão pensar duas vezes antes de aceitar. Embora a fonte não seja o *The New York Times*, mas algo muito menos confiável, essas pessoas ainda vão ter no subconsciente a imagem da fumaça que indica a ameaça de fogo. Infelizmente, a primeira impressão é muito importante."

É claro que esse fenômeno atinge muito mais as celebridades e qualquer pessoa que receba, mesmo por acaso, seus 15 minutos de fama. Antonella Barba era estudante de arquitetura numa universidade católica em 2006 quando estourou no *American Idol*. Descrita pelo *Washington Post* como "uma beldade despachada com vibração jazzística", durante algum tempo ela foi o nome mais procurado no Google em todos os Estados Unidos – nem tanto pela vibração jazzística, mas por um outro tipo de vibração provocada nos homens que viam certas fotos dela (na linha do programa *Girls Gone Wild*) publicadas na internet. Daí a pouco ela foi eliminada do *Idol* e tentou voltar, pelo menos temporariamente, ao anonimato – para, como disse ao *Post*, "passar um tempinho longe dos olhos do público". No começo de 2007, o ator Alec Baldwin, divorciado e pai de uma filha pré-adolescente que o tratou mal num telefonema, mandou à filha uma mensagem de voz em que a acusava de crueldade e a desbancava por demonstrar desrespeito para com o próprio pai. A mensagem caiu na internet e expôs o ator à acusação de telemaltratar a filha. O ator e roteirista Eric Schaeffer escreveu um livro intitulado *I Can't Believe I'm Still Single* e desencadeou uma torrente de testemunhos on-line dados por mulheres que tinham todo motivo para acreditar nisso – inclusive e-mails supostamente trocados entre ele e várias ex-namoradas. Hoje, qualquer um que procure o nome dele no Google vai encontrar episódios de narcisismo e perversão sexual narrados com todos os detalhes. O segundo resultado traz o título "The World´s Worst Person" ["A Pior Pessoa do Mundo"].

É claro que Eric Schaeffer não é a pior pessoa do mundo, pois fica muito atrás de Kim Jong-il, Robert Mugabe, Bill O'Reilly e Osama Bin Laden. E temos de admitir que também fica atrás de Aleksey Vayner.

Candidato a uma colocação em Wall Street, em 2006 Aleksey Vayner mandou um currículo em vídeo para o banco de investimentos UBS. O vídeo era de um narcisismo tão espantoso e hilário que um funcionário qualquer do banco não resistiu a mostrá-lo a outra pessoa. Essa outra pessoa tampouco resistiu e no fim o exercício de vaidade de Vayner se tornou um fenômeno viral no YouTube. "Nada é impossível", pontificava ele, emprestando o lema dos tênis Adidas do mesmo jeito que, segundo parece, "emprestou" páginas inteiras de outros trabalhos para escrever um livro sobre o Holocausto e "emprestou" o modelo do site de um fundo de investimentos administrado por ele, que não existia. A parte mais encantadora do vídeo de Vayner, porém, era o catálogo de suas realizações esportivas de nível internacional: seu saque de 220 quilômetros por hora no tênis, o levantamento de um peso de 220 quilos e, como não, a destruição de sete tijolos cerâmicos com um golpe de caratê. As cenas dele esquiando (segundo se diz, o esquiador era na verdade outra pessoa) e dançando com uma gatinha de umbigo de fora também impressionavam. Um comentarista num blog resumiu assim as perspectivas de Vayner: "Esse cara é uma piada e assim será eternamente lembrado pelo Google." De agora em diante, seu nome, seu rosto e seus feitos esportivos serão para sempre associados com a vaidade doentia. Em resumo, ele é motivo de chacota no mundo inteiro.

E isso não é justo.

É verdade que Vayner se expôs pomposamente ao ridículo, e é verdade que é bem o tipo de cara arrogante e presunçoso que todos nós adoramos ver cair do cavalo. Mas também é uma vítima. O vídeo mandado à UBS era uma comunicação sigilosa dentro de um processo de avaliação de recursos humanos que deveria ser confidencial. O vazamento foi uma tremenda invasão de privacidade da qual ele dificilmente vai se recuperar. Quinze anos antes, se um estudante de Yale tivesse mandado um currículo idêntico a Wall Street, ele também teria virado motivo de chacota – mas o público dando risada estaria limitado a um pequeno número de pessoas numa área de um quilômetro quadrado.

Infelizmente, o Sabre de Luz não Era de Verdade

Mas, só para podermos argumentar, vamos admitir que Vayner, Schaeffer, Baldwin e Antonella Barba foram alvejados em razão de seu próprio comportamento, que eles chamaram sobre si o que lhes ocorreu. Isso não elimina o fato de que, até há pouco tempo, os deslizes que eles cometeram não seriam motivos de fofoca pelo mundo afora. Na era do celular com câmera, do mp3, do TMZ.com e do MySpace, o melhor é nunca, jamais, fazer qualquer coisa ridícula, mesmo que você não seja famoso, mesmo que não seja um imbecil, mesmo que não seja adulto. Neste último quesito, o especialista é um certo Ghyslain Raza, um adolescente do Quebec que você deve conhecer pelo título de Star Wars Kid, o Garoto da Guerra nas Estrelas.

Em 2003, Ghyslain entrou na sala de mídia de sua escola e se filmou imitando a sequência do "sabre de luz" do personagem Darth Maul no filme *Guerra nas Estrelas Episódio I: A Ameaça Fantasma*. Ele diz que estava desenvolvendo uma coreografia para um vídeo que estava produzindo, mas isso pouco importa. O que importa é que ele largou a fita dentro da câmera, que logo depois foi descoberta por um colega de classe – que se espantou com a incrível falta de semelhança entre o gordinho Ghyslain e Darth Maul, visto que, para piorar, a arma usada não era um verdadeiro sabre de luz, mas um dispositivo telescópico para pegar bolas de golfe extraviadas. Esse colega de classe mostrou o vídeo a outro colega de classe, que o mostrou a outro colega de classe, que por sua vez o converteu em arquivo .wav e o postou na rede. Seis anos depois, o Garoto da Guerra nas Estrelas foi visto on-line – e ridicularizado – mais de 1 bilhão de vezes, o que o torna sem sombra de dúvida o gordinho de quem mais se tirou sarro em todos os tempos. Segundo os autos de um processo judicial movido pela família de Ghyslain contra os pais de seus colegas de classe, o menino entrou em depressão e foi obrigado a abandonar a escola – onde, quando entrava na cantina, os colegas gritavam "Guerra nas Estrelas!" em uníssono.

Ghyslain também se tornou alvo constante de comentários maldosos feitos on-line, a maioria referentes à gordura. Mesmo quando o sofrimento do rapaz recebeu larga cobertura da mídia, é impressionante o quão pouco essa cobertura alimentou a compaixão na rede. Um comentador anônimo, e infelizmente típico, disse o seguinte em 2006 quando a ação se resolveu com um acordo extrajudicial: "Ironicamente, o fato de eu saber que o garoto é um chorão torna ainda mais engraçadas as cenas dele dançando como um imbecil. Em vez de eu me identificar com ele por ele estar fazendo uma coisa meio ridícula, agora acho que ele é um babaca pretensioso (*douchebag*) e merece se tornar motivo de chacota em toda a internet."

Não se espante com o epíteto *douchebag* ["babaca pretensioso"]. Até hoje, se você pesquisar no Google "Star Wars Kid" + "douchebag", vai obter mais de 13 mil resultados. (Se precisar de mais informações sobre o assunto, entre no site douchebag.com, que apresenta uma conveniente lista de "babacas pretensiosos do dia".) Seria ótimo poder deixar o assunto de lado e dizer: "Ele é novo. Tudo isso vai passar. Dê a volta por cima, rapaz. O tempo cura todas as feridas." Quem dera as coisas fossem assim; esses lugares-comuns não necessariamente se aplicam ao mundo digital. Muitos já disseram que o Google é Deus, o que talvez não seja verdade. Mas isto nós sabemos: às vezes o Google é benévolo e às vezes, furioso. Em verdade, o Google dá e o Google tira. Graças ao cache infinito do mecanismo de busca, na internet as feridas duram para sempre.

"Meus clientes ficam esperando aquilo passar, mas não passa", diz Nino Kader, fundador da International Reputation Management, empresa de relações públicas sediada em Washington e dedicada especificamente, como a Reputation Defender de Fertik, às realidades da internet – a qual, na opinião de Kader, "vai se tornar o registro oficial a respeito de todas as pessoas que já existiram no planeta".

Pois é. Esqueça o que Andy Warhol disse. No futuro, a calúnia e a difamação vão durar para sempre.

Lembra-se de quando você estava na escola? Lembra-se do que a Dona Fulana lhe dizia para desencorajá-lo de colar nas provas ou atirar bolas de neve na turma da 4ª série? Ela dizia: "Vai entrar para o seu Registro Permanente", e isso dava o que pensar. Um dia, você ia se candidatar a um posto no exército, ou tentar escapar do exército, ou se candidatar a um emprego, e alguém examinaria aquele registro com uma careta no rosto. "Bom, diz aqui que você foi pego passando um bilhetinho sobre Jane Konowitch para Philip Yampolsky. É verdade?" E pronto. Você finalmente pagaria pelas maldades que cometera. Sua carreira em West Point ou nos New York Yankees terminaria antes mesmo de começar. Essa perspectiva me assombrou – do mesmo modo que o holocausto nuclear e o medo de nadar logo depois de comer – desde que eu tinha 6 anos. Eu tinha tanto pavor do Registro Permanente que fiquei na linha ao longo dos 12 anos que passei na escola. Tá bom, pode ser que eu tenha plagiado um ou outro artigo da enciclopédia *Conhecer*, tenha matado algumas aulas e tomado um ou outro trago de bebida alcoólica, mas não fui pego – ou, pelo menos, era isso que eu pensava. Há alguns anos, tremendo de medo, liguei para a delegacia de ensino de Lower Merrion para descobrir por fim o que estava indelevelmente gravado no meu dossiê.

> – *Seu registro permanente? – disse a voz no telefone. – Foi triturado.*
> – *Triturado? – gritei. – Triturado quando?*
> – *Quando você se formou?*
> – *Em 1973.*
> – *Então foi em 1974.*

Que bela permanência. Se eu soubesse que eles estavam blefando, teria me comportado bem pior no passado. Infelizmente, a possibilidade de triturar os registros desagradáveis também já era. As páginas da internet ficam guardadas em cache até o dia do juízo final – o juízo do mundo ou seu próprio juízo particular. As descrições da minha "alma em ebulição" e dos segredos de Bill Broydrick para se encontrar com mulheres bonitas não vão sumir no vazio. Pelo contrário, estão se proliferando em razão da expansão da blogosfera. "Antes dos blogs", diz Kader, "era preciso fazer um site, o que acarretava certa responsabilidade pessoal por causa dos termos e condições. Certa responsabilidade, mas não muita." Com os blogs, que qualquer um pode criar, "é possível fazer postagens anônimas na internet em questão de minutos". E se alguém quiser chamar o Papai Noel de babaca, azar do Papai Noel. "Qualquer um pode ofender anonimamente qualquer outro – e a ofensa estará exposta aos olhos de todos."

A ciência desse fato é sempre uma tortura para os nervos. Às vezes é um pesadelo e, às vezes, tem resultados trágicos que vão além das palavras.

Lembre-se de Megan Meier.

Megan era uma menina de 13 anos de um subúrbio de St. Louis. Fez um amigo no MySpace, um rapaz gentil e bonitinho de 16 anos chamado Josh Evans. Durante algumas semanas, eles conversaram e flertaram, partilhando as coisas de que mais gostavam, suas intimidades e os conteúdos de suas almas adolescentes. Então, do nada, Josh se voltou contra Megan. Xingou-a dos nomes mais horríveis. Disse que "todo mundo te odeia.... O mundo seria melhor sem você". Outros participantes da rede social se juntaram a ele nessa avalanche de recriminações, que só terminou quando Megan, poucos dias antes de fazer 14 anos, se suicidou. A história ficou famosa porque, embora a crueldade das crianças seja um fato antigo, ter sido cometida pela internet alçou-a à condição de sinal dos tempos. Era isso que parecia até que a narrativa enveredou por um caminho chocante e inimaginável. Josh Evans não existia. Era um personagem inventado não por outro adolescente, mas por duas mulheres adultas – uma delas, mãe de uma ex-amiga de Megan Meier. Essa mãe, Lori Drew, explicou que Megan tinha espalhado fofocas sobre sua filha e que, por isso, tinha querido "mexer com ela". Conseguiu.

É Preciso Acentuar o Positivo

Portanto, num universo digital onde todos estão a tal ponto vulneráveis, o que fazer? Não há uma resposta que dê conta de todos os ângulos da questão, mas a melhor delas talvez seja não fazer nada – jamais – que você não queria ver estampado numa foto no celular do seu filho adolescente. Outra resposta é fechar a porta do estábulo depois de a vaca fugir, prática que tem um nome mais conhecido: relações públicas. Há muito tempo a gestão de imagem é essencial para políticos, gente famosa, grandes executivos e outros notáveis insatisfeitos com o modo com que são retratados pela mídia ou vistos pelo povo. Há pouco tempo, veio a público um documento escrito por um norte-americano muito conhecido que, em 1970, estava incomodado pelo fato de que sua imagem de FDP rígido e mal-humorado não fazia jus a seu lado mais gentil. Então, ele circulou um memorando de 11 páginas sobre sua gentileza interior, pedindo à sua equipe que reconhecesse, por exemplo, o modo como ele tratava "o pessoal da casa, os ascensoristas, os telefonemas que faço às pessoas quando estão doentes, embora essas pessoas já não signifiquem nada para ninguém, as inúmeras cartas que escrevi para as pessoas que se viram passando por uma fase ruim, inclusive para as que perderam eleições. *Nenhum presidente poderia ter feito mais que eu sob este aspecto, sobretudo na medida em que tratei essas pessoas como seres humanos dignos, não como o chão onde eu piso".*

O grifo é meu, pois a frase é tão... "grifável". Coitadinho do Richard M. Nixon. Ninguém o compreendia.

Esse coitado pretensioso não foi o único a sentir a ânsia de reescrever a história, de apresentar o seu melhor lado para o público ou de simplesmente corrigir informações errôneas. Os clientes de Nino Kader na International Reputation Management têm exatamente a mesma intenção. Mas, ao contrário do ex-presidente, têm de se haver com seu perfil no Google antes de poder mudar seu perfil na mídia.

"Querem ressaltar o seu lado bom", diz Kader. "Para tanto, é preciso empurrar o negativo para fora da página."

É uma tarefa de Sísifo para gente como Aleksey Vayner, cujo nome ainda gera cerca de 20 mil resultados, todos eles ruins. Mas a maioria das pessoas não é tão azarada no que se refere à imagem. Um dos clientes de Kader, por exemplo, é um famoso apresentador de TV que fala sobre um tema que costuma polarizar os ânimos. Ele ficou espantado quando uma pesquisa de seu nome, no Google, trouxe à tona especulações maldosas não somente sobre suas motivações políticas, mas também sobre sua aparência física – a saber: "se este é o mesmo [nome do apresentador] que eu vi falar na MSNBC e na FOX News, talvez um programa de redução de peso venha a calhar para reduzir a gordura ao redor do cérebro dele com o objetivo de produzir um processo de pensamento mais claro e racional. Cansei de ver o queixo dele balançar quando ele fala."

Ai! Ser chamado de irracional é ruim, mas de "gorducho" é pior. É difícil ser levado a sério como especialista em questões internacionais quando se é visto como o Garoto da Guerra nas Estrelas da ciência política. Foi então que Kader pôs mãos à obra. "Criei uma biografia oficial dele" que não falava nada sobre o queixo duplo, mas detalhava suas análises "céticas e sensatas" sobre os acontecimentos do dia a dia. "Ela apareceu em primeiro lugar no Google." E, durante certo tempo, o esquema funcionou, empurrando o queixo duplo para fora da página. Infelizmente, as ervas daninhas sempre tornam a crescer. Sem um esforço constante, toda tentativa de cultivo será dominada pela natureza irreprimível. A certa altura, o cliente de Kader fechou seu site e o tema da corpulência voltou à primeira página.

Mas o conceito está provado. O ato de criar páginas na web e links que levem a essas páginas, e de manter esses links funcionando, pode, segundo Kader, "construir uma armadura em torno de uma imagem na web. Hillary Clinton, por exemplo: nas primeiras duas páginas de busca, tudo é positivo".

Fato: embora ela seja uma das figuras políticas mais detestadas dos Estados Unidos (e também, eu sei, uma das mais populares), quem pesquisava o nome da pré-candidata Hillary no Google em meados de 2007 encontrava somente o artigo sobre ela na Wikipedia, seu site oficial de campanha, seu site no senado norte-americano, sua página no MySpace, a página da Casa Branca sobre o tempo em que ela foi Primeira Dama e um perfil do *The New York Times*. "Se alguém quisesse falar mal dela", observa Kader, admirado, "seria difícil furar essa barreira." Percorrendo os resultados da busca, por exemplo, pode-se passar por mais de dez páginas sem sequer ver a palavra "Whitewater"*.

---

* Nome de um escândalo envolvendo o casal Clinton. (N. do T.)

Isso se deve em parte à sorte, em parte a uma técnica. O problema é que as pessoas que conhecem a técnica não são somente aquelas que gostam de você. O autor de "Bob Garfield's Boiled Soul" sabia exatamente o que estava fazendo. "Ele pôs o nome 'Bob Garfield' no título da página", explica Kader, "e o Google entende que isso é pertinente. O título também está em corpo grande e em negrito. O Google considera importante tudo o que está em negrito. É por isso que o cara fez assim. Além disso, ele tem 225 links que levam ao site dele. O Google conta cada link como um voto." A título de curiosidade, o mesmo esqueminha foi empregado para que os termos de busca "useless failure" ["fracassado inútil"] conduzissem diretamente, no Google, ao perfil oficial de George W. Bush no site da Casa Branca.

Kader faz questão de dizer que não fornece seus serviços a qualquer pessoa. "Um médico que já cometeu um monte de erros cirúrgicos entrou em contato com a gente. Esse tipo de informação eu não quero suprimir." Infelizmente, o resto do mundo não faz distinções tão sutis. O livre mercado de ideias também é livre de toda consciência. É aí que, de vez em quando – e quase nunca de modo eficiente –, a lei entra em cena.

O caso Megan Meier foi um exemplo. Como o Missouri não tinha lei penal que punisse o ciberassédio, os promotores locais não puderam levar Lori Drew a júri. Então, um procurador federal da Califórnia tomou para si a tarefa de processá-la. Por uso indevido de computador. Baseando seu argumento jurídico no fato de Drew ter, tecnicamente, violado os termos de uso do MySpace ao criar uma falsa identidade – prática comuníssima na internet e particularmente nas redes sociais –, o procurador federal conseguiu condená-la por três contravenções. Um precedente perigosíssimo.

Christopher Soghoian, do Berkman Center for Internet and Society [Centro Berkman de Estudos da Internet e da Sociedade], da Harvard University, assinala que esse uso da lei expõe milhões de usuários da internet ao risco de sofrer processo penal. "Os termos de serviço do Google", diz Soghoian, "proíbem especificamente qualquer pessoa com menos de 18 anos de fazer uma busca, mandar um e-mail ou fazer um upload de uma foto para o Picasa. Os termos de serviço do MySpace declaram explicitamente que você não pode fazer o upload da foto de outra pessoa sem o consentimento dessa pessoa. Isso significa que, se você tirar uma foto numa reunião de família, terá de passar pela sala pedindo a permissão de cada parente para fazer o upload da foto para sua página do MySpace. Se não fizer isso, você estará cometendo um crime."

A decisão gerou controvérsia imediata e todos sabiam que jamais resistiria a um recurso nas cortes federais. Um de seus críticos era o professor de direito Mark Lemley, da Stanford University, que acredita que – na ausência de qualquer prova de que Drew estava tentando levar Meier ao suicídio – o assunto não devia ter sido levado a júri nas varas penais. "Acho que existem bases sólidas para uma ação civil, quer de indenização por morte, quer por assédio moral", diz ele. "Os pais da adolescente teriam legitimidade para mover ação contra Lori Drew. Mas é muito diferente dizer que ela deveria ir para a cadeia por ter fingido ser outra pessoa."

Liberdade de Difamação

Lemley está mais que familiarizado com esse tema. Ele representa duas estudantes de direito de Yale – Brittan Heller e Heide Iravani – que sofreram reiterados ataques maldosos de críticos anônimos num fórum de discussões on-line chamado AutoAdmit.com, direcionado a estudantes e profissionais do direito. Não vejo necessidade de repetir aqui, *ipsis litteris*, as calúnias veiculadas. Basta dizer que as duas mulheres foram acusadas, nos termos mais vulgares, de tudo o que você possa imaginar – de devassidão sexual a colar nas provas, passando pelo uso de heroína –, e foram objetos de especulações lascivas explícitas e às vezes violentas, perpetradas por dezenas de assassinos anônimos da reputação alheia. O negócio começou com uma postagem alertando os estudantes de direito de Yale de que uma "puta" chamada Brittan Heller logo estaria entre eles. Desencadeou-se assim um bombardeio de ódio cometido por pessoas desconhecidas. O pesadelo de Iravani começou depois, quando ela se tornou alvo de inúmeras obscenidades e coisas ainda piores. Ela tinha contra si, ainda, o agravante de ser bonita.

"Os Estados Unidos oferecem ampla proteção a todas as formas de expressão que veiculam opiniões, até opiniões ofensivas acerca de questões de interesse público e acerca de pessoas particulares", diz Lemley. "Mas ninguém tem o direito de contar mentiras a respeito dos outros."

E o problema não foi só a humilhação. Como David Margolick escreveu na revista *Portfolio* em março de 2009, Heller diz que foi recusada pelos 16 primeiros escritórios de advocacia onde buscou uma vaga, pois – ela tinha certeza – uma busca elementar no Google gerava resultados do AutoAdmit que a denegriam de todas as maneiras possíveis. Primeiro separadas, depois juntas, Heller e Iravani experimentaram vários caminhos para eliminar ou pelo menos mitigar os danos. Pediram ao AutoAdmit que removesse as postagens difamatórias, mas os donos do site recusaram, alegando a liberdade de expressão. Contrataram a Reputation Defender, que fez uma petição para obrigar a AutoAdmit a policiar o site. O resultado foi uma hostilidade ainda maior dos comentadores on-line, instigados pela suposta coação e ameaça de censura. As duas mulheres pediram ao Google que vetasse as postagens difamatórias em sua página de resultados, mas o Google também se recusou, alegando seus próprios princípios de ação e a proteção explicitamente conferida pelo artigo 230 da Lei da Decência na Comunicação a quem simplesmente divulga informações, aos mecanismos de busca e aos provedores de serviços de internet.

"Não há nada semelhante a esse dispositivo legal no mundo físico", diz Lemley. "Ele foi criado em razão de uma das diferenças mais significativas entre a internet e o mundo físico: o imenso volume de informações que podem ser postadas nos equivalentes eletrônicos dos painéis de avisos."

Não que Lemley seja sempre contrário a esse artigo. Ele sabe o que o congresso levou em conta: 1) a impossibilidade técnica de verificar a veracidade, para não dizer o grau de boa educação, de toda postagem on-line; e 2) o entendimento de que a atribuição de qualquer responsabilidade aos sites e provedores os obrigaria a tomar medidas severas de autoproteção, coibindo a liberdade de expressão. Assim, o congresso ofereceu franca imunidade a todos os envolvidos, exceto aos autores propriamente ditos de todo conteúdo difamatório ou calunioso. Se você foi difamado on-line e quer justiça, tem de ajustar contas com quem o difamou. "Não é que não existam recursos", diz Lemley. "Mas você tem de identificar as pessoas que efetivamente estão fazendo as postagens, e isso às vezes é difícil."

Mesmo assim, foi isso que Heller e Iravani tentaram fazer. Conseguiram por fim identificar 5 dos 40 piores difamadores e levá-los à justiça por difamação. Não localizaram os mais virulentos, mas tiveram pelo menos a satisfação de pôr alguns estudantes de direito, não mais anônimos, na mesma situação de vergonha e dificuldade para obter emprego em que elas mesmas se viram. Elas até poderiam ter identificado os demais, mas a AutoAdmit – protegida pelo artigo 230 – apagou de seus servidores os endereços de IP que permitiriam às querelantes identificar os culpados.

Gritar "Puta" numa Internet Lotada

Será que a lei deveria mudar para proteger pessoas como Brittan Heller, Megan Meier e até Bob Garfield? (Só na semana passada, fui acusado na rede de receber propina da Comcast e, inversamente, de incitar as pessoas a *assassinar* os empregados da Comcast.) Afinal de contas, a Lei da Decência na Comunicação foi aprovada em 1996, quando a internet ainda era um bebê de colo.

"Essa lei não é nenhum exemplo de clareza", diz Kurt Opsahl, chefe da seção de advocacia da Electronic Frontier Foundation. "Talvez seja um pouquinho antiquada, mas eu jamais apoiaria uma reforma que restringisse a privacidade e a proteção à liberdade de expressão." Opsahl apresenta diversas razões para sua opinião, mas antes de tudo cita as meditações de Learned Hand, filósofo e jurista da primeira metade do século XX, sobre a liberdade de expressão: "'É mais provável que a conclusão correta seja oferecida por uma multidão de línguas do que por qualquer tipo de escolha autoritária. Para muitos, isso é e sempre será loucura; mas nós apostamos nisso todas as nossas fichas.' Acho que ele queria dizer que o mercado de ideias precisa ser vibrante e que, embora algumas vozes sejam úteis, haverá muitas das quais poderemos discordar. Mas nossa sociedade apostou que é melhor ouvir muitas vozes discordantes do que deixar as leis ou os tribunais decidirem quais vozes devem ser ouvidas."

Opsahl observa que os ataques violentos *ad hominem* sempre foram comuns nos Estados Unidos, desde a época dos fundadores do país. Além disso, o público sempre foi capaz de separar voz da razão da voz da loucura, quer num panfleto do século XVII, quer numa pichação num viaduto, quer numa bobagem qualquer escrita no banheiro masculino. "Se você examinar os contextos em que boa parte desses sites são escritos, não vai lhes atribuir muita credibilidade. Se alguém diz que fulano é criminoso num site cheio de exageros e ataques verbais, qual o grau de credibilidade que se deve atribuir a essa afirmação? Muito pouca." Além disso, segundo ele, existe um aspecto segundo o qual a internet vai corrigindo a si mesma, pois os comentários falsos e caluniosos podem ser respondidos e neutralizados.

Será mesmo? Alguém tem de avisar o Google desse fato, pois ele mostra os resultados mais procurados, não os mais verazes. Além disso, esses resultados não aparecem em seu ambiente original não muito sadio e crível. Converse com Brittan Heller, que acionou seus difamadores na justiça, contratou a Reputation Defender a ainda tem de conviver com uma página de resultados do Google que mostra, quase lá em cima, a frase "Is Brittan Heller a Lying Bitch" ["Será que Brittan Heller é uma Puta Mentirosa?"]

Na opinião de Michael Fertik, da Reputation Defender, isso evidencia a necessidade de uma reforma da lei, que conceda aos alvos da difamação uma proteção pelo menos tão grande quanto a conferida aos detentores de propriedade intelectual pela Lei dos Direitos de Propriedade Intelectual no Novo Milênio, de 1998. "Segundo essa lei", diz ele, "nenhum site é responsável pelo conteúdo nele disponibilizado por terceiros – inclusive conteúdo que seja objeto de propriedade intelectual – até ser notificado de que o conteúdo tem proprietário. Depois disso, a responsabilidade civil se aplica. É um dispositivo chamado de 'notificação e remoção': uma vez notificados, os sites têm de remover o conteúdo. Agora, nesse regime, a NBC pode mandar uma única carta ao YouTube e obrigá-lo a remover 50 mil vídeos, como de fato aconteceu." Porém, se alguém usa o Photoshop para pôr você numa cena de crime e dá a impressão de que você é um assassino brutal, depois lança a foto na internet com seu nome e endereço anexados... ora, azar o seu. Fato: sob a lei atual, um esquete do *Saturday Night Live* tem mais proteção que você. Opsahl e a Electronic Frontier Foundation temem que, se a privacidade tiver proteção análoga à dos direitos de propriedade intelectual, qualquer pessoa que se sinta ofendida – inclusive funcionários do governo – poderá pedir aos sites que removam qualquer conteúdo que as apresente sob uma luz desfavorável, mesmo que esse conteúdo seja verdadeiro. Mas Fertik diz que isso é bobagem. O que ele propõe não é um revisionismo em grande escala.

"A pessoa que afirma ter propriedade intelectual tem o ônus de provar que efetivamente detém essa propriedade. O ônus não é muito grande, mas existe. Porém, nenhuma ação de propriedade intelectual se arrasta por anos e anos no judiciário, nenhuma delas tem como alvo um querelado desconhecido – o ônus é muito mais baixo. Ou seja, o sistema de proteção da propriedade intelectual é eficiente. Podemos exigir o mesmo para a proteção da privacidade: que a pessoa que se acredita difamada tenha de assinar um documento declarando que, pelo que sabe, a difamação é totalmente falsa; e que se declare sujeita à acusação de perjúrio caso sua declaração, protocolada diante de um oficial de justiça, se revele falsa."

Fertik tampouco tem paciência com os defensores absolutos da Primeira Emenda, que veem na maior proteção contra a difamação uma forma insidiosa de censura e supressão da democracia. "Não é verdade que a única alternativa às coisas como estão é o totalitarismo. Isso não é verdade, é mentira, é errado. Existem 100 passos entre o estado em que nos encontramos hoje e a perspectiva real de coibição à expressão. A regulamentação legal da internet tem sentido e já tinha sentido quando a internet estava surgindo. Agora a internet cresceu, estamos mais maduros, a internet está mais madura e a lei também tem que amadurecer. Por isso, sugiro que nós demos três passos nesse caminho, não 100."

A Apoteose do Jumento

No fim, contudo, as leis oferecem pouca proteção contra a natureza humana, que inclui, entre outras coisas, a raiva, o ressentimento, a mesquinhez, o sentimento de impotência, a maldade, a covardia e, não menos, a impunidade absoluta garantida pelo anonimato. A internet é um parque de diversões para o Id, o qual, segundo a descrição de Sigmund Freud, é "um caldeirão fremente de excitações. É repleto da energia que os instintos lhe conferem, mas não tem organização, não produz nenhuma vontade coletiva; gera somente a busca de satisfação das necessidades instintivas sujeitas à observância do princípio do prazer". O engraçado é que um dos termos que Freud considerava sinônimos do Id é "caos". De qualquer modo, o Id está vivo e ativo em qualquer site da vizinhança. Examinemos, por exemplo, o Dumponyou.com ("Quem é que você odeia? Quer esculhambar essa pessoa hoje?"), que incentiva os usuários a "partilhar com o mundo suas histórias anônimas".

"Anonimamente", qualquer pessoa pode postar qualquer coisa sobre um vizinho, um colega de trabalho, um político ou qualquer outro. Pode também mandar um e-mail "anônimo" a outros vizinhos etc., dizendo-lhes que a história foi publicada e convidando-os a lê-la. Esses vizinhos etc. podem publicar "anonimamente" qualquer comentário sobre a postagem já feita. Se o problema merece uma discussão em grupo, eles podem ser convidados para uma sala "anônima" de bate-papo, onde ninguém será identificado.

Desnecessário dizer que o anonimato é inimigo da cautela, da responsabilidade e, como todos sabem, da prova. Eis um exemplo tirado do site:

Mandei e-mails anônimos a todos os membros do nosso grupo de vendas para fazer um alerta a respeito de Todd, nosso novo vice-presidente de vendas. Todos vocês sabem que ele é sobrinho do Sr. Breslin e que provavelmente é só por isso que foi contratado. Tenho certeza de que, assim que ele nos foi apresentado, todos perceberam que ele é gay. Particularmente, não tenho nenhum problema com isso desde que ele não faça alarde das suas preferências. No último emprego que teve, Todd entrou numa tremenda encrenca por causa de discriminação e assédio sexual. Se você fizer uma busca no Google com seu nome e sobrenome e a cidade de Seattle, vai ver tudo o que aconteceu. Ele demitiu várias pessoas sem nenhum motivo e substituiu-as por seus amigos gays. A confusão acabou com uma ação na justiça que a empresa resolveu por meio de acordo extrajudicial, indenizando todos os demitidos. Talvez Todd tenha mudado seu modo de proceder e seja diferente sob o comando do tio, mas achei que devia alertar todos vocês para que tomem um pouco mais de cuidado. Também enviei e-mails ao Sr. Breslin e ao próprio Todd para que eles leiam isto e saibam que estamos de olho.

O logotipo do Dumponyou.com é muito adequado: um jumento sentado na privada.

"Achei que seria um pouco diferente. É mais um site de desabafo que qualquer outra coisa", diz Howard Baer, de Scottsdale, Arizona, o empresário por trás do Dumponyou.com e do TheAnonymousEmail.com, igualmente mesquinho e maldoso (mensagem sugerida: "Você é tão feio que precisa chegar de fininho num copo d'água para que ele o deixe beber").

Baer – que até há pouco tempo vendia suplementos alimentares milagrosos pelo correio e, segundo a Comissão de Valores Mobiliários dos Estados Unidos, é "violador reincidente das leis de proteção ao mercado de valores" por manipular os preços das ações de sua empresa de venda de remédios – afirma que seus serviços dão voz aos amordaçados, aos injustiçados que não podiam se expressar por medo da retaliação. Mas e os que não são injustiçados? E as alegações falsas? E as difamações intencionais? E as vítimas inocentes?

"É um problema", ele diz. "Essas coisas acontecem. Acho que muitas maldades vão acontecer, mas isso não vai nos fazer mudar de ramo. O site é um negócio, e um negócio é um negócio quer seja bom, mau ou indiferente."

Cobrindo-se com o manto da liberdade de expressão, Baer gosta de emitir comunicados à imprensa posando de defensor da Primeira Emenda. Mas é claro que a Primeira Emenda serve de refúgio para qualquer jumento sentado na privada. Para ter uma ideia da visão de mundo – e da estabilidade ideológica – desse combatente da liberdade, veja um trechinho da entrevista que ele concedeu em 2003 a Greg Tingle, do site australiano Mediaman.com:

Acho que qualquer americano que queime a bandeira americana deve ir para a cadeia. Acho que aqueles países a quem fornecemos alimentos, dinheiro e proteção militar que queimam a bandeira americana ou permitem que seus cidadãos a queimem devem ser automaticamente excluídos do nosso rol de ajuda internacional. Essa gente queima nossa bandeira, queima bonecos dos nossos presidentes, e depois vai para casa e come a comida que nós colocamos na mesa deles. Droga, isso é errado. Todos os americanos trabalham que nem uns condenados para ganhar seu salário, e é errado que os dólares de seus impostos sejam usados para sustentar esses animais do Terceiro Mundo.

Aliás, essa citação e a ficha corrida de Baer na Comissão de Valores Mobiliários norte-americana são cortesia do Google.

Infelizmente, Baer não está sozinho. O ódio, a vingança e os ataques anônimos constituem todo um setor da economia on-line, setor esse que inclui, entre muitos outros sites, o ThePayback.com ("para suas necessidades de vingança") e o sádico RevengeWorld.com, onde homens desprezados ou raivosos postam fotos pornográficas de suas ex-namoradas. Uma categoria correlata – e talvez mais benigna – é a do gênero "mulheres, cuidado", caso do site Womansavers.com, espécie de ePinions.com dedicado a alertar contra supostos aproveitadores, pervertidos, espancadores e mulherengos. As mulheres atribuem notas a seus ex-namorados nos quesitos honestidade, fidelidade e conduta, em tese para alertar suas inocentes irmãs acerca dos potenciais pesadelos que se escondem no mercado do namoro. É desnecessário dizer que poucos Príncipes Encantados estão avaliados no site. E é desnecessário dizer que os leitores só chegam a conhecer um dos lados da história.

Mas é claro que a vingança também pode ser movida de modo particular e não comercial por uma pessoa sozinha que pensa ter sofrido alguma ofensa. É o caso do cara que descreveu minha "alma em ebulição" e o de Craig Gunderson, blogueiro de Chicago.

Em junho de 2007, Gunderson (que "vive com muita raiva", segundo o perfil do blog) ficou irritado pelo fato de um ex-colega ter falado mal dele. Então, passou alguns dias seguindo alguns links, endereços de IP e outras pistas digitais para reunir o máximo possível de informações comprometedoras sobre seu desafeto. E postou tudo em seu blog. Considerou estar dando uma lição no pobre otário que chamou de "Huey". Disse Gunderson:

> *O que quero dizer é que a internet é o maior telhado de vidro que existe. É aberta, e essa abertura existe para garantir nossa honestidade e nosso comedimento. Na rede não existe polícia, a polícia somos nós. Huey jogou uma pedra no meu telhado ontem, e deveria saber que isso não se faz.*

Isso não se faz. Gunderson levanta uma questão interessante. Afinal de contas, boa parte das "vítimas" do assédio on-line merecem esse assédio. Esse é o dilema moral dos justiceiros. Numa sociedade regida pelo direito, cabe aos tribunais determinar a culpa e a responsabilidade. As multidões enfurecidas são suscetíveis ao erro por sua própria natureza. Não ligam para as sutilezas e não dão ao acusado o direito de se defender. Mas às vezes pegam os malvados.

Perversão da Justiça?

O exemplo quintessencial é a organização que leva o nome mais que adequado de Perverted Justice [Justiça Pervertida], uma associação particular cujos membros se imiscuem nas salas de bate-papo on-line fazendo o papel de adolescentes inocentes e procuram identificar os pedófilos. Então, atraem a presa para um *tête à tête* com a "criança". Quando o alvo chega para o encontro, porém, é recebido pela polícia e, às vezes, pelas câmeras do *Dateline NBC*. Será que os indivíduos particulares – sem falar nas organizações de imprensa – têm o direito de armar ciladas para outros cidadãos que talvez, se não tivessem tido essa motivação, jamais teriam posto seus maus impulsos em prática? Pode ser que não, mas é difícil apresentar algum argumento convincente contra esse método de desmascarar os predadores de crianças antes que tenham a oportunidade de fazer mal.

Do mesmo modo, parece difícil apresentar argumentos contra a possibilidade de os réus penais, especialmente os mais pobres, que não têm acesso a advogados caros e detetives particulares, conhecerem as motivações – especialmente as mais dúbias – daqueles que testemunham contra eles. Nosso sistema judicial é maculado pelas inúmeras vezes em que permitiu que criminosos condenados tenham sua pena reduzida, ou ganhem o direito de sair em liberdade condicional, em troca de testemunhar em juízo contra outros réus. Infelizmente, os anais do direito penal abundam em veredictos de culpa e até sentenças de morte emitidos contra inocentes com base em depoimentos falsos dados no contexto da delação premiada. De onde a justificativa, ou suposta justificativa, do Whosarat.com, o "maior banco de dados on-line de informantes e agentes".

Who's a Rat [Quem é Cagueta] é um banco de dados criado para ajudar os advogados de defesa e os réus penais com poucos recursos. Este site existe para que os indivíduos e os advogados façam postagens, partilhem e peçam quais-

quer informações que tenham vindo a público e sejam de ciência de pelo menos uma pessoa do público em geral antes de serem postadas neste site, informações referentes a informantes e policiais nos níveis local, estadual e federal. Isso inclui qualquer informante que dê ciência de sua condição de informante a qualquer outra pessoa.

Isso é o que se lê na primeira página do site e parece algo inocente, até benéfico. Nesse caso, porque os promotores e os policiais – e provavelmente um bom número de informantes e agentes infiltrados – estão arrancando os cabelos? Porque nessa mesma primeira página, bem no alto, figuram três fotos com os nomes dos "Caguetas da Semana". O registro no Whosarat.com abre a qualquer advogado de defesa, ou criminoso solto sob fiança, ou parente raivoso, ou mesmo um pistoleiro, o acesso a um perfil completo do "cagueta". Daniel Silverman disse que os dados são neutros, mas repare em três fatos importantes:

1) Embora os conflitos de interesses entre o informante e o Estado às vezes resultem em erros judiciais, ninguém jamais provou que esses erros não sejam apenas anomalias grotescas, e muitos monstros já foram para a cadeia com base em informações verídicas fornecidas por um informante, recompensando ou não com uma pena mais branda.
2) Os júris já são obrigados a levar em conta as motivações de todas as testemunhas.
3) A palavra "cagueta" não é neutra. Pelo contrário, o tom do site é tão cáustico e excita tanto as paixões que os proprietários se sentiram obrigados a acrescentar uma nota de isenção de responsabilidade:

> ESTE SITE NÃO PROMOVE NEM APROVA A VIOLÊNCIA OU QUALQUER ATIVIDADE ILEGAL CONTRA OS INFORMANTES E OS POLICIAIS. SE VOCÊ POSTAR QUALQUER COISA NESTE SITE QUE TENHA RELAÇÃO COM A VIOLÊNCIA OU A ATIVIDADE ILEGAL CONTRA INFORMANTES E POLICIAIS SUA POSTAGEM SERÁ REMOVIDA E VOCÊ SERÁ EXPULSO DO SITE.

Entendi. As postagens ameaçadoras serão objeto de um processo administrativo.

E os assassinatos?

Magoar por Magoar

Raiva, ciúme, vingança, prazer no sofrimento alheio, ridicularização, assédio sexual, paternalismo, vaidade mórbida – os ataques pessoais on-line cobrem todo o espectro da maldade humana. Mas talvez nenhum seja tão horrível quando o modo de operação do troll: a crueldade pela crueldade. O troll assombra as salas de bate-papo, as seções de comentários e os fóruns de discussão do mesmo modo que o pedófilo vaga pelos parquinhos e o assaltante fica à espreita dos bêbados que saem do bar. Eles ficam à espera de uma vítima vulnerável. Não a ataca fisicamente, mas a ataca mesmo assim, pois, literal e figurativamente, o troll busca especificamente magoar a vítima. O ato pode ser tão banal quanto uma frase calculada para despertar a ira dos defensores de certa tendência política, uma piada sexual dirigida a um adolescente, um adjetivo racista ou, talvez, uma mentira deslavada. Na outra extremidade do espectro, pode ser uma campanha orquestrada para atormentar uma pessoa (geralmente) inocente, lançando mão de todas as modalidades de vandalismo, brincadeiras imbecis, assédio, palavras de ódio e coisas ainda piores.

"A trolagem consiste em mexer com pessoas fáceis de desestabilizar, e em fazer isso não por causa de alguma pendência pessoal, mas por simples diversão", diz Mattathias Schwartz, autor de um artigo sobre o tema publicado no *The New York Times Magazine* em 2008. "Os trolls fazem isso porque não sentem compaixão pelos alvos. Fazem para relaxar... para dar risada ao ver o outro se desintegrar." A trolagem pode ser uma atividade solitária – um imbecil qualquer que acusa outra pessoa de querer assassinar os técnicos de TV a cabo –, mas também é uma subcultura de vulto na internet, que se congrega principalmente no fórum /b/ do site 4chan.org e no site wiki Encyclopedia Dramatica. Os trolls se reúnem aí para trocar ideias sobre o que chamam de "lulz", mutação da sigla LOL (lough-out-loud, rindo às gargalhadas). O hobby deles: a manipulação emocional na rede e fora dela.

Schwartz, que para escrever seu artigo conversou com o supertroll "moot", com o especialista em brincadeiras de mau gosto Jason Fortuny e com outros cibernavegantes maldosos, diz que o comportamento deles é nitidamente sociopata mas, em alguns casos, é pretensamente explicado por uma ideologia da trolagem: "eles dizem que, infligindo sofrimento emocional pela internet, 'vamos ensinar essa gente a ser menos sensível, a pôr menos informações pessoais no domínio público'. Mas é só uma desculpa, defendida com eloquência por Jason Fortuny. Os trolls manipulam os outros para seu próprio prazer e procuram causar o máximo de dor nas pessoas."

Que o digam os pais de Mitchell Henderson, adolescente da sétima série que se suicidou em abril de 2006. Pouco depois da morte de Mitchell, uma ou mais pessoas desconhecidas entraram em sua página do MySpace e descobriram que o garoto havia perdido seu iPod pouco tempo antes. Esse fato foi prontamente distorcido e virou "Mitchell Henderson se matou porque perdeu o iPod" – ideia que de algum modo cativou a imaginação dos frequentadores do fórum /b/ do 4chan. Eles começaram então a denegrir a imagem do garoto morto, atividade que só piorou quando um bem-intencionado defensor da memória de Mitchell postou um comentário dizendo que o garoto era "um herói". Os trolls simplesmente não resistiram, e conspiraram para transformar o suicídio de um adolescente no mais engraçado de todos os memes on-line.

"Quanto mais a coisa se afastava do suicídio propriamente dito", conta Schwartz, "mais as pessoas a achavam incrivelmente engraçada" – ao ponto de muitas terem entrado na festa sem sequer saberem que Mitchell Henderson tinha sido um ser humano de verdade e não uma espécie de lenda urbana. Mas outros membros da seita sabiam perfeitamente que a morte de Mitchell tinha sido a morte de uma pessoa de carne e osso. Enviavam pizzas aos pais dele dizendo que tinham sido mandadas pelo menino morto; telefonavam aos pais identificando-se como o fantasma do menino e perguntando: "Vocês encontraram meu iPod?" Todos riam às gargalhadas.

Exceto a família do menino, que, destruída, tem que aguentar esse tipo de atitude há três anos

POSFÁCIO: A VERDADEIRA HISTÓRIA DE *CENÁRIO DE CAOS*

ESTAMOS EM JANEIRO DE 2005. Uma reunião está em curso na sala de conferência de um hotel. Dela participam cerca de 50 pessoas, muitas delas de ressaca. Uma dessas pessoas, de olhos vermelhos e mente cansada, sou eu.

Trata-se de um retiro editorial da *Advertising Age*. Como crítico de publicidade – um colunista que mantém o emprego escrevendo somente 600 palavras brilhantes e perspicazes por semana –, meu papel no encontro é, no máximo, o de fazer companhia a meus colegas, soltar uma ou outra piada e embriagar-me como um imbecil. Essas tarefas eu cumpri direitinho. Mas neste último dia, estamos realizando uma sessão de perguntas e respostas na qual os jornalistas devem levantar questões, dar sugestões e se lamuriar perante os editores acerca do funcionamento cotidiano da revista. Eu, como sempre, estou contando as placas de revestimento do teto. Mas, de repente, um vento forte varre milhões de neurônios mortos e me revela, bem lá no meio do cérebro, uma ideia que eu partilho com os chefões.

"Já que fizemos tantas reportagens e artigos sobre a internet e os problemas dos meios de comunicação [naquela época eles não eram os 'meios de comunicação tradicionais', mas somente 'meios de comunicação'], e já que está na cara que todas as coisas das quais sempre dependemos para viver estão ruindo, por que não inventamos um logotipo para marcar todas as reportagens e artigos sobre esse tema? Tipo 'Crônicas de uma Revolução'?"

Nesta manhã, não sou o único que está cansado. Parece que a diretoria também está, pois, ouvindo eu sugerir que a gente criasse um logotipo – uma pequena assinatura visual –, eles entendem que eu estou me oferecendo para escrever uma série de reportagens sobre a carnificina. E me atribuem essa tarefa. Meu Deus, nunca mais vou beber.

Pois bem. Três meses depois, em abril de 2005, o primeiro artigo da série foi publicado na *Advertising Age*. Levava o título de "The Chaos Scenario" ["Cenário de Caos"]. Todo o setor publicitário reagiu com afronta, o que me determinou a fazer duas coisas: 1) continuar escrevendo sobre o assunto, cerca de duas vezes por ano, num blog da AdAge.com chamado "The Bobosphere"; 2) reunir todas as minhas reportagens num livro sério, que me garantisse riqueza, fama e o respeito de meus filhos. Em específico, a ideia consistia em escrever o livro on-line, à plena vista do público, de tal modo que eu pudesse me beneficiar da experiência, das reflexões, das queixas etc. dos leitores. Que belo plano.

Ninguém me deu a menor atenção. Durante dois anos, até eu resolver enfrentar a Comcast, o tráfego no meu blog foi próximo de zero. Mas nem por isso eu desisti. Continuei escrevendo postagens e reportagens, principalmente para a *Ad Age* mas também, uma vez, para a *Wired* – um vídeo longo no YouTube. Se você por acaso leu ou viu esses artigos e postagens, pode ser que este livro lhe cause uma estranha sensação de *déjà vu*. Não tanto, porém, quanto eu gostaria. O outro problema do meu plano é que escrever um livro sobre o mundo digital é como tentar desenhar uma corrida de cavalos. Cada vez que você levanta a cabeça, o panorama mudou. Quando publiquei minha primeira reportagem, por exemplo, o YouTube – para não falar do Twitter nem do MyBarackObama.com – nem existia.

É o que eu chamo de "flutuação da moeda". Desse jeito, um projeto de dois anos pôde ir se prolongando e chegar a quatro anos, à medida que os acontecimentos ultrapassavam a minha capacidade de estar atualizado. Isso também teve grande efeito sobre meus planos de publicação. No começo, a ideia era publicar e distribuir o livro on-line até o momento em que uma editora esperta se oferecesse para comprar os direitos e transformar um fenômeno da internet numa edição impressa. Entretanto, minha abjeta incapacidade de agregar um rol mundial de seguidores me estimulou a buscar uma solução mais tradicional: vender o livro, em troca de um bom adiantamento, a uma editora que estaria obrigada a empregar as inovações de marketing e distribuição de que o livro fala. Esse plano B até que não era ruim, pois um adiantamento de US$150 mil, bem investido, daria para garantir a faculdade do meu filho de 8 anos e ainda me sobraria algum para comprar aquele taco de golfe que eu sempre quis. Assim, contratei um agente e assisti horrorizado a uma fileira de editoras me respondendo, em cartas bem educadas e cheias de elogios, que nada poderiam fazer.

Isso porque: 1) a situação avançava rápido demais para poder ser documentada num livro; e 2) esse papo de revolução parecia familiar. "Já não lemos isso antes?"

Não. Mas vamos deixar para lá. Por acaso não sou feito de carne e osso? Não tenho sentimentos? Não tenho meu orgulho? Depois de meses ouvindo respostas desse tipo, busquei os conselhos de amigos, colegas e pessoas quase totalmente desconhecidas que escreveram sobre toda a gama dos assuntos digitais. Uma dessas pessoas foi Greg Stielstra, de Nashville, especialista em mídias sociais e autor dos livros *PyroMarketing* e *Faith-Based Marketing*. Eu tinha lido *PyroMarketing* e tinha ouvido Greg falar sobre sua participação na divulgação e distribuição do *best-seller The Purpose Driven Life*. Ele já tinha ciência do meu projeto e já tinha mexido uns pauzinhos para ver como ele e seu empregador, The Buntin Group, poderiam promover meu livro como exemplo de soluções para a era digital, promovendo-o por meio das próprias soluções nele preconizadas. Quando eu falei com ele na primeira semana de janeiro de 2009, nós já tínhamos concordado em trabalhar juntos. Mas, no final dessa conversa, acabamos nos tornando parceiros de pleno direito neste empreendimento: empregar os princípios da Listenomics para escrever um livro sobre a Listenomics.

Em nossa tentativa não só de publicar o livro como também de criar um paradigma completamente novo para a publicação, Greg recrutou uma equipe improvisada de web designers, gurus das mídias sociais, acadêmicos, vigilantes do buzz on-line, criadores de widgets, especialistas em relações públicas, produtores de vídeo e donos de sites de hospedagem de vídeo para reinventar, sob o título de Equipe Caos, a arte da publicação de livros. Acreditamos que esse esforço, em si e por si, é pelo menos tão importante quanto o próprio *O Cenário de Caos*– e é por isso que o Capítulo 12 deste livro só está disponível no site TheChaosScenario.net (primeiro em forma de blog e somente depois em forma completa) – documentando nossos sucessos, nossos erros, nossas gafes humilhantes. Afirmo categoricamente que você não terá terminado de ler o livro até assimilar o site. É incrível.

Naturalmente, espero que este livro seja lido por todos os homens, mulheres e crianças da face da Terra e que o selo Stielstra prospere e não se limite a esse único projeto. Independentemente de como tudo isso termine, esse empreendimento foi a coisa mais empolgante de que já participei – e olhe que eu já joguei boliche na Casa Branca, já joguei pôquer a dinheiro alto, já pulei de bungee jump, já comi carne de cachorro na Coreia e até assisti à peça *Cats* sem antes tomar um ansiolítico.

Além de meus humildes trabalhos, *Cenário de Caos* resultou de imensas contribuições dadas por muitos amigos, colegas e pelos meus filhos. Toda a equipe editorial da *Advertising Age* colaborou sem hesitar. Menciono especialmente Abbey Klaassen, Jack Neff, Kevin Brown, Brian Steinberg, Michael Learmonth, Nat Ives, Matt Creamer, Rupal Parekh e Jesper Goransson. Os editores Ken Wheaton e Jonas Bloom me deram mais liberdade e mais bons conselhos do que eu jamais poderia sonhar. Os executivos David Klein, Allison Arden e Rance Crain, da Crain Communications, me deram apoio a cada passo do caminho – mesmo quando cuspi no prato em que eles comiam. Scott Donaton estava presente quando este projeto foi criado e investiu generosamente seu capital editorial para fazê-lo acontecer.

Na WNYC, a equipe de *On the Media* foi igualmente importante, pois eu, espertamente, fui escolhendo minhas reportagens a dedo para facilitar a escrita do livro – e assim transformei toda uma equipe de produtores num grupo de pesquisa a meu serviço. Como eles são as pessoas mais inteligentes com quem já trabalhei, descobriram o estratagema logo de saída, mas nem por isso deixaram de colaborar com brilhantismo e boa disposição. Obrigado a Megan Ryan, Nazanin Rafsanjani, Mike Vuolo, Mark Philips, Jamison York, Tony Field, P. J. Vogt, Michael Bernstein, Nadia Zonis e, no aspecto técnico, Jennifer Munson e Dylan Keefe. A equipe gestora – Katya Rogers, John Keefe e Dean Cappello – me estimulou generosamente em todas as fases do projeto. Quanto a Brooke Gladstone, minha colocutora, editora, confessora, amiga querida e advogada do diabo, escrevi este livro antes de tudo para impressioná-la.

Na *Wired*, registro meus agradecimentos, minha apreciação e minha infinita admiração pelo editor-chefe Mark Robinson, que me guiou ao longo da primeira reportagem que fiz sobre o YouTube, e por Chris Anderson, editor e escritor visionário com quem tive o privilégio de trabalhar e de quem consegui, a duras penas, que escrevesse uma nota para a contracapa do livro.

As 200 e tantas entrevistas que fiz são a estrutura em torno da qual o livro foi construído, mas algumas de minhas fontes foram heroicamente solícitas: Jessica Greenwood, Ayelet Noff, J. D. Lasica, Jeff Jarvis, Jeff Howe, Rishad Tobaccowala, Seth Godin, Clay Shirky, Ted Leonsis e, acima de tudo, Neil Perry, que me abriu seu escritório – nas épocas ruins como nas boas – correndo riscos incalculáveis. Steve Rosenbaum, meu amigo e mentor, foi aquele a cujos comentários recorri a cada etapa do projeto. Meu amigo (e ex-editor) Linton Weeks leu o manuscrito original e, como sempre, me deu orientações exatas. Minha filha Katie Whitehill passou um pente fino na versão final, fez (tenho vergonha de dizer) mais de 200 correções e deu muitas sugestões ponderadas para melhorar o texto. Vez por outra me chamou de um nome feio, mas eu, no espírito do tema, a ouvi.

Obrigado a meu agente Dan Strone pelos esforços incansáveis, a Bart Wilson pelo trabalho no Comcastmustdie.com, a Jeffrey Buntin pai e Jeffrey Buntin filho por me dar acesso a seu cérebro digital na pessoa de Greg Stielstra – e, é claro, ao próprio Greg. Meu editor e sócio neste empreendimento é uma pessoa de conhecimento e energia ilimitados, sem falar no pensamento estratégico e na transbordante abundância de ideias. Se este livro fizer sucesso, garanto que ele será tão responsável quanto eu.

Por fim, duas palavrinhas sobre o título. Por que chamar um livro de *Cenário de Caos* quando 75% do texto fala não do problema, mas da solução? Excelente pergunta. Um sem-número de ideias se apresentam para quem escreve um livro sobre a transferência de poder das instituições para os indivíduos no cotidiano do mundo digital. Por exemplo: *O Rato que Ruge*. Fato, é esse o nome de um romance cômico escrito em 1955 por Leonard Wibberley, sobre um ducado europeu pequeno e atrasado que declara guerra aos Estados Unidos... e ganha. Mas o nome também descreve a vitória do indivíduo munido de um computador sobre os antigos Poderes Instituídos. Infelizmente, uma cuidadosa pesquisa no Google me revelou que pelo menos uma consultoria de marketing já havia descoberto esse nome. Azar.

Outra referência literária foi descartada por um motivo diferente. *Lilliput* me parecia perfeito, pois os anõezinhos conseguiram subjugar o gigante Gulliver. Mas um exame um pouquinho menos superficial mostra que a sátira de Jonathan Swift tratava de um assunto completamente diferente: duas sociedades problemáticas que travavam guerra por causa de discordâncias imbecis. Por mais que eu quisesse, não conseguiria modificar o tema para encaixá-lo nas minhas premissas.

Death to Pluto [*Morte a Plutão*] me agradou porque se referia ao rebaixamento de um (ex-)planeta na escala hierárquica do céu. Se até a constituição do sistema solar está sujeita a revisão, me parece que não temos motivo algum para pensar que as redes de TV – por exemplo – são eternas e imutáveis. Pelo mesmo motivo, considerei adotar os títulos *The King is Dead, Long Live the King* [*Rei Morto, Rei Posto*] e *The End of Everything – And the Beggining of Everything Else* [*O Fim de Tudo – E o Começo de Tudo o Mais*].

Durante o primeiro ano de trabalho, o título era *Listenomics*. Mas, como eu disse na introdução, *Wikinomics* e *Freakonomics* chegaram antes às prateleiras das livrarias (e a eles logo se seguiu o *Womenomics*). Mesmo assim, eu tinha muitas outras opções: *True Tales of the Mob* [*Histórias Verdadeiras da Multidão Enfurecida*], *The Guillotine and the Scalpel* [*A Guilhotina e o Bisturi*], *King You* [*Rei Você*] e (meu predileto) *Today's Bad But Let's Try to Connect after the Apocalypse* [*O Dia está Ruim, mas Vamos Tentar Entrar em Contato depois do Apocalipse*].

Minha penúltima hipótese foi *Name This Book* [*Dê Nome a Este Livro*]. Esse era legal. Se o sentido deste empreendimento é explicar e exemplificar o modo como a pirâmide do poder virou de cabeça para baixo, talvez fosse tolice minha – ou até arrogância e hipocrisia – ter a presunção de definir por conta própria esse assunto. Se, para passar mais de 4 anos escrevendo esta coisa, eu parti da premissa de que cada vez menos um único Homem terá o direito de mandar em todos, o mínimo que eu podia fazer era praticar o que eu mesmo prego. Ora, toda a produção, o marketing e a distribuição do livro eram baseados nos princípios aqui discutidos. Mais ainda: *você não está lendo o produto final*, pois o último capítulo – disponível somente on-line – vai relatar como tudo foi feito e no que deu. Por isso, seria perfeito dizer: "Dê a este livro o nome que você quiser. O assunto está literalmente em suas mãos."

Mas minha mulher disse que nunca tinha ouvido tamanha bobagem, e no fim das contas sou eu que tenho de viver com ela. Então tomei uma decisão final baseado no que se chama por aí de "brand equity", valor da marca. *Cenário de Caos* foi o título que inaugurou esta aventura e se tornou uma espécie de termo técnico no mundo do marketing. Também sempre mandam a gente se ater à primeira resposta que dá aos testes de múltipla escolha. Além disso – ora bolas! – esse título fica fantástico na capa de um livro.

– Bob Garfield
Potomac, Maryland
Maio de 2009